日本語能力試験対策 教本シリーズ

ゼッタイ合格！
日本語能力試験
総合テキスト

Japanese Language Proficiency Test Comprehensive Textbook N2
日语能力考试 综合教材　N2
일본어능력시험　종합텍스트　N2

森本智子／高橋尚子／有田聡子／黒江理恵／青木幸子●共著

Jリサーチ出版

はじめに

　本書は、これから日本語能力試験を受けようという方、また、受験生を指導される方のために制作いたしました。

　本書がまずめざしたのは、試験がどのようなものであるか、その難易度や範囲、対象など全体を少しでも俯瞰できるようにすることです。そこで、学習すべき項目や押さえておきたい項目などをなるべく具体的に示すことに力点を置きました。たくさんの項目が整理しやすいように、さまざまなリスト化を試みました。短期即習とスコアアップ、また、総合的な実力アップに効果が期待できると思われます。これらリストと各問題のポイント解説を通して、理解度・習得度と課題点の確認をしていただければと思います。

　数週間、あるいは数カ月の試験準備のなかで、この本をご活用いただければ幸いです。そして、本書がN2合格を目指す皆さんのお役に立てることを願っています。

著者・編集部一同

目 次

はじめに・・ 2
この本の使い方・・・・・・・・・・・・・・・・・・・・・・・・・・・・・・・・・・・ 4
「日本語能力試験N2」の内容・・・・・・・・・・・・・・・・・・・ 5

N2レベルの「漢字と語彙」・・・・・・・・・・・・・・・・・・ 7
「N2レベルの漢字」と語彙・・・・・・・・・・・・・・・・・・・・ 8
「N3レベルの漢字」と語彙・・・・・・・・・・・・・・・・・・・・ 19
「N4・N5レベルの漢字」と語彙・・・・・・・・・・・・・・・・ 37

N2レベルの「語彙」・・・・・・・・・・・・・・・・・・・・・・・ 63

N2レベルの「文型」・・・・・・・・・・・・・・・・・・・・・・・ 141

問題のパターンと解答のポイント・・・・・・・・ 175

N2模擬試験・・・・・・・・・・・・・・・・・・・・・・・・・・・・・ 185

〈別冊〉
模擬試験／解答・解説・・・・・・・・・・・・・・・・・・・・・・・ 2
模擬試験／採点表・・・・・・・・・・・・・・・・・・・・・・・・・・ 16

この本の使い方

- 試験に何が出るかを知り、これまでの学習したものをしっかり固めるため、「言語知識」の整理に力を入れています。また、以下の3つを中心にしています。

①漢字をキーに、漢字と語彙の両方の力を高める。

　※初級の漢字についても、それを含むN2レベルの単語などを押さえる。

②いくつかのグループに分けて、N2の基本語彙を復習・整理する。

③N2の基本文型を復習・整理する。

→チェックボックスを使いながら理解しているかどうかの確認をし、理解が足りないところは課題にしてください。

→意味や使い方がよくわからないものがあれば、ほかの本も利用してください。

例）

語彙の力不足→『日本語単語スピードマスター INTERMEDIATE2500』

　　　　　　　『日本語能力試験　N2 語彙スピードマスター』

文法の力不足→『日本語能力試験　N2 文法スピードマスター』

- 「問題のパターンと解答のポイント」で、試験のポイントを科目別にまとめています。

- 最後に模擬試験（mock examinations／模拟考试／모의고사）があります。

→解答用紙は切り取るか、コピーして使ってください。

→別冊（Appendix／附冊／별책）の最後のページに採点表があります。得点結果をもとに、力不足のところがないか、確認してください。得点の低い科目があれば、重点的に学習しましょう。

なお、漢字・語彙・文型などの扱いについては、2010年の改定まで基準となっていた『日本語能力試験出題基準』（独立行政法人国際交流基金・財団法人日本国際教育支援協会 編著／凡人社刊）を参考にしながら、現在の試験に合うように検討しました。また漢字についても、これまでと同じように常用漢字表を主な基準としています。

「日本語能力試験 N2」の内容

1．N2のレベル

- 日常的な場面で使われる日本語の理解に加え、より幅広い場面で使われる日本語をある程度理解することができる。

読む	・さまざまな話題について書かれた新聞や雑誌の記事・解説、易しい評論など、言いたいことが明らかな文章を読んで、文章の内容を理解することができる。 ＊論説：あるテーマ・問題について、順序よく意見を述べたり解説したりすること ＊評論：物事の長所・短所を取り上げながら、評価を述べること ・一般的な話題に関する読み物を読んで、話の流れや表現意図を理解することができる。
聞く	・日常的な場面に加えてさまざまな場面で、自然に近いスピードの、まとまりのある会話やニュースを聞いて、話の流れや内容、登場人物の関係を理解したり、要旨を把握したりすることができる。 ＊登場人物：話の中に出てくる人

2．試験科目と試験時間

- 「言語知識」と「読解」は同じ時間内に、同じ問題用紙、同じ解答用紙で行われます。自分のペースで解答することになりますので、時間配分に注意しましょう。

	言語知識（文字・語彙・文法）・読解	聴解
時間	105分	50分

3．合否（＝合格・不合格）の判定

- 「総合得点」が「合格点」に達したら、合格になります。確実に6～7割の得点が得られるようにしましょう。

- 「得点区分別得点」には「基準点」が設けられています。「基準点」に達しなければ、「総合得点」に関係なく、不合格になります。苦手な科目をつくらないようにしましょう。

	言語知識 （文字・語彙・文法）	読解	聴解	総合得点	合格点
得点区分別得点	0～60点	0～60点	0～60点	0～180点	90点
基準点	19点	19点	19点		

4．日本語能力試験 N2 の構成

大問			小問数	ねらい
言語知識（文字・語彙・文法）・読解（105分）	文字・語彙	1 漢字読み	5	漢字で書かれた語の読み方を問う。
		2 表記	5	ひらがなで書かれた語が漢字でどのように書かれるかを問う。
		3 語形成	5	派生語や複合語の知識を問う。
		4 文脈規定	7	文脈によって意味的に規定される語が何であるかを問う。
		5 言い換え類義	5	出題される語や表現と意味的に近い語や表現を問う。
		6 用法	5	出題語が文の中でどのように使われるのかを問う。
	文法	7 文の文法1（文法形式の判断）	12	文の内容に合った文法形式かどうかを判断することができるかを問う。
		8 文の文法2（文の組み立て）	5	統語的に正しく、かつ、意味が通る文を組み立てることができるかを問う。
		9 文章の文法	5	文章の流れに合った文かどうかを判断することができるかを問う。
	読解	10 内容理解（短文）	5	生活・仕事などいろいろな話題も含め、説明文や指示文など200字程度のテキストを読んで、内容が理解できるかを問う。
		11 内容理解（中文）	9	比較的易しい内容の評論、解説、エッセイなど500字程度のテキストを読んで、因果関係や理由、概要や筆者の考え方などが理解できるかを問う。
		12 統合理解	2	比較的易しい内容の複数のテキスト（合計600字程度）を読み比べて比較・統合しながら理解できるかを問う。
		13 主張理解（長文）	3	論理展開が比較的わかりやすい評論など、900字程度のテキストを読んで、全体として伝えようとしている主張や意見がつかめるかを問う。
		14 情報検索	2	広告、パンフレット、情報誌、ビジネス文書などの情報素材（700字程度）の中から必要な情報を探し出すことができるかを問う。
聴解（50分）		1 課題理解	5	まとまりのあるテキストを聞いて、内容が理解できるかどうか（次に何をするのが適当か理解できるか）を問う。
		2 ポイント理解	6	まとまりのあるテキストを聞いて、内容が理解できるかどうか（ポイントを絞って聞くことができるか）を問う。
		3 概要理解	5	まとまりのあるテキストを聞いて、内容が理解できるかどうか（テキスト全体から話者の意図や主張が理解できるかどうか）を問う。
		4 即時応答	12	質問などの短い発話を聞いて、適切な応答が選択できるかを問う。
		5 統合理解	4	長めのテキストを聞いて、複数の情報を比較・統合しながら、内容が理解できるかを問う。

※ 小問数は予想される数で、実際にはこれと異なる場合もあります。

N2レベルの「漢字と語彙」

「N2レベルの漢字」と語彙

グループA

ア〜オ

愛	アイ	▶母の愛情・仕事への愛情(love, affection)
圧	アツ	▶血圧(blood pressure) ▶気圧(atmospheric pressure)
囲	イ / かこ-む / かこ-う	▶周囲(surroundings) ▶範囲(range) ▶みんなで囲む(surround)
委	イ	▶委員に選ばれる
依	イ	▶仕事の依頼(ask, request)
胃	イ	▶胃(stomach)
異	イ / こと	▶異常な数字(abnormal) ▶異なる(be different)
偉	イ / えら-い	▶偉大な発明(great) ▶偉い人(grand)
域	イキ	▶住宅地域 / 地域の発展(region)
印	イン / しるし	▶印刷(print) ▶印象(impression) ▶印をつける(mark) ▶目印(mark)
宇	ウ	▶宇宙(universe)
羽	(ウ) / は / はね	▶鳥の羽(feather, wing)
永	エイ / なが-い	▶永遠に愛を誓う(forever) ▶永久機関(perpetual)
栄	エイ / さか-える / は-え / は-える	▶栄養(nutrition)
鋭	エイ / するど-い	▶鋭い歯 / 意見(sharp)
液	エキ	▶液体(liquid) ▶血液(blood)
越	(エツ) / こ-す / こ-える	▶冬を越す(pass) ▶山を越える(go over) N4-N5 引っ越す
延	エン / の-びる / の-べる / の-ばす	▶滞在を延長する / 延ばす(extend, prolong) ▶出発を延期する / 延ばす(put off) ▶受付期間 / 地下鉄が延びる(be extended)
煙	エン / けむり / けむ-い	▶煙突(chimney) ▶禁煙席(no smoking) ▶煙(smoke) ▶煙い(smoky)
演	エン	▶役者の演技(acting) ▶演劇を学ぶ(play) ▶多くの市民を前に演説する(speech) ▶「スポーツと健康」をテーマにした講演(lecture)
央	オウ	▶中央の席(center)
応	オウ / こた-える	▶教育への応用(application) ▶選手 / 仲間を応援する(support) ▶一応(=ひとまず) ▶相談に応じる(respond)
欧	オウ	▶欧州(Europe) ▶欧米(Europe and U.S.)
億	オク	▶一億(hundred million)

カ〜コ

可	カ	▶利用可能 ▶可能性(possibility) ▶法案を可決する(=議会で、提出された案についてそれでよいと決めること / pass) ▶許可(permit) ▶不可(prohibited, not permitting)
仮	カ / ケ / かり	▶仮定の話 ▶仮定法(subjunctive mood) ▶仮名(=実際の名前を避けて使われる名前)
菓	カ	N4-N5 菓子
貨	カ	▶通貨(※円、ドルなど) ▶硬貨(coin) ▶貨物(cargo) ▶雑貨店
靴	(カ) / くつ	▶靴底 ▶雨靴 N4-N5 靴を磨く

グループA N2レベルの「漢字と語彙」

□ 介	カイ	N4-N5 紹介(しょうかい)
□ 貝	かい	▶魚や貝(さかな や かい)(shell)
□ 拡	カク	▶拡大(かくだい)コピー(expansion)
□ 革	(カク) かわ	▶革の財布(かわ の さいふ)(leather)
□ 格	カク	▶陽気な性格(ようき な せいかく)(personality) ▶価格(かかく)(price)
□ 較	カク	▶比較(ひかく)(=比べること) ▶比較的安い(ひかくてき やすい)(=ほかと比べて)
□ 干	(カン) ほ-す ひ-る	▶干す(ほす)(dry)
□ 甘	カン あま-い あま-える あま-やかす	▶子供を甘やかす(こども を あまやかす)(pamper) N4-N5 甘いお菓子(あまい おかし)
□ 刊	カン	▶朝刊(ちょうかん)(morning edition) ▶夕刊(ゆうかん)
□ 巻	カン ま-く まき	▶第〜巻(だい〜かん)(volume 〜) ▶マフラーを巻く(まく)(wind)
□ 乾	カン かわ-く かわ-かす	▶乾燥(かんそう)(drying) ▶乾杯(かんぱい)(cheers) ▶髪を乾かす(かみ を かわかす) N4-N5 乾く(かわく)
□ 管	カン くだ	▶水道管(すいどうかん)(pipe) ▶管理(かんり)(management) ▶細い管(ほそい くだ)(pipe, tube)
□ 環	カン	▶町/パソコンの環境(まち/パソコン の かんきょう)(environment) ▶血液/空気の循環(けつえき/くうき の じゅんかん)(circulation)
□ 含	(ガン) ふく-む ふく-める	▶祝日を含む(しゅくじつ を ふくむ)(including) ▶私を含めた4人(わたし を ふくめた 4にん)
□ 机	キ つくえ	N4-N5 机といす(つくえ と いす)
□ 季	キ	▶四季の変化(しき の へんか)(four seasons) N4-N5 季節(きせつ)
□ 祈	キ いの-る	N4-N5 無事を祈る(ぶじ を いのる)
□ 基	キ もと もとい	▶基本を学ぶ(きほん を まなぶ)(basic) ▶評価の基準(ひょうか の きじゅん)(standard, criteria) ▶基礎を固める(きそ を かためる) ▶基地(きち)(base) ▶〜を基にする(もとにする)(based on 〜)
□ 寄	キ よ-る よ-せる	▶寄付(きふ)(donation) ▶(お)年寄り(としより) ▶期待を寄せる(きたい を よせる)(=向ける) N4-N5 近くに寄る(ちかく に よる)(=近づく)
□ 規	キ	▶軍隊の規律(ぐんたい の きりつ)(discipline) ▶定規(じょうぎ)を使って線を引く(つかって せん を ひく)(ruler) N4-N5 規則(きそく)
□ 疑	ギ うたが-う	▶疑問(ぎもん)(question) ▶本当かどうか疑う(ほんとう か どうか うたがう)
□ 喫	キツ	▶喫煙(きつえん)(smoking) N4-N5 喫茶店(きっさてん)
□ 詰	(キツ) つ-める つ-まる	▶かばんに荷物を詰める(にもつ を つめる)(pack) ▶缶詰(かんづめ)(canned food) ▶息が詰まる(いき が つまる)(be choked)
□ 逆	ギャク さか さか-らう	▶逆方向(ぎゃくほうこう)(opposite) ▶逆さにする(さかさ に する)(upside down)
□ 久	キュウ ひさ-しい	▶永久(えいきゅう)(=いつまでも限りなく続くこと)
□ 旧	キュウ	▶旧日本大使館(きゅう にほん たいしかん)(=かつての)
□ 吸	キュウ す-う	▶呼吸(こきゅう)(breathing) ▶水/知識を吸収する(みず/ちしき を きゅうしゅう する)(absorb) N4-N5 吸う(すう)
□ 巨	キョ	▶巨大な岩(きょだい な いわ)(huge)
□ 居	キョ い-る	▶住居(じゅうきょ)(=住むところ) ▶居間(いま)でテレビを見る(みる)(living) ▶居眠りをして怒られる(いねむり を して おこられる)(=座ったまま/何かをしながら眠ってしまうこと)
□ 許	キョ ゆる-す	▶許可(きょか)(permit) ▶運転免許(うんてんめんきょ)(license) ▶失敗を許す(しっぱい を ゆるす)(forgive)
□ 御	(ギョ) ゴ お おん	▶○○会社御中(かいしゃおんちゅう)(※手紙などで、会社やグループなどのあて名の下に付ける語) N4-N5 御出席(ごしゅっせき)、御祝い(おいわい)
□ 共	キョウ とも	▶共通の目的/友人(きょうつう の もくてき/ゆうじん)(common, mutual) ▶共同研究(きょうどうけんきゅう)(=同じ目的のために一緒に事をすること) ▶公共の建物(こうきょう の たてもの)(public) ▶共に成長する(とも に せいちょう する)(together)
□ 供	キョウ とも	▶電気を供給する(でんき を きょうきゅう する)(supply) N4-N5 子供(こども)

9

N2レベルの「漢字と語彙」グループA

□ 況	キョウ	▶状況を伝える(situation)
□ 挟	(キョウ) はさ-む はさ-まる	▶クリップで資料を挟む(pinch) ▶ドアで指を挟む ▶挟まる
□ 狭	(キョウ) せま-い せば-める せば-まる	N4-N5 狭い家
□ 恐	キョウ おそ-れる おそ-ろしい	▶恐怖(fear) ▶失敗を恐れる(be afraid) ▶恐ろしい事件(terrible) ▶恐竜(dinosaur)
□ 胸	キョウ むね むな	▶胸を張る(=誇らしく思う)
□ 境	キョウ さかい	▶境界(boundary) ▶自然／教育環境(environment) ▶国境 ▶隣の県との境
□ 競	キョウ ケイ きそ-う	▶オリンピックの競技(=スポーツなどで、技術や能力を競うこと。それぞれのスポーツのこと) ▶競馬 N4-N5 競争
□ 叫	(キョウ) さけ-ぶ	▶叫ぶ(shout)
□ 極	キョク ゴク (きわ-める)(きわ-まる)(きわ-み)	▶北極(Arctic)⇔南極 ▶積極的な意見(aggressive)⇔消極的な
□ 玉	(ギョク) たま	▶小さなガラス玉(ball) ▶100円玉(coin)
□ 均	キン	▶平均(average)
□ 偶	グウ	▶偶然出会う(by chance／偶然／우연) ▶偶数(=2、4、6など2で割りきれる数字／even)⇔奇数(odd)
□ 掘	(クツ) ほ-る	▶土／穴を掘る(dig／掘／파다)
□ 訓	クン	▶警察犬の訓練(training)
□ 軍	グン	▶軍隊の訓練(army)
□ 群	(グン) む-れる む-れ むら	▶羊の群れ(=人や動物がたくさん集まっている状態)
□ 恵	ケイ エ めぐ-む	▶自然／科学の恩恵を受ける(benefit) ▶生活／昔の人の知恵(wisdom) ▶才能に恵まれる(be blessed with)
□ 敬	ケイ うやま-う	▶尊敬する(respect) ▶敬意を表す(=尊敬する気持ち) ▶敬語を使う(honorific) ▶先生を敬う(=尊敬する)
□ 傾	ケイ かたむ-く かたむ-ける	▶最近／女性の傾向(trend, tendency) ▶絵／看板が傾く(lean／傾斜／기울다)
□ 芸	ゲイ	▶芸術(art) ▶文芸(literature) ▶伝統芸能(traditional arts) ▶芸能界(entertainment industry) ▶園芸(gardening)
□ 迎	ゲイ むか-える	▶歓迎(welcome) ▶出迎えの人たち(=迎えるために出ること) N4-N5 駅で迎える
□ 劇	ゲキ	▶劇場(theater) ▶悲劇(tragedy)
□ 肩	(ケン) かた	▶荷物を肩にかける ▶肩がこる(=肩の筋肉が張る、堅くなる)
□ 軒	ケン のき	▶軒(=屋根の壁から出ている部分) ▶軒を並べる(=屋根と屋根が接するように、多くの家が建ち並ぶ) N4-N5 ～軒(⇒家や店の数を表す語)
□ 健	ケン すこ-やか	▶健康(health) ▶保健教育(=健康でいられるようにすること) ▶市の保健所(health center)
□ 権	ケン	▶国民の権利を守る(right) ▶選挙権(=選挙に参加できる権利)
□ 賢	ケン かしこ-い	▶賢い方法(wise, clever)
□ 固	コ かた-める かた-まる かた-い	▶固体(solid)⇔液体 ▶アイスクリーム／気持ちが固まる(=固くなる／harden) N4-N5 固い
□ 枯	コ か-れる か-らす	▶花が枯れる(wither／枯萎／시들다, 마르다)
□ 雇	コ やと-う	▶人を雇う(hire)

グループA　N2レベルの「漢字と語彙」

□ 互	ゴ / たが-い	▶相互の信頼に基づく(mutual) ▶互いに尊敬し合う(each other)
□ 誤	ゴ / あやま-る	▶誤解を招く言い方(misunderstanding) ▶誤りを見つける(error, mistake)
□ 更	コウ / さら / ふ-ける / ふ-かす	▶場所の変更(＝決められていた物事を変えること) ▶夜が更ける(＝夜が深くなって真夜中近くになる)
□ 効	コウ / き-く	▶効果(＝ある働きで得られる好ましい結果／effect) ▶効力を失う(＝効果を及ぼす力) ▶有効な方法(effective) ▶薬が効く(be effective)
□ 肯	コウ	▶〜を肯定する(＝その通りだと認める／affirm)
□ 荒	コウ / あら-い / あ-れる / あ-らす	▶波／言葉／運転が荒い(＝穏やか・ソフト・丁寧でない、乱暴だ) ▶荒れた天気／道／生活
□ 郊	コウ	N4-N5 郊外に出かける(suburb)
□ 香	コウ / かお-り / かお-る	▶香水の匂い(perfume) ▶花の香り(fragrance)
□ 耕	コウ / たがや-す	▶耕地(＝農業をするための土地) ▶土地を耕す(cultivate)
□ 康	コウ	▶健康
□ 硬	コウ / かた-い	▶硬貨(coin) ▶硬い表情(stiff)
□ 鉱	コウ	▶炭鉱(＝石炭を掘り出す鉱山／coal mine)
□ 構	コウ / かま-える / かま-う	▶構成(constitution) ▶産業構造(structure) ▶結構面白い(quite) N4-N5 どっちでも構わない
□ 谷	コク / たに	▶谷(valley)
□ 根	コン / ね	▶根が生える(root) ▶家の屋根(roof)

サ〜ソ

□ 才	サイ	▶豊かな才能(talent, ability) N4-N5 5才(＝歳)の子
□ 採	サイ / と-る	▶採点(＝テストなどの点数をつけること)
□ 財	ザイ / サイ	▶財産(property) ▶財布(wallet)
□ 罪	ザイ / つみ	▶犯罪(crime) ▶罪を犯す(comit a crime)
□ 咲	さ-く	N4-N5 花が咲く
□ 刷	サツ / す-る	▶印刷(print) ▶刷る
□ 殺	サツ / ころ-す	▶自殺(suicide) ▶殺す(kill)
□ 賛	サン	▶賛成(approval)か反対か
□ 史	シ	▶近代史(＝近代の歴史) ▶歴史上初めて／史上初(＝歴史の中で) N4-N5 歴史
□ 司	シ	▶パーティーの司会(moderator／主持人／사회)
□ 志	シ / こころざ-す / こころざし	▶意志(will)
□ 枝	シ / えだ	N4-N5 枝
□ 脂	シ / あぶら	▶脂(＝肉の油)
□ 詞	シ	▶動詞(verb) ▶名詞(noun) ▶形容詞(adjective) ▶副詞(adverb)
□ 資	シ	▶資本(capital) ▶エネルギー資源(resource)
□ 誌	シ	N4-N5 雑誌
□ 似	ジ / に-る	▶真似をする(imitate／模仿／흉내) N4-N5 親に似る
□ 児	ジ / ニ	▶児童(＝主に小学校に通う子供) ▶育児(＝小さい子を育てること) ▶幼児(＝小さい子供)
□ 伺	(シ) / うかが-う	N4-N5 先生に意見を伺う
□ 識	シキ	▶知識(knowledge) ▶常識(common sense) ▶意識(consciousness)
□ 湿	シツ / しめ-る	▶湿度が高い(humidity) ▶湿気が多い(moisture) ▶湿った空気(wet)

N2レベルの「漢字と語彙」 グループA

□	収	シュウ / おさ-める / おさ-まる	▶収入(income) ▶収穫(harvest) ▶領収書(receipt) ▶成功を収める(=手に入れる) ▶引き出しに収める(=ある場所に入れる)
□	州	シュウ / す	▶州(state)
□	舟	シュウ / ふね / ふな	N4-N5 舟
□	周	シュウ / まわ-り	▶家の周囲(surroundings) ▶公園を一周する(go around) N4-N5 周り
□	拾	シュウ / ひろ-う	N4-N5 ごみを拾う
□	柔	ジュウ / やわ-らか / やわ-らかい	N4-N5 柔道(Judo)、柔らか、柔らかい
□	述	ジュツ / の-べる	▶主語と述語(=文の中で主語について述べる部分) ▶詳しく述べる(state)
□	純	ジュン	▶単純な仕事(simple) ▶純粋な理由(pure)
□	準	ジュン	▶判断の基準(basis, criteria) ▶世界の標準(standard) ▶生活水準(level)
□	処	ショ	▶ごみの/事務処理(=扱って問題を残さないようにする、片づける)
□	署	ショ	▶署名(signature) ▶消防署(fire department)
□	緒	ショ / チョ	▶一緒に行く(together)
□	諸	ショ	▶アジア諸国 ▶諸問題(=さまざまな)
□	除	ジョ / ジ / のぞ-く	▶データを削除する(delete) ▶土日・祝日を除く(except) ▶ごみ/不安を取り除く(remove)
□	床	ショウ / とこ / ゆか	▶起床時間(=起きること) ▶床の間(=和室の一部を高くして、花など飾り物を置くところ) ▶床に置く(floor)
□	招	ショウ / まね-く	▶家に招く(invite) ▶誤解を招く表現(=呼ぶ、引き起こす) N4-N5 招待
□	承	ショウ / うけたまわ-る	▶承認(approval) ▶注文/伝言を承る(=「聞く」「受ける」などのていねいな言い方) N4-N5 (頼み・指示の内容や事情について)承知する
□	昇	ショウ / のぼ-る	▶日が/階段を昇る(rise, go up)
□	将	ショウ	▶将来(future)
□	章	ショウ	▶第〜章(Chapter 〜) ▶文章(composition)
□	紹	ショウ	N4-N5 紹介
□	象	ショウ / ゾウ	▶調査対象(=それが向けられるもの/target, object) ▶抽象(abstract) ▶現象(phenomenon) N4-N5 象
□	照	ショウ / て-る / て-らす / て-れる	▶対照(=対立する二つを並べたときに違いが目立つこと) ▶日が照る(shine) ▶机を照らす(=光を当てる/light, illuminate) ▶照明(=光を照らすこと、電灯で部屋などを明るくすること、それらの器具)
□	条	ジョウ	▶取引の条件(condition)
□	状	ジョウ	▶けがの状態(state) ▶交通状況(condition) ▶現状報告(status) ▶症状(symptom) ▶推薦状(testimonial/推薦信/추천장)
□	城	ジョウ / しろ	▶城(castle)
□	畳	ジョウ(ジョウ) / たた-む / たたみ	▶畳む(fold) N4-N5 畳の部屋
□	蒸	ジョウ / む-す / (む-れる) / (む-らす)	▶水蒸気(steam) ▶水が蒸発する(=消えてなくなる) ▶蒸した料理(steamed)
□	触	ショク / ふ-れる / さわ-る	▶手で触れる(touch) ▶会話の中で触れる(refer to) N4-N5 触る

グループA　N2レベルの「漢字と語彙」

□ 伸	シン／の-びる／の-ばす	▶背が伸びる(grow) ▶ひもを伸ばす(=長くする) ▶会話力を伸ばす(develop) ▶手を伸ばして取る(reach for)
□ 臣	(シン)／ジン	▶大臣(minister／大臣／장관)
□ 辛	シン／から-い	▶辛味(sharp taste) N4-N5 辛い
□ 針	シン／はり	▶国／会社の方針(policy) ▶糸と針(sting)
□ 隅	すみ	N4-N5 部屋の隅
□ 制	セイ	▶国／会社の体制(組織などの一つのまとまり／system) ▶選挙制度(やり方などの一つのまとまり／system) ▶制限(limit) ▶絵・アニメの制作(=芸術作品や放送番組などをつくること)
□ 姓	セイ	▶姓(family name)
□ 清	セイ／きよ-い／きよ-める	▶清潔な部屋(=きれいな／clean) ▶清い心(pure, clean)
□ 勢	セイ／いきお-い	▶チームの勢い(momentum／気勢／기세) ▶正しい姿勢／学校の姿勢(posture／attitude) N4-N5 大勢の人が集まる
□ 精	セイ	▶武士／法律の精神(spirit)
□ 責	セキ／せ-める	▶責任を感じる(responsibility) ▶責任者(person in charge) ▶責任感のない人 ▶責任をとる(take responsibility for) ▶人の失敗を責める(blame)
□ 積	セキ／つ-む／つ-もる	▶広い面積(area) ▶容積(volume) ▶車に荷物を積む(load) ▶積もる(pile up)
□ 績	セキ	▶試験／英語／10試合の成績(result, performance) ▶実績を上げる(actual results) ▶これまでの功績(achievement)
□ 設	セツ／もう-ける	▶最新の設備(equipment) ▶建設(construction)
□ 絶	ゼツ／た-える／た-やす／た-つ	▶絶滅のおそれのある生き物(extinction) ▶絶対反対だ(absolutely) ▶絶えず動く(=切れることなく)
□ 占	セン／し-める／うらな-う	▶大部分を占める(share) ▶将来を占う(=予想する)
□ 泉	セン／いずみ	▶温泉(hot spring) ▶泉(fountain)
□ 善	ゼン／よ-い	▶善と悪 ▶サービスを改善する(=よくなるように改めること)
□ 祖	ソ	▶先祖を大切にする／家の先祖(ancestor／先祖／선조, 조상) ▶人間／犬／日本人の祖先(ancestor／祖先／조상)
□ 双	ソウ／ふた	▶双子(twin)
□ 捜	(ソウ)／さが-す	▶犯人を捜す
□ 掃	ソウ／は-く	▶部屋の隅まで掃除機をかける ▶清掃スタッフ(=掃除) ▶掃いてきれいにする(sweep)
□ 装	ソウ／ショウ／よそお-う	▶装置(device) ▶プレゼントを包装する(=包む)
□ 層	ソウ	▶高層ビル ▶大層喜ぶ(=とても) ▶一層良くなる(=ますます)
□ 総	ソウ	▶総人口(=すべての)
□ 操	ソウ／あやつ-る	▶機械の操作(=物をうまく扱って動かすこと／operation) ▶泳ぐ前に少し体操をする(exercise)
□ 燥	ソウ	▶乾燥(dry)
□ 像	ゾウ	▶想像(imagination) ▶理想像(=理想とする姿・イメージ)
□ 憎	ゾウ／にく-む／にく-い／にく-らしい／にく-しみ	▶相手を憎む(hate) ▶憎い男(hateful) ▶憎らしい態度(=憎く感じる)
□ 贈	ゾウ／おく-る	▶花／プレゼントを贈る N4-N5 贈り物

N2レベルの「漢字と語彙」 グループA

□ 臓	ゾウ	▶心臓(heart)
□ 則	ソク	▶法則を見つける(law, rule) ／ N4-N5 規則
□ 測	ソク／はか-る	▶測定(=測ること／measurement) ▶星の観測(observation) ▶渋滞の予測(prediction) ▶測る
□ 率	ソツ／リツ／ひき-いる	▶率直な意見(思ったり感じたりしたままの／candid) ▶合格率(pass rate)
□ 尊	ソン／とうと-い／とうと-ぶ	▶尊敬の気持ち(respect) ▶意見を尊重する(respect)

タ〜ト

□ 退	タイ／しりぞ-く／しりぞ-ける	▶退社する(=仕事を終えて会社から帰る、会社をやめる) ▶引退する(retire) ▶一歩退く／代表を退く(=後ろへ下がる／ある地位から離れる)
□ 濯	タク	N4-N5 洗濯
□ 担	タン／にな-う	▶担当者(person in charge) ▶負担(burden)
□ 炭	タン／すみ	▶石炭(coal)
□ 探	タン／さぐ-る／さが-す	▶ポケットの中を探る／可能性を探る(=あるかどうか探し求める・調べる) ▶〜の気持ちを探る(=調べて確かめる) ／ N4-N5 探す
□ 恥	チ／は-じる／はじ／は-じらう／は-ずかしい	N4-N5 恥ずかしい失敗
□ 竹	チク／たけ	▶竹(bamboo) ▶竹林(bamboo)
□ 畜	チク	▶牧畜(pastoralism)
□ 築	チク／きず-く	▶建築(architecture)
□ 仲	(チュウ)／なか	▶仲間(company) ▶仲がいい(close)
□ 宙	チュウ	▶宇宙ステーション(space)
□ 著	チョ／いちじる-しい	▶著者(=筆者／author)
□ 貯	チョ	▶貯金(savings) ▶貯蔵室(storage room)
□ 庁	チョウ	▶県庁(prefectural government)
□ 兆	チョウ／きざ-し	▶一兆円(one trillion yen)
□ 張	チョウ／は-る	▶拡張(extension) ▶緊張する(tension) ▶出張(business trip) ▶テント／根を張る(=のばして広げる) ▶池に氷が張る／根が張る(=のびて広がる)
□ 頂	チョウ／いただ-く／いただき	▶山の頂上(top) ▶世界の頂点に立つ(top, No.1)
□ 超	(チョウ)／こ-える／こ-す	▶1キロを超える(be over 〜) ▶限度を超す
□ 沈	チン／しず-む／しず-める	▶日が沈む(go down／落山／가라앉다) ▶気持ちが沈む(feel depressed)
□ 珍	(チン)／めずら-しい	N4-N5 珍しい客
□ 賃	チン	▶家賃(rent) ▶運賃(fare)
□ 底	テイ／そこ	▶ルールの徹底(態度や考えがはっきりしていて、隅々まで行き渡ること／thoroughness) ▶靴底
□ 程	テイ／ほど	▶程度(degree) ▶課程(course) ▶製作の過程(process) ▶日程 ▶先程(=さっき)
□ 泥	(デイ)／どろ	▶泥(mud) N4-N5 泥棒
□ 滴	テキ／しずく	▶水滴(drop of water)
□ 展	テン	▶経済の発展(development) ▶試合／ドラマの展開(deployment／展開／전개)
□ 殿	デン／テン／との／どの	▶田中殿(=部下や、特に上下関係のない相手に手紙などを送る場合に名前につける語)
□ 徒	ト	N4-N5 生徒

グループA　N2レベルの「漢字と語彙」

□ 途	ト	▶建物の用途(=使う目的／intended purpose)　N4-N5 ～に行く途中
□ 塗	ト　ぬ-る	N4-N5 黒く塗る
□ 努	ド　つと-める	▶努力を続ける(effort)　▶理解に努める(=努力する)
□ 到	トウ	▶駅に到着する(arrive)
□ 倒	トウ　たお-れる　たお-す	▶面倒な手続き(troublesome)　▶敵を倒す(defeat)　N4-N5 倒れる
□ 党	トウ	▶政党／党(party)
□ 盗	トウ　ぬす-む	▶銀行強盗(robber)　N4-N5 アイデアを盗む
□ 塔	トウ	▶テレビ塔(tower)
□ 等	トウ　ひと-しい	▶平等(equality)　▶レモン5個分に等しい(equall)
□ 筒	トウ　つつ	▶水筒(water bottle)
□ 童	ドウ　(わらべ)	▶児童(=子供。特に、小学生)　▶童話(=子供のために作られた話／fairy tale)　▶童謡(=子供のために作られた歌)
□ 銅	ドウ	▶銅像(bronze statue)
□ 導	ドウ　みちび-く	▶指導する(guide, coach)
□ 毒	ドク	▶中毒症状(=毒に当たること)　▶傷を消毒する　▶体に毒(=体によくない)
□ 突	トツ　つ-く	▶突然(suddenly)　▶壁に衝突する(collide)　▶棒／指／角で突く(poke／戳、指／찌르다)
□ 鈍	ドン　にぶ-い　にぶ-る	▶鈍い動き／音(=体の動きや行動、頭の働きが遅い様子。ぼんやりした感じ／dull)
□ 曇	ドン　くも-る	▶晴のち曇り(cloudiness)

ナ～ノ

□ 軟	ナン　やわ-らか　やわらかい	▶軟らかい金属／体
□ 任	ニン　まか-せる　まか-す	▶就任(=新しい任務や立場につくこと)　▶仕事を任せる(entrust／委託／맡기다)　▶責任(responsibility)　▶クラスの担任(teacher in charge)
□ 燃	ネン　も-える　も-やす	▶燃える(burn)　▶燃やす　▶燃える／燃やせるゴミ
□ 悩	ノウ　なや-む　なや-ます	▶苦悩(suffering)　▶仕事で悩む(worry)
□ 能	ノウ	▶能力が高い(ability)　▶有能な社員(=仕事のできる)　▶芸能界(show business)　▶可能(possibility)
□ 脳	ノウ	▶頭脳(brain)

ハ～ホ

□ 破	ハ　やぶ-る　やぶ-れる	▶破産(bankruptcy)　▶約束を破る(break a promise)　▶ズボンが破れる(get torn)
□ 拝	ハイ　おが-む	▶日の出を拝む(worship the sunrise)
□ 背	ハイ　せい　そむ-く　そむ-ける	N4-N5 背が高い、背中
□ 敗	ハイ　やぶ-れる	▶勝敗を予想する
□ 麦	バク　むぎ	▶小麦(wheat)
□ 爆	バク	▶爆発(explosion)
□ 肌	はだ	▶肌着(underwear)
□ 髪	ハツ　かみ	▶白髪の老人(with white hair)　N4-N5 髪
□ 抜	バツ　ぬ-く　ぬ-ける　ぬ-かす	▶歯を抜く(pull out)　▶毛が抜ける(fall out)　▶税抜価格(tax-excluded)

N2レベルの「漢字と語彙」 グループ A

□ 犯	ハン／おか-す	▶犯罪(crime) ▶犯人 ▶罪／失敗を犯す(法律や規則などに反することをする／commit)
□ 判	ハン／バン	▶判断(judge) ▶裁判(trial) ▶審判(referee) ▶評判がいい(reputation) ▶判子を押す(seal)
□ 版	ハン	▶出版(publication) ▶出版社
□ 皮	ヒ／かわ	▶皮膚(skin) ▶毛皮(fur)
□ 批	ヒ	▶批判を受ける(=物事について、評価や判定をすること。特に、誤りや欠点を取り上げ意見を述べること／criticism) ▶映画の批評(=物事について、いい・悪いを示して評価をすること／criticism)
□ 被	ヒ／こうむ-る	▶事故による被害(damage)
□ 匹	(ヒツ)／ひき	N4-N5 101匹の犬
□ 筆	ヒツ／ふで	▶論文を執筆する(write) ▶随筆を書く(essay) ▶筆記試験(writing) ▶筆(writing brush)
□ 評	ヒョウ	▶評価(estimation) ▶評判がいい(reputation) ▶批評家(critic)
□ 猫	(ビョウ)／ねこ	N4-N5 猫
□ 貧	ヒン／ビン／まず-しい	▶貧しい家庭／発想(poor)
□ 布	フ／ぬの	▶座布団(Japanese cushion) ▶毛布(blanket) ▶布で覆う(cloth, fabric)
□ 怖	フ／こわ-い	▶恐怖(fear) N4-N5 怖い
□ 浮	フ／う-く／う-かれる／う-かぶ／う-かべる	▶水に浮く(float)
□ 符	フ	▶データ通信用の符号(=簡単な文字や図形) N4-N5 切符
□ 富	フ／フウ／と-む／とみ	▶豊富な資金／資源(=たくさんあること)
□ 膚	フ	▶皮膚(skin)
□ 武	ブ	▶武士(warrior, samurai) ▶武器(weapon)
□ 舞	ブ／ま-う／ま-い	▶舞台で舞う(stage, dance) ▶自然に／明るく振る舞う(act)
□ 封	フウ／ホウ	N4-N5 封筒
□ 副	フク	▶副社長(vice-president)
□ 幅	(フク)／はば	▶机の幅(width)
□ 福	フク	▶幸福(happiness)
□ 沸	フツ／わ-く／わ-かす	N4-N5 お湯が沸く、沸かす
□ 仏	ブツ／ほとけ	▶神や仏(Buddha)
□ 平	ヘイ／ビョウ／たい-ら／ひら	▶平均点／身長(average) ▶平行な線(parallel) ▶平凡な家庭(mediocre／平凡的／평범) ▶公平な判断(fair) ▶平等な扱い(equal) ▶平らな地面(flat)
□ 兵	ヘイ／ヒョウ	▶兵隊(soldier)
□ 壁	ヘキ／かべ	N4-N5 壁
□ 編	ヘン／あ-む	▶本の編集(editing) ▶セーターを編む(knit)
□ 捕	ホ／と-らえる／と-らわれる／と-る／つか-まえる／つか-まる／つか-まえる	▶逮捕(arrest) ▶魚を捕る(take) ▶警察に捕まる(get caught) N4-N5 犯人を捕まえる
□ 補	ホ／おぎな-う	▶代表候補(candidate) ▶不足を補う(compensate)
□ 募	ボ／つの-る	▶社員を募集する(recruit)
□ 暮	(ボ)／く-れる／く-らす	▶日本で暮らす(live) ▶(年の)暮れ(=年末) N4-N5 日が暮れる

グループA 「N2レベルの漢字と語彙」

包	ホウ / つつ-む	▶簡単な包装(かんたんなほうそう)(packaging) ▶小包(こづつみ)(parcel) N4-N5 プレゼントを包む(つつむ)(wrap)
宝	ホウ / たから	▶宝石(ほうせき)(jewelry) ▶家/国の宝(いえ/くにのたから)(treasure)
抱	ホウ / だ-く / いだ-く / かか-える	▶赤ん坊を抱く(あかんぼうをだく)(hold) ▶夢を抱く(ゆめをいだく)(=心に持つ／embrace) ▶膝を抱える(ひざをかかえる)(hug)
豊	ホウ / ゆたか	▶豊富な資源(ほうふなしげん)(abundant) ▶豊かな生活(ゆたかなせいかつ)(rich)
亡	ボウ / な-い	▶死亡(しぼう)(=人が死ぬこと) N4-N5 亡くなる(なくなる)
坊	ボウ / ボッ	▶お坊さん(おぼうさん)(priest) ▶坊ちゃん(ぼっちゃん) N4-N5 寝坊(ねぼう)
帽	ボウ	N4-N5 帽子(ぼうし)
棒	ボウ	▶長い棒(ながいぼう)(stick)
暴	ボウ / バク / あば-く / あば-れる	▶乱暴な男/言葉/運転/扱い(らんぼうなおとこ/ことば/うんてん/あつかい)(violent, rude, bad, rough) ▶酒に酔って暴れる(さけによってあばれる)(act violently)

マ〜モ

磨	(マ) / みが-く	▶歯磨きの習慣(はみがきのしゅうかん) N4-N5 磨く(みがく)
埋	マイ / う-める / う-まる / う-もれる	▶穴を埋める(あなをうめる)(=空いているところを何かでいっぱいにする／fill) ▶土の中に埋める(つちのなかにうめる)(bury)
夢	ム / ゆめ	▶ゲームに夢中になる(むちゅうになる)(=そればかりに注意や気持ちが向けられる様子) N4-N5 夢(ゆめ)
娘	むすめ	N4-N5 娘(むすめ)
命	メイ / ミョウ / いのち	▶懸命な努力(けんめいなどりょく)(hard, intense) ▶生命保険(せいめいほけん)(life insurance) ▶寿命(じゅみょう)(life span) ▶出張を命じる(しゅっちょうをめいじる)(order) ▶命(いのち)(life)
迷	メイ / まよ-う	▶迷惑(めいわく)(nuisance) ▶迷子になる(まいごになる)(get lost) ▶迷う(まよう)(waver)

綿	メン / わた	▶綿の栽培(めんのさいばい)(cotten) N4-N5 木綿(もめん)

ヤ〜ヨ

勇	ユウ / いさ-む	▶勇気(ゆうき)(courage) ▶勇ましい兵士(いさましいへいし)(brave)
与	ヨ / あた-える	▶給与(きゅうよ)(salary) ▶影響を与える(えいきょうをあたえる)(influence)
余	ヨ / あま-る / あま-す	▶余裕(よゆう)(=時間・お金・場所などの余り) ▶余分(よぶん)(extra) ▶余る(あまる)(be left over)
幼	ヨウ / おさな-い	▶幼児(ようじ)(=小さい子) ▶幼稚な考え(ようちなかんがえ)(子供っぽい／childish) ▶幼い娘(おさないむすめ)(=小さい、まだ子供の)
溶	ヨウ / と-ける / と-かす / と-く	▶溶岩(ようがん)(lava) ▶水に溶ける(みずにとける)(dissolve, melt) ▶砂糖を溶かす(さとうをとかす) ▶お湯で溶く(おゆでとく)
腰	ヨウ / こし	▶腰(こし)(waist)
踊	(ヨウ) / おど-る / おど-り	N4-N5 踊る(おどる)、踊り(おどり)
翌	ヨク	▶翌〜(よく〜)(next 〜)

ラ〜ロ

乱	ラン / みだ-れる / みだ-す	▶乱暴な男/言葉/運転/扱い(らんぼうなおとこ/ことば/うんてん/あつかい)(violent, rude, bad, rough) ▶混乱(こんらん)(confusion)
陸	リク	▶大陸(たいりく)(continent)
律	リツ / リチ	▶規律を守る(きりつをまもる)(=人が集団生活や社会生活をするうえで行動の基本とされる決まり／discipline) N4-N5 法律(ほうりつ)
略	リャク	▶手順を省略する(てじゅんをしょうりゃくする)(omit) ▶名前を略す(なまえをりゃくす)
粒	リュウ / つぶ	▶米粒(こめつぶ)(=小さくて丸いもの／grain) ▶トウモロコシ(corn)の粒(つぶ) 一粒のお米(ひとつぶのおこめ)

N2レベルの「漢字と語彙」 グループA

- □ 了 リョウ ▶終了のベル(end) ▶作業の完了(completion)
- □ 涼 リョウ／すず-しい／すず-む ▶涼む ［N4-N5］涼しい
- □ 領 リョウ ▶大統領(President) ▶領収書(receipt) ▶レポートの要領(point, procedure) ▶要領がいい人(clever, smart)
- □ 療 リョウ ▶医療技術(medical care) ▶治療を続ける(medical treatment)
- □ 輪 リン／わ ▶車輪(wheel) ▶輪(ring)
- □ 令 レイ ▶会社の命令／命令に従う(order, command) ▶人に命令する
- □ 戻 （レイ）／もど-す／もど-る ▶お金を払い戻す(refund) ［N4-N5］戻る
- □ 零 レイ ▶零点(zero point)
- □ 列 レツ ▶行列に並ぶ(＝多くの人が一つの列になっているもの／line, procession) ▶列車(train)
- □ 恋 レン／こ-う／こい／こい-しい ▶失恋(disappointed love) ▶恋人(lover) ▶恋しい故郷(one's sweet hometown)
- □ 老 ロウ／お-いる／ふ-ける ▶老人(old people)
- □ 論 ロン ▶議論(discussion) ▶論文を書く(paper)

ワ〜ン

- □ 和 ワ／(オ)／やわ-らぐ／やわ-らげる／なご-む／なご-やか ▶平和(peace) ▶和風(Japanese style) ▶痛みを和らげる(relieve) ▶和やかな雰囲気(harmonious)
- □ 湾 ワン ▶〜湾(〜 bay)
- □ 腕 (ワン)／うで ▶右腕(right arm)

「N3 レベルの漢字」と語彙

グループ B　N2レベルの「漢字と語彙」

ア〜オ

- □ 案 アン
  - ▶案を考える (idea)
  - ▶提案 (proposal)
  - N4-N5 案内 (guide)

- □ 衣 イ
  - ▶衣服 (＝着る物)
  - ▶衣食住 (＝着る物と食べる物と住む所)

- □ 位 イ／くらい
  - ▶位置 (position) ▶順位 (ranking)
  - ▶地位 (status) ▶単位 (unit) ▶百の位 (the hundred's place)
  - N4-N5 一位をめざす

- □ 移 イ／うつ-る／うつ-す
  - ▶移動する (move) ▶場所を移す
  - N4-N5 ほかの場所に移る

- □ 違 イ／ちが-う／ちが-える
  - ▶違反 (＝規則に反すること) ▶相違 (＝違うこと、違い) ▶間違い (mistake)
  - N4-N5 間違える (make a mistake)

- □ 育 イク／そだ-つ／そだ-てる
  - ▶育児休暇 (child care) ▶育つ (grow)
  - N4-N5 教育、育てる

- □ 因 イン／よ-る
  - N4-N5 原因

- □ 雲 ウン／くも
  - N4-N5 雲

- □ 泳 エイ／およ-ぐ
  - ▶プールで泳ぐ (swim)
  - N4-N5 水泳 (swimming)

- □ 営 エイ／いとな-む
  - ▶営業の仕事 (sales)
  - ▶経営 (management)

- □ 易 エキ／イ／やさ-しい
  - ▶安易な行動 (easygoing) ▶容易に解ける (easily) ▶易しい問題 (easy)
  - N4-N5 貿易

- □ 園 エン／その
  - ▶ブドウ園 ▶幼稚園 (kindergarten)
  - ▶園芸 (gardening)
  - N4-N5 動物園 (zoo)

- □ 塩 エン／しお
  - ▶食塩 (＝食品としての塩) ▶塩辛い (salty)
  - N4-N5 塩をかける

- □ 汚 オ／けが-す／けが-れる／けがらわしい／よご-す
  - ▶環境汚染 (pollution) ▶汚す (＝よごす)
  - N4-N5 汚れる

- □ 王 オウ
  - ▶国王／王様 (king) ▶女王 (queen)
  - ▶王子 (prince)

- □ 横 オウ／よこ
  - ▶道路を横断する (cross)
  - N4-N5 横↔縦

- □ 押 (オウ)／お-す／お-さえる
  - ▶押さえる (＝押して力を加えて物が動かないようにする)
  - N4-N5 押す、押し入れ

- □ 奥 (オウ)／おく
  - ▶部屋の奥 (＝入口や表から中の方へ深く入ったところ) ▶奥様 (one's wife)

- □ 温 オン／あたた-か／あたた-かい／あたた-まる／あたた-める
  - ▶温度 (temperature) ▶気温 (air temperature) ▶体温 (＝体の温度)
  - ▶温暖な気候 (＝暖かく穏やかな)
  - ▶温かいスープ (hot, warm) ▶体が温まる ▶温める

カ〜コ

- □ 化 カ／ケ／ば-ける
  - ▶化学 (chemistry) ▶化粧 (makeup)
  - ▶化粧品 (cosmetics) ▶変化 (change)
  - ▶消化 (＝食べ物を体に取り入れやすい状態にすること、仕事や商品を処理すること)

- □ 加 カ／くわ-える／くわ-わる
  - ▶参加 (participation) ▶増加 (increase)
  - ▶追加する (add) ▶加える (add)
  - ▶加わる (join)

- □ 価 カ／あたい
  - ▶価値 (value) ▶評価 (evaluation)
  - ▶価格 (price) ▶定価 (list price) ▶物価 (＝世の中のものの値段) ▶高価な時計 (expensive)

- □ 果 カ／は-たす／は-てる／は-て
  - ▶果実 (＝果物の実) ▶結果 (result)
  - ▶効果 (effect)

N2レベルの「漢字と語彙」グループ B

河	(カ) かわ	パナマ運河(canal) [N4-N5] 河
科	カ	科目(subject) ▶外科(surgery)
過	カ す-ぎる す-ごす あやま-つ あやま-ち	▶過去(past) ▶通過(pass) ▶過程(process) ▶過剰(excess) ▶過失を認める(=ミス) ▶過ごす [N4-N5] 過ぎる
課	カ	▶日課(=毎日やると決めていること) ▶課税・非課税(=税を当てること) ▶課程(course, curriculum) ▶課題(task)
荷	(カ) に	[N4-N5] 荷物
灰	(カイ) はい	▶灰色(gray) ▶灰皿(ashtray)
快	カイ こころよ-い	▶快適な部屋(comfortable) ▶愉快な仲間(pleasant)
改	カイ あらた-める あらた-まる	▶法律の改正(=より適切な内容に改めること) ▶サービスの改善(=悪いところを改めてよくすること) ▶車を改造する(=部分的または全体的につくりなおす、つくりかえる) ▶日を改める(=今までのものと新しいものと入れかえる、新たに変える)
皆	(カイ) みな	[N4-N5] 皆
械	カイ	[N4-N5] 機械、器械
絵	カイ エ	▶絵画(=絵、平面に表現した芸術作品) ▶絵本 [N4-N5] 絵を描く
階	カイ	▶基礎の段階(stage) ▶段階的に行う(=少しずつ、徐々に) [N4-N5] ～階、階段
解	カイ ゲ と-く と-かす と-ける	▶理解する(understand) ▶誤解(misunderstanding) ▶詩の解釈(interpretation／解釈／해석)▶おもちゃを分解する(decompose／分해／분해하다) ▶解放(release) ▶解答を書く／正しい解答(answer) ▶問題を解く(solve)
害	ガイ	▶産業と公害(pollution) ▶台風／泥棒の被害(damage) ▶事故による損害(damage, loss) ▶活動／結婚の障害(=妨げること、妨げになるもの／hindrance)
各	カク おのおの	▶各部屋(=それぞれの／each) ▶各自 ▶各々
角	カク かど つの	▶角度(angle) ▶三角(triangle) ▶四角い皿(square) ▶角を曲がる(corner) ▶シカの角(horn)
覚	カク おぼ-える さ-ます さ-める	▶感覚(sense) ▶死を覚悟する(=危険や困難などを予想して、それを受けとめること) ▶目を覚ます(wake up) ▶目が覚める(awake) [N4-N5] 単語を覚える(memorize, remember)
確	カク たし-か たし-かめる	▶確実な方法(certain) ▶確認(confirmation) ▶正確な数字(accurate) ▶的確なアドバイス(adequate) ▶明確な意志(clear) ▶事実を確かめる(confirm) [N4-N5] 確か
額	ガク ひたい	▶金額(amount) ▶限度額 ▶額をぶつける(forehead)
活	カツ	▶活動(activity) ▶活気のある町(lively) ▶世界で活躍する(play an active part) ▶明日への活力(vitality) ▶動詞の活用(conjugations) [N4-N5] 日本での生活
割	カツ わ-る わり わ-れる さ-く	▶落として皿を割る ▶割引(discount) ▶時間割(timetable) [N4-N5] 割れる
汗	カン あせ	▶汗をかく(sweat)
完	カン	▶作品が完成する(be completed) ▶完全な資料(complete) ▶完了(completion)
官	カン	▶官庁(=国の事務を行う国の機関／government office) ▶警官(policeman)

グループB　N2レベルの「漢字と語彙」

看	カン	▶お店の看板(sign) ▶看病(nursing) [N4-N5]看護婦/師
換	カン、か-える、か-わる	▶交換する(exchange) ▶窓を開けて換気する(ventilate) ▶乗り換える(transfer)
感	カン	▶感覚(sense) ▶感激を伝える(deep emotion) ▶感情(feeling, emotion) ▶感心(admiration) ▶感動する(be impressed) ▶実感(actual feeling) ▶存在感を高める(presence)
慣	カン、な-れる、な-らす	[N4-N5]習慣、慣れる
関	カン、かか-わる	▶関心 ▶経済との関連(=つながり) ▶機関(institutions) ▶空港の税関(customs) ▶関西地方 ▶関東地方 [N4-N5]関係
簡	カン	[N4-N5]簡単
観	カン	▶自然観察(observation) ▶地震観測 ▶観客(audience) ▶観光(sightseeing)
丸	ガン、まる、まる-い、まる-める	▶丸一日かかる／丸暗記(=欠けることなく、そのまま全部) [N4-N5]丸い月、丸を書く
岸	ガン、きし	▶ボートを岸につける(shore) [N4-N5]海岸
岩	ガン、いわ	▶溶岩(lava／熔岩／용암) ▶岩(rock／岩石／바위)
願	ガン、ねが-う	[N4-N5]平和を願う
危	キ、あぶ-ない、あや-うい、あや-ぶむ	▶危うい状態(=危ない) [N4-N5]危険、危ない
希	キ	▶希望(hope)
記	キ、しる-す	▶新聞記者 ▶答えを記入する(fill) ▶記録(record) ▶記憶(memory) ▶暗記する(memorize) ▶結婚記念日(anniversary) ▶伝記(biography) ▶記事(article) [N4-N5]日記
喜	キ、よろこ-ぶ	[N4-N5]喜ぶ
期	キ、ゴ	▶期間(period) ▶学期(semester) ▶収穫の時期(=何かを行う時、幅をもった時) ▶申し込みの期限(deadline) ▶出発を延期する(postpone) ▶バスの定期券(commuter pass)
器	キ、うつわ	▶バターを入れる容器(=入れ物／container) ▶食器を洗う(tableware) ▶楽器を弾く(instrument) ▶器用な人(=物事をうまく扱ったり処理できること) ▶医療器具(equipment)
機	キ	▶改革の契機(=新たな物事や変化が起こる原因・きっかけ) ▶機嫌がいい(=気分の良い悪いの状態) ▶計算機 ▶国の機関(institution) [N4-N5]機械、機会
技	ギ、わざ	▶技師(engineer) ▶演技(acting) ▶競技(=技術を競うこと—特にスポーツで) [N4-N5]技術
議	ギ	▶議論(discussion) ▶議会(congress／议会／의회) ▶市議会の議員 ▶議長(chairman) [N4-N5]会議
客	キャク、カク	▶2階の客席 ▶観客(audience) ▶乗客(passenger) [N4-N5]店の客、お客さん
求	キュウ、もと-める	▶中止を要求する(demand) ▶助けを求める(ask for)
泣	キュウ、な-く	[N4-N5]泣く
級	キュウ	▶高級時計(high-quality) ▶上級クラス(advanced) ▶初級クラス(beginner) ▶学級(class)
救	キュウ、すく-う	▶救助(rescue) ▶命を救う(save) ▶救急車(ambulance)

N2レベルの「漢字と語彙」グループ B

□ 球	キュウ / たま	▶地球(earth) ▶電球(light bulb) N4-N5 野球
□ 給	キュウ	▶毎月の給料(salary) ▶時給で計算する ▶給与所得(salary ※ボーナスを含め、会社などから支払われるもの) ▶電気を供給する(supply) ▶交通費／食事／年金の支給(=必要なお金や物を渡すこと／provide, pay) ▶学校給食
□ 漁	ギョ / リョウ	▶漁業(=海などで魚や貝などをとる仕事) ▶漁船 ▶漁師(fisherman)
□ 協	キョウ	▶協力(cooperation)
□ 橋	キョウ / はし	▶鉄橋 N4-N5 橋をかける
□ 曲	キョク / ま-がる / ま-げる	▶曲線(curve) ▶作曲する(compose) ▶ひざ／意志を曲げる(bend) N4-N5 右に／角を曲がる
□ 局	キョク	▶放送局 ▶市外局番(area code) N4-N5 郵便局
□ 禁	キン	▶駐車禁止(no parking) ▶禁煙(no smoking)
□ 勤	キン / ゴン / つと-める / つと-まる	▶電車で通勤する ▶出勤する(※家を出るときと職場に着いたときと二通り) N4-N5 会社に勤める
□ 苦	ク / くる-しい / くる-しむ / くる-しめる / にが-い	▶苦痛(pain) ▶苦心する(=何かをするためにあれこれ考え苦労する) ▶これまでの苦労(labor, hardship) ▶苦情の電話(claim) ▶苦い薬(bitter) ▶息ができなくて苦しい(painful) ▶病気で苦しむ(suffer with) ▶人々を苦しめる(torment)
□ 具	グ	▶実験／健康器具(equipment) ▶文房具(stationery) N4-N5 道具
□ 君	クン / きみ	▶君(=あなた ※主に「上司→部下」「男性→女性」で使われる) N4-N5 田中君(※名前を呼ぶときにつける語。主に、「→同じ年や年下の男性」「上司→部下」で使われる)
□ 形	ケイ / ギョウ / かた / かたち	▶試験／ファイルの形式(format) ▶形容詞(adjective／形容詞／형용사) N4-N5 姿や形
□ 係	ケイ / かか-る / かかり	▶受付の係 N4-N5 関係
□ 型	ケイ / かた	▶日本人の典型(=その特徴を最もよく表しているもの) ▶典型的な例(typical) ▶ケーキの型 ▶型に入れる ▶大型トラック ▶小型カメラ ▶新型インフルエンザ
□ 経	ケイ / へ-る	▶会社を経営する(run) ▶バンコク経由パリ行き(via) N4-N5 経済
□ 景	ケイ	▶風景を描く／練習風景(landscape, scene) ▶屋上から見る景色(landscape) ▶景気を占う(economy)
□ 警	ケイ	▶警備員(guard) ▶警告を受ける(warning) N4-N5 警察、警官
□ 欠	ケツ / か-ける / か-く	▶欠陥のある商品(defect) ▶欠席(absence) ▶欠点を直す(fault) ▶責任感の欠如(lack) ▶欠席 ▶一部が欠ける／常識に欠ける(be lacking)
□ 血	ケツ / ち	▶血液検査／血液の働き(blood) ▶血圧(blood pressure) ▶輸血(transfusion／輸血／수혈) N4-N5 血(blood)
□ 決	ケツ / き-める / き-まる	▶正式に決定する(=はっきりと決める・決まる) ▶ついに決心する(=ある物事をしようと心に決める) ▶問題を解決する(solve) N4-N5 決める、決まる

グループ B N2レベルの「漢字と語彙」

結	ケツ／むす-ぶ／ゆ-う	▶結論 (conclusion) ▶結局 (finally) ▶結果 (result) ▶ネクタイ／契約を結ぶ (tie) ▶東京と大阪を結ぶ [N4-N5] 結婚
件	ケン	▶事件 (incident) ▶受け入れの条件 (condition)
券	ケン	▶乗車券 ▶入場券 ▶バスの定期券 (commuter pass)
険	ケン／けわ-しい	▶冒険 (adventure) ▶探険 (exploration) ▶険しい山 (steep)
検	ケン	▶胃の検査 (＝状態などを詳しく調べること) ▶企画の検討 (＝いろいろな面から調べて、良いか悪いかを考えること)
限	ゲン／かぎ-る	▶能力の限界／限界を感じる／限界に達する (limit) ▶利用の限度額／限度を定める／限度を超える (limit) ▶入場／速度制限 ▶支払期限 (deadline) ▶女性に限る (limited to) ▶一日限りのセール
原	ゲン／(はら)	▶市場の原理 (principle) ▶コーラの原料 (material) ▶原始時代 (primitive) ▶原始人 (＝原始時代の人間) ▶原爆 (atomic bomb) ▶原子力エネルギー (nuclear power) ▶原発 (＝原子力発電／nuclear power plant) ▶草原 (prairie) [N4-N5] 原因 (cause)
現	ゲン／あらわ-す	▶現在 (current, present) ▶現実 (reality) ▶現状を報告する (present condition) ▶夢を実現する (realize) ▶表現 ▶本人が現れる (appear) ▶姿を現す (show up)
減	ゲン／へ-る／へ-らす	▶体重の増減 ▶強さ／甘さ／火の加減 (＝程度、具合) ▶加減する (＝強さや量などを調整する、ちょうどいい感じにする) ▶数／量が減る ▶数／量を減らす
戸	コ／と	▶雨戸 (＝雨風や泥棒などが入らないよう、窓などの外側に立てる戸) ▶井戸を掘る (well) [N4-N5] 戸を閉める
呼	コ／よ-ぶ	▶呼吸 (breathing) [N4-N5] 呼ぶ
故	コ／ゆえ	▶故郷 (one's home/hometown) [N4-N5] 故障
個	コ	▶個人の問題 (individual) [N4-N5] 〜個
庫	コ	▶倉庫 (warehouse) ▶車庫 (garage) [N4-N5] 冷蔵庫
湖	コ／みずうみ	[N4-N5] 湖
込	こ-む／こ-める	▶申し込む (apply) ▶川に飛び込む (jump into) ▶本当だと思い込む (＝そうだと決めて信じてしまう) ▶心を込めて歌う (＝気持ちを十分に入れて) ▶税込価格 (tax included)
公	コウ／おおやけ	▶公害 (pollution) ▶公平な審査 (fair) ▶公共のサービス (public) [N4-N5] 公務員
交	コウ／まじ-わる／まじ-える／ま-じる／ま-ざる	▶交際範囲が広い ▶男女の交際 (＝付き合うこと、関係を持つこと) ▶文化交流／交流を深める (interaction) ▶外交 (diplomacy) ▶交換 (exchange) ▶選手の交代 (＝人をかえること) ▶交替で勤務する (＝入れ替わること) ▶交差点 (intersection) ▶子供に交じって遊ぶ (mingled in) [N4-N5] 交差点、交通事故
向	コウ／む-く／む-ける／む-かう／む-こう	▶方向 (direction) ▶傾向 (tendency) ▶風の向き (＝方向) ▶女性向けの雑誌 (for) [N4-N5] 駅に向かう、向こうの席に移る (over there)、あの山の向こう (beyond 〜)

N2レベルの「漢字と語彙」グループ B

□ 幸	コウ / さいわ-い / しあわ-せ	▶幸福(happiness) ▶不幸 ▶幸い な結果(fortunately) ▶幸せな家庭(happy)
□ 厚	コウ / あつ-い	▶厚紙 ▶厚化粧　N4-N5 厚いコート
□ 紅	コウ / ク / べに	▶紅葉を見に行く(=秋に草木の葉が赤や黄色になること、そのような葉) ▶口紅(lipstick)
□ 候	コウ	▶穏やかな気候(climate) ▶代表候補(candidate)
□ 航	コウ	▶航空技術(aviation) ▶航空機 ▶航空会社
□ 降	コウ / お-りる / お-ろす / ふ-る	▶温度／人気が下降する(=下がる)⇔上昇する ▶2015年以降(=～から、それから) ▶旗／乗客を降ろす　N4-N5 降りる、降る
□ 港	コウ / みなと	▶港町　N4-N5 港、空港
□ 講	コウ	▶講師(lecturer, speaker) ▶講演(lecture, talk)　N4-N5 講義
□ 号	ゴウ	▶信号(signal)　N4-N5 番号
□ 黄	(コウ) / オウ / き / こ	N4-N5 黄色
□ 告	コク / つ-げる	▶違反者への警告(warning)
□ 刻	コク / きざ-む	▶現在の時刻(=ある瞬間の時間) ▶遅刻(=決められた時間に遅れること) ▶深刻な問題(serious) ▶野菜を刻む(=細かく切る)
□ 骨	コツ / ほね	▶骨(bone) ▶背骨(=背中の骨) ▶骨が折れる(※「苦労する」の意味もある) ▶骨折する(=骨が折れる)
□ 困	コン / こま-る	▶困難にぶつかる(difficulty)　N4-N5 困る
□ 婚	コン	▶離婚(divorce) ▶婚約 ▶婚約者(fiance)　N4-N5 結婚
□ 混	コン / ま-じる / ま-ざる / ま-ぜる	▶駅の混雑／混雑を避ける(=たくさんの人で込み合うこと) ▶混乱を招く(confusion) ▶色が混ざる(be mixed) ▶赤に黄色が混じる(be mixed) ▶赤と黄色を混ぜる

サ〜ソ

□ 査	サ	▶病院で検査を受ける(=状態などを詳しく調べること) ▶調査(investigation)
□ 砂	サ / シャ / すな	▶砂漠(desert)　N4-N5 砂、砂糖
□ 差	サ / さ-す	▶1位と2位との差／能力の差／収入の差(=状態や性質などの違い、レベルの違い／gap) ▶差別のない社会(discrimination) ▶日差し(sunlight)
□ 座	ザ / すわ-る	▶座席(seat) ▶座布団(Japanese cushion)　N4-N5 座る
□ 妻	サイ / つま	▶夫妻　N4-N5 妻
□ 済	サイ / す-む / す-ます	N4-N5 経済、気が済む(=満足して気持ちが落ち着く)
□ 祭	サイ / まつ-る / まつ-り	▶祭日(=国が定めた祝いの日・休日、神社などで特定の行事が行われる日)　N4-N5 祭る、祭り
□ 細	サイ / ほそ-い / ほそ-る / こま-か / こま-かい	N4-N5 細い、細かい説明、細かい砂
□ 最	サイ / もっと-も	▶最高／最低のサービス　N4-N5 最も
□ 歳	サイ	N4-N5 〜歳

グループ B ― N2レベルの「漢字と語彙」

際	サイ / きわ	▶交際範囲が広い ▶男女の交際（＝付き合うこと、関係を持つこと） [N4-N5]国際関係の仕事（international）
在	ザイ / あ-る	▶存在（＝いること・あること） ▶在学中 ▶パリ／ホテルに滞在する（stay） [N4-N5]在る
材	ザイ	▶木材（＝材料としての木） ▶材料（material）
再	サイ サ / ふたた-び	▶再来年 ▶再び訪ねる（again）
昨	サク	[N4-N5]昨日
札	サツ / ふだ	▶一万円札（bill） ▶改札（examination of tickets） ▶番号札（tag）
察	サツ	▶月の観察／観察記録（＝物事の動きや変化を注意深く見ること／observation） ▶患者を診察する（examine） [N4-N5]警察、警察官／警官
雑	ザツ	▶混雑した場所（crowded） ▶雑音（noise） [N4-N5]雑誌、複雑な関係
冊	サツ サク	[N4-N5]〜冊
皿	さら	[N4-N5]皿（dish）、灰皿
参	サン / まい-る	▶参考にする（reference） ▶弁当を持参する（＝自分で用意して持って行く） ▶参加（participation） ▶お参りに行く（＝神社や寺に行くこと）
散	サン / ち-る / ち-らす / ち-らかす / ち-らかる	▶バンドを／駅で解散する（＝グループでいた人たちがばらばらになる） ▶花が散る（＝まとまっていたものがばらばらになる、花が落ちる） ▶部屋を散らかす（＝物を片づけず、あちこちに置いたままにする） [N4-N5]散歩
算	サン	▶計算ミス（calculation） ▶算数の授業（arithmetic） ▶予算を組む（budget）
残	ザン / のこ-る / のこ-す	▶食べ物を残す ▶残業（overtime work） [N4-N5]残念、残る
支	シ / ささ-える	▶支給（＝会社や国、市などがお金や物を払い渡すこと／payment） ▶支店（branch） ▶暮らしを支える（support）
糸	(シ) / いと	▶毛糸のセーター（wool） [N4-N5]針に糸を通す
刺	シ / さ-す / さ-さる	▶刺激（stimulus） ▶刺(し)身（sashimi） ▶刺さる（stick） [N4-N5]針で刺す
指	シ / ゆび / さ-す	▶やり方の指示／先生の指示に従う（direction, instruction） ▶時間を指定する（designate） ▶指定席⇔自由席 ▶親指（thumb） ▶上を指す（indicate） [N4-N5]指輪
師	シ	▶医師免許（doctor） ▶レントゲン技師（engineer）
歯	シ / は	▶歯磨き ▶歯車が合わない（＝共同作業などがうまくいかない）
示	ジ シ / しめ-す	▶案内を掲示する（post, put up） ▶掲示を見る ▶掲示板（bulletin board） ▶仕事を指示する（direct） ▶例を示す（show）
寺	ジ / てら	▶寺院（temple） [N4-N5]寺
次	ジ シ / つ-ぐ / つぎ	▶一次面接（＝第一回、一番目） ▶〜に次ぐ成績（be next to） [N4-N5]次
治	ジ チ / おさ-める / おさ-まる / なお-る / なお-す	▶自治（＝自分たちのことを自分たちで決め、行うこと） ▶国を治める（govern） [N4-N5]政治、治る、治す
辞	ジ / や-める	▶仕事を辞める [N4-N5]辞典、辞書

N2レベルの「漢字と語彙」グループB

□ 式	シキ	▶開会式 ▶儀式(ceremony) ▶試合／文章の形式(style, form) ▶日本式のやり方(Japanese style) ▶計算式(formula) [N4-N5] 結婚式、入学式
□ 失	シツ うしな-う	▶過失を認める(=失敗・ミス) ▶失業(=仕事を失うこと) ▶失望(disappointment) ▶チャンスを失う(lose) [N4-N5] 失敗
□ 実	ジツ みの-る	▶実験(experiment) ▶イベントを実施する ▶計画を実行する ▶夢を実現する(realize) ▶実際の仕事(actual) ▶果実(fruit) ▶理想と現実(reality) ▶事実(fact) ▶実のある研修(fruitful) ▶作物が実る(bear fruit)
□ 捨	シャ す-てる	[N4-N5] 捨てる
□ 若	ジャク ニャク わか-い も-しくは	▶若い番号(low/lower) [N4-N5] 若い人
□ 守	シュ ス まも-る もり	▶命／家族を守る(protect) [N4-N5] 留守
□ 取	シュ と-る	▶荷物を受け取る(receive) ▶意見を取り上げる(pick up) ▶情報を取り扱う(treat) [N4-N5] おはし／本を取る、汚れを取る、席を取る、連絡／メモを取る、資格／単位を取る、年を取る(grow old)
□ 酒	シュ さけ さか	▶酒場(=酒を飲むための店) [N4-N5] 酒
□ 種	シュ たね	▶飲み物の種類(kinds) ▶種をまく(seed)
□ 受	ジュ う-ける う-かる	▶大学受験(=入学試験を受けること) ▶メールの受信↔送信 ▶大学に受かる(=合格する) ▶おつりを受け取る(receive) [N4-N5] 受ける、受付
□ 授	ジュ さず-ける さず-かる	▶教授(professor) [N4-N5] 授業
□ 修	シュウ シュ おさ-める	▶文を修正する(correct) ▶研修(=仕事に必要な知識や技術を得るため、期間を設けて指導を受けたり勉強したりすること) ▶修理(repair)
□ 祝	シュク シュウ いわ-う	▶祝日(=国が定めた祝いの日で、そのための休日) [N4-N5] 誕生を祝う
□ 宿	シュク やど やど-る やど-す	▶宿泊(=ホテルなどに泊まること) ▶宿を探す(=泊まる所)
□ 術	ジュツ	▶手術のため入院する(operation) [N4-N5] 技術
□ 順	ジュン	▶順位(ranking) ▶順序よく並ぶ(order) ▶発表の順番(order) ▶順調に育つ(=物事が問題なく進むこと)
□ 初	ショ はじ-め はじ-めて はつ	▶初級(elementary level) ▶初歩的なミス(elementary) ▶初旬(=上旬、月の1～10日の間) ▶日本初のこと(=初めて) [N4-N5] 初め、初めて
□ 助	ジョ たす-ける たす-かる すけ	▶助手(assistant) ▶子供を救助する(rescue) ▶活動を援助する(assist) ▶仲間／理解を助ける(help) ▶助かる(be helped)
□ 消	ショウ き-える け-す	▶消化(digestion) ▶消費(consumption)↔生産 ▶エネルギー／体力の消耗(=使って減らす・減ること) ▶紙や電池などの消耗品 ▶消防署(fire department) ▶消極的な態度(passive) [N4-N5] 消える、消す

グループ B N2レベルの「漢字と語彙」

□ 笑	ショウ / わら-う / え-む	▶笑顔(smile) ▶微笑む(smile) [N4-N5]笑う
□ 商	ショウ	▶商売(business) ▶商業が盛んな町(commerce) ▶商人の町(merchant) ▶商品(commodity, goods) ▶商店(store)
□ 勝	ショウ / か-つ / まさ-る	▶実力で勝負する(=戦う ※スポーツなどで) ▶勝負を迎える(=戦い) ▶勝敗が決まる(win or lose) [N4-N5]勝つ
□ 焼	ショウ / や-く / や-ける	[N4-N5]魚を焼く、日に焼ける
□ 賞	ショウ	▶ノーベル賞(prize, award) ▶賞品(prize) ▶絵画を鑑賞する(appreciate)
□ 常	ジョウ / つね / とこ	▶日常生活(daily life) ▶常識(common sense) ▶異常な状態(unusual, abnormal) ▶常に(always) [N4-N5]非常階段
□ 情	ジョウ / セイ / なさ-け	▶情報 ▶家庭の事情(circumstances) ▶悲しそうな表情(expression) ▶愛情を示す(love) ▶友情を深める(friendship) ▶感情を抑える(emotion)
□ 召	(ショウ) / め-す	[N4-N5]召し上がる
□ 植	ショク / う-える	▶植物(plant) ▶田植え(rice planting)
□ 職	ショク	▶高収入の職業(occupation) ▶就職する(find employment) ▶職を得る(get a job) ▶職人(craftsman)
□ 申	シン / もう-す	▶ビザ/許可を申請する(apply ※役所や会社などに申し込むこと) ▶試合/参加を申し込む(apply)
□ 身	シン / み	▶身長(height) ▶中身を確認する(contents) ▶知識/技術/服を身につける(acquire, wear)
□ 信	シン	▶信頼関係(trust relationship) ▶信用を得る(credit) ▶自信(self-confidence) ▶信仰((religious) belief) ▶通信(communication) ▶信じる(believe)
□ 神	シン / ジン / かみ	▶ギリシャ神話(mythology) ▶精神(spirit) ▶神に祈る(pray)
□ 深	シン / ふか-い / ふか-まる / ふか-める	▶深刻な問題(serious) ▶深夜(late at night) ▶深まる(=深くなる / deepen) [N4-N5]深い意味がある、遠慮深い
□ 寝	シン / ね-る / ね-かす	▶寝台列車(=電車などに用意されたベッド) [N4-N5]寝坊、寝る
□ 震	シン / ふる-う / ふる-える	▶手が震える(tremble, shiver) [N4-N5]地震
□ 吹	(スイ) / ふ-く	▶吹雪(=激しい風とともに降る雪) [N4-N5]風が吹く
□ 数	スウ / ス / かず / かぞ-える	▶数字(number) ▶奇数(odd) ▶偶数(even) ▶数/枚数/回数を数える(count) [N4-N5]数学
□ 成	セイ / ジョウ / な-る / な-す	▶成功を祈る(success) ▶子供の成長(growth) ▶成人になる(adult) ▶作品の構成(structure, composition) ▶汗の成分/成分を表示する(ingredient) ▶完成(=出来上がること) ▶未完成 [N4-N5]成る
□ 政	セイ	▶政治家(politician) ▶政党(=党 / party) ▶政府の発表(=国の政治を行うところ / government) [N4-N5]政治
□ 星	セイ / ショウ / ほし	[N4-N5]星
□ 晴	セイ / は-れる / は-らす	▶快晴(=空が気持ちよく晴れること) [N4-N5]晴れる
□ 製	セイ	▶製品(product) ▶部品の製造(production) ▶ロボット/道具の製作(=物を作ること) ▶日本製の車

N2レベルの「漢字と語彙」グループ B

□ 静	セイ / しず-か / しず-まる / しず-める	▶冷静な判断(cool) ▶波が静まる(calm down) [N4-N5]静か
□ 整	セイ / ととの-える / ととの-う	▶資料の整理(=物を分けたり捨てたりして、好ましい状態にすること) ▶時間／人数の調整(adjustment) ▶準備が整う(be ready) ▶整った文章(in good order)
□ 税	ゼイ	▶税金がかかる(tax) ▶消費税(consumption tax) ▶税込価格(=税が含まれた)↔税抜価格 ▶免税(duty free)
□ 性	セイ / ショウ	▶性格(character) ▶異なる性質(nature) ▶性別を記入する(sex) ▶性能がいい／性能が落ちる(=機械などの性質と能力) ▶酸性(acidity／酸性／산성) [N4-N5]男性、女性
□ 省	セイ / ショウ / かえり-みる / はぶ-く	▶反省(=自分の発言や行動などについて考え、よくない点を改めること) ▶郵便番号を省略する(omit) ▶〜省(Ministry of 〜) ▶無駄を省く(=必要ないものとしてカットする／eliminate)
□ 石	セキ / シャク / コク / いし	▶石炭(coal) ▶石油(oil) ▶宝石(jewelry) ▶磁石(magnet) [N4-N5]石けん、石につまずく
□ 席	セキ	▶座席(seat) ▶指定席(reserved seat) [N4-N5]席が空く、席をとる
□ 昔	(セキ) / (シャク) / むかし	[N4-N5]昔
□ 折	セツ / お-る / おり / お-れる	▶折角のごちそう／機会(=努力によるものや数少ないことなど、価値があり、むだにできない) ▶骨折する(break a bone) [N4-N5]足を折る、はしが折れる
□ 接	セツ / つ-ぐ	▶直接本人に言う(directly) ▶間接的に聞いた話(indirectly) ▶接続(connection)
□ 雪	セツ / ゆき	▶大雪 ▶吹雪(=激しい風とともに吹く雪) [N4-N5]雪
□ 節	セツ / セチ / ふし	▶温度調節(adjustment) ▶電気代の節約(saving) [N4-N5]季節
□ 専	セン / もっぱ-ら	▶経済を専攻する(major in) [N4-N5]〜を専門に学ぶ、専門家
□ 船	セン / ふね / ふな	▶貨物船(cargo ship) ▶漁船 ▶造船所 ▶船便(shipping service) [N4-N5]船
□ 戦	セン / たたか-う	▶戦う(fight) ▶初めての対戦(=相手として戦うこと) [N4-N5]戦争
□ 線	セン	▶線路(railroad) ▶新幹線(Shinkansen) ▶直線(straight line) ▶下線(underline) [N4-N5]線を引く
□ 選	セン / えら-ぶ	▶選挙(election) ▶選択(selection) ▶選手(player) [N4-N5]選ぶ
□ 全	ゼン / まった-く / すべ-て	▶全身(=体全体) ▶スポーツ全般(=その全部にわたって) ▶全く知らない(=全然、少しも) ▶全てOK(=全部) [N4-N5]全部
□ 然	ゼン / ネン	▶偶然出会う(by chance) ▶自然を守る(nature) ▶自然な表現(natural) ▶当然(Of course) ▶天然オイル(natural)
□ 浅	(セン) / あさ-い	[N4-N5]浅い考え
□ 組	ソ / く-む / くみ	▶組織をまとめる(organization) ▶日程を組む(make out) ▶ペア／バンドを組む(form) ▶いろいろな組み合わせ(combination／組合／짜 맞추기)
□ 争	ソウ / あらそ-う	▶論争が起こる(=互いに言い争うこと) ▶優勝を争う(contest) [N4-N5]戦争、競争

グループ B　N2レベルの「漢字と語彙」

相	ソウ / ショウ / あい	▶相互理解（お互いの／mutual）▶相違がある／相違点（＝二つの間で違っていること）▶首相（Prime Minister）▶相変わらず忙しい（＝いつもと同じように）▶電話／試合の相手（＝一緒に物事をするときのもう一方⇒自分でない方） N4-N5 相談
草	ソウ / くさ	▶草原（grassland）▶雑草（weed）▶草履（Japanese sandals） N4-N5 草が生える（grass）
窓	ソウ / まど	▶窓口
想	ソウ / ソ	▶想像通りのホテル／味（imagination）▶想像力を働かせる▶本／映画の感想（＝感じたり思ったりしたこと）▶空想の世界（fantasy）▶理想（ideal）▶自由な発想（idea）▶雲を見てアイスクリームを連想する（associate）▶西洋の／変わった思想（thought）
造	ゾウ / つく-る	▶製造計画（manufacturing）▶機械／文の構造（structure）▶車の改造（＝建物・機械・組織などをつくり直すこと） N4-N5 道路を造る
増	ゾウ / ま-す / ふ-える / ふ-やす	▶増減　人口が増加する　▶被害が激増する　▶コストの増大　▶川の水が増す　▶席を増やす N4-N5 増える
蔵	ゾウ / (くら)	▶冷蔵庫（refrigerator）
束	ソク / たば	▶紙の束（bunch）▶約束（promise）
息	ソク / いき	▶休息（rest）▶息を吸う・吐く（breath）▶ため息をつく（sigh）
速	ソク / はや-い / はや-める / すみ-やか	▶速度（speed）▶加速する（accelerate）▶高速道路（highway） N4-N5 速い
側	ソク / がわ	▶右側（right side）▶東側
続	ゾク / つづ-く / つづ-ける	▶治療を継続する（continue）▶4日連続の雨（succession）▶続々と現れる（＝次々と／one after another）▶入学の手続き（procedure） N4-N5 続く、続ける
卒	ソツ	N4-N5 卒業
孫	ソン / まご	▶子孫（descendant）▶孫（grandchild）
損	ソン / そこ-なう / そこ-ねる	▶事故による損害（damage, loss）▶株で損をする↔得（をする）
存	ソン / ゾン	▶神の存在／自分の存在価値（existence）▶生存の危機（survival）

タ〜ト

他	タ / ほか	▶他人（stranger, others）▶その他（other）
打	ダ / う-つ	N4-N5 ボールを打つ、手を打つ（＝具体的な対策をとる）
対	タイ / ツイ	▶試験対策／対策を考える（＝ある問題や相手に応じるためにとる手段や方法）▶対照的な考え（contrasting）▶調査の対象（＝それが向けられるもの／target, object）▶意見が対立する（＝反対の立場に立つ）▶対になる（pair） N4-N5 反対↔賛成
帯	タイ / お-びる / おび	▶工業地帯（zone）▶熱帯地方（the tropics）▶帯（zone, belt）
替	タイ / か-える / か-わる	▶交替でゲームをする（する人が変わること／alternation）▶両替（money changing）▶外国為替（foreign exchange）▶着替える（＝着ている服を別のものに変えること）
第	ダイ	▶第一に（primarily）▶次第に暖かくなる（gradually）▶落第（failure, flunk）

N2レベルの「漢字と語彙」グループ B

□ 袋	タイ / ふくろ	▶ごみ袋 [N4-N5] 手袋
□ 宅	タク	▶自宅の住所（＝自分の家）▶帰宅時間 ▶住宅地域／住宅／集合住宅（＝人が住むための建物）
□ 達	タツ	▶配達（delivery）▶ピアノが上達する（＝上手になる）
□ 単	タン	▶単純な理由（simple）▶単位（unit） [N4-N5] 簡単な方法
□ 団	ダン / トン	▶団地（mass housing）▶団体客（party, group）↔個人 ▶集団での役割／集団心理（group）▶座布団（Japanese cushion）
□ 段	ダン	▶次の段階に進む（stage）▶普段の生活（usual）▶交通／生産手段（＝ある目的のために使われる方法／means）[N4-N5] 階段
□ 断	ダン / た-つ / ことわ-る	▶断定（＝何がどうだと、はっきり判断すること）▶判断（judgement）▶診断（＝医者が診察して判断すること）▶道路の横断（＝横切ること）▶油断（＝大したことはないと安易に考え注意が不足すること）▶誘いを断る（refuse, decline）
□ 暖	ダン / あたた-か / あたた-かい / あたた-まる / あたた-める	▶温暖な気候（mild）▶暖かな雰囲気（warm）▶部屋を暖める [N4-N5] 暖かい日差し
□ 談	ダン	▶冗談を言う（joke）[N4-N5] 相談
□ 値	チ / ね / あたい	▶見る価値がある（value）[N4-N5] 値段
□ 遅	チ / おく-れる / おく-らす / おそ-い	▶遅刻（＝決められた時間に遅れること）[N4-N5] 遅れる、遅い
□ 置	チ / お-く	▶装置を取り付ける（equipment）[N4-N5] 置く
□ 虫	チュウ / むし	[N4-N5] 虫
□ 柱	チュウ / はしら	▶電柱（hydro pole／电线杆／전봇대）▶一家の柱（＝中心となり支える人）
□ 駐	チュウ	▶駐車（parking）
□ 調	チョウ / しら-べる / ととの-う / ととの-える	▶明るい調子（tone）▶市場調査（investigation）▶時間／人数の調整（adjustment）▶順調に進む（smoothly）▶安さを強調する（emphasize）[N4-N5] 調べる
□ 直	チョク / ジキ / ただ-ちに / なお-す / なお-る	▶事故直後の様子（＝そのすぐ後）▶本人に直接聞く（directly）▶出発直前 ▶直線で約10キロの距離（straight line）▶正直に答える（honestly）▶垂直な線を書く（vertical）▶率直に言う（frankly）▶素直な性格（honest）▶直ちに現場に向かう（＝すぐ）[N4-N5] 直す、直る
□ 追	ツイ / お-う	▶追加の注文（additional）▶犯人／前の選手を追う
□ 痛	ツウ / いた-い / いた-む / いた-める	▶苦痛（pain）▶足が痛む（have a pain）[N4-N5] 頭が痛い（have a headache）
□ 定	テイ / ジョウ / さだ-める / さだ-まる / さだ-か	▶定期的に調べる（regularly）▶定期券（commuter pass）▶仮定の話（assumption）▶勘定（＝数えること、計算）▶生活の安定（stability）▶決定（decision）▶断定（＝はっきりとした判断を示すこと）▶肯定（affirmation）↔否定 ▶定価（list price）
□ 庭	テイ / にわ	▶校庭（schoolyard）[N4-N5] 庭のある家
□ 停	テイ	▶停車（＝車や電車などが止まること）▶機械を停止する（＝止める）▶バスの停留所（stop）

グループ B 「N2レベルの漢字と語彙」

□ 的	テキ / まと	▶的確な助言(＝大事な点をしっかりとらえていて、間違いがない) ▶活動の目的(purpose) ▶女性的な表現(＝女性らしい) ▶世界的なニュース(worldwide)
□ 適	テキ	▶適切な処理(appropriate) ▶適度な運動(moderate) ▶ルールを適用する(apply) ▶快適な部屋(comfortable) 【N4-N5】適当な方法／店
□ 鉄	テツ	▶鉄のドア ▶鉄砲(gun) ▶鉄道(railway)
□ 点	テン	▶点数をつける(points)
□ 伝	デン / つた-わる / つた-える	▶伝言(message) ▶宣伝(publicity) ▶伝統を守る(tradition) ▶伝記(biography) ▶技術が伝わる(be transmitted) ▶気持ちが伝わる(be conveyed) 【N4-N5】伝える
□ 渡	ト / わた-る / わた-す	【N4-N5】川を渡る、書類を渡す
□ 怒	ド / いか-る / おこ-る	【N4-N5】怒る
□ 灯	トウ / ひ	▶蛍光灯(fluorescent lamp／荧光灯／형광등) ▶灯台(beacon)
□ 当	トウ / あ-たる / あ-てる	▶掃除当番(＝何人かで順番でする仕事が自分の番になること) ▶当然／当たり前の結果(of course) ▶相当怒っている(＝かなり) ▶5千円相当のワイン(＝価値がそれくらい) ▶受付担当(be in charge) ▶司会を担当する ▶当日(＝その日) ▶日／風が当たる(＝作用が及ぶ) ▶予想が当たる(＝その通りの結果になる) ▶くじに当たる(win in a lottery) ▶光／ボールを当てる(＝向ける、ぶつける)
□ 投	トウ / な-げる	▶新聞の投書欄(letters column) ▶投票(vote) 【N4-N5】投げる
□ 逃	トウ / に-げる / に-がす / のが-す / のが-れる	▶犯人／機会を逃がす(miss) 【N4-N5】逃げる
□ 凍	トウ / こお-る / こご-える	▶冷凍食品(frozen) ▶水が凍る(freeze) ▶凍える寒さ(freezing)
□ 島	トウ / しま	▶半島(peninsula) ▶日本列島(＝切れずに続いて並んでいる島) 【N4-N5】島
□ 湯	トウ / ゆ	▶湯気が立つ(steam)
□ 登	トウ / ト / のぼ-る	▶舞台に登場する(appear) ▶登山(climbing) 【N4-N5】木に登る
□ 得	トク / え-る / う-る	▶説明に納得する(＝理解し、それでよいと思う) ▶得意になる(＝自慢げになる) ▶得点 ▶機会を得る(get) ▶起こり得ること(＝〜可能性がある)
□ 独	ドク / ひと-り	▶独身女性(＝結婚していない) ▶会社から独立する(become independent) ▶独り言を言う(say to myself)
□ 届	とど-ける / とど-く	▶荷物を届ける(deliver) ▶結婚の届け出(notification) ▶手紙が届く(arrive)

ナ〜ノ

□ 内	ナイ / ダイ / うち	▶内容(content) ▶内線番号(extension) ▶内科の医者(internal medicine) 【N4-N5】1時間以内、3つの内
□ 難	ナン / かた-い / むずか-しい	▶困難を乗り越える(difficulty) ▶災難にあう(disaster) 【N4-N5】難しい
□ 乳	ニュウ / ちち / ち	▶乳製品(にゅうせいひん) 【N4-N5】牛乳

N2レベルの「漢字と語彙」グループ B

□ 認	ニン / みと-める	▶計画を承認する(=問題ないとして受け入れる) ▶罪/ミス/事実を認める(=確かにそうだと判断したことを表す) ▶結婚/参加を認める(=OKする) ▶能力/努力/実力を認める(=それがあると判断したことを表す)
□ 熱	ネツ / あつ-い	▶熱帯(tropical zone) [N4-N5]熱い、熱がある/出る
□ 念	ネン	▶記念(aniversary) [N4-N5]残念な結果
□ 農	ノウ	▶農業(agriculture) ▶農産物/農作物(=農業で作った物) ▶農家(farmer) ▶農村(rural)
□ 濃	ノウ / こ-い	▶濃度を調整する(density) ▶濃い青(dark blue)

ハ〜ホ

□ 波	ハ / なみ	▶電波(radio wave) ▶波(wave)
□ 馬	バ / うま / ま	▶競馬(horse racing) [N4-N5]馬
□ 杯	ハイ / さかずき	▶乾杯!(Cheers!) [N4-N5]コップ1杯の水
□ 配	ハイ / くば-る	▶配達(delivery) ▶人の気配(sign) ▶国を支配する(rule) ▶資料を配る(hand out) [N4-N5]心配(worry)
□ 倍	バイ	[N4-N5]○倍
□ 泊	ハク / と-まる / と-める	▶ホテルに宿泊する(stay) ▶3泊4日の旅行(4 days and 3 nights) [N4-N5]泊まるところを探す、家に泊めてあげる
□ 薄	ハク / うす-い / うす-める / うす-まる / うす-らぐ / うす-れる	▶味を薄める(dilute) [N4-N5]薄い
□ 箱	はこ	▶宝箱(jewel box) [N4-N5]箱に詰める
□ 畑	はた / はたけ	▶イチゴ畑(strawberry field)
□ 反	ハン (ホン) / そ-る / そ-らす	▶反省(=自分の発言や行動などについて考え、よくない点を改めること) ▶意見を反映させる(reflect) ▶規則に違反する(go against) ▶親に反抗する [N4-N5]反対意見
□ 坂	ハン / さか	[N4-N5]坂、上り坂・下り坂
□ 板	ハン / バン / いた	▶看板(sign) ▶掲示板(bulletin board) ▶スキー板(board)
□ 般	ハン	▶一般の人(general public) ▶商品全般についてのお問い合わせ(in general)
□ 販	ハン	▶販売方法(sales method)
□ 晩	バン	[N4-N5]晩御飯、今晩、毎晩
□ 番	バン	▶発表の順番(order) ▶掃除当番(=何人かで順番でする仕事が自分の番になること) ▶留守番(house sitting) [N4-N5]番号
□ 比	ヒ / くら-べる	▶比較(=比べること) [N4-N5]比べる
□ 否	ヒ / いな	▶否定する(deny) ▶否定的な見方(negative)
□ 非	ヒ	▶非現実的な考え(=現実的でない) ▶非常識(=常識がないこと) [N4-N5]非常、是非
□ 彼	(ヒ) / かれ / かの	[N4-N5]彼、彼女
□ 飛	ヒ / と-ぶ / と-ばす	▶飛行予定(flight) ▶1つ飛ばす(skip) [N4-N5]飛行機、飛ぶ
□ 疲	ヒ / つか-れる	▶疲れる(be tired)

グループ B ― N2レベルの「漢字と語彙」

悲	ヒ / かな-しい / かな-しむ	▶悲劇のヒロイン (tragedy) ▶悲しむ (feel sad/unhappy) 〔N4-N5〕悲しい
費	ヒ / つい-やす	▶費用 (cost) ▶電力の消費 (consumption)
美	ビ / うつく-しい	▶美容と健康 ▶美人 (beauty) 〔N4-N5〕美しい
備	ビ / そな-える / そな-わる	▶整った設備 (facilities) ▶予備のペン (spare) ▶災害に備える (prepare for) 〔N4-N5〕準備
鼻	ビ / はな	〔N4-N5〕鼻
必	ヒツ / かなら-ず	▶必死で走る (for one's life, desperately) 〔N4-N5〕必ず
氷	ヒョウ / こおり / ひ	▶氷 (ice)
表	ヒョウ / おもて / あらわ-す / あらわ-れる	▶表紙 (cover) ▶発表 (presentation, announcement) ▶表情が固い (expression) ▶時刻表 (timetable) ▶表す (express) 〔N4-N5〕表⇔裏
標	ヒョウ	▶世界の標準 (standard) ▶目標 (goal) ▶標識 (sign)
秒	ビョウ	▶1秒も無駄にできない (second)
夫	フ / フウ / おっと	▶仲のいい夫婦 ▶田中(さん)夫妻 ▶○○夫人 (=○○さんの奥さん) ▶ごみを減らす工夫 (=いい方法を見つけようといろいろ考えること。その方法や手段) 〔N4-N5〕夫
付	フ / つ-ける / つ-く	▶大学付属の病院／商品付属の電池 (=中心となるものに付いていること) ▶寄付 (donation) ▶日付 (date) ▶デザートが付く 〔N4-N5〕名札を付ける
府	フ	▶政府 (government) ▶大阪府・京都府
負	フ / ま-ける / ま-かす / お-う	▶お金の負担 (load, burden) ▶実力で勝負する (=戦う ※スポーツなどで) 〔N4-N5〕負ける
婦	フ	▶主婦 (housewife) ▶婦人雑誌 (women)
普	フ	▶インターネットの普及 (spread) 〔N4-N5〕普通の家／やり方
部	ブ	▶一部を紹介する (a part) ▶重要な部分 (part) ▶大部分 (majority) ▶営業部 (Sales department) ▶サッカー部 〔N4-N5〕部長
復	フク	▶景気の回復 (recovery) ▶往復 (round-trip)
腹	フク / はら	▶腹が立つ (get angry) ▶腹が減る
複	フク	▶複数解答 (multiple) 〔N4-N5〕複雑な関係／模様
払	フツ / はら-う	▶お金を支払う (pay) ▶チケットを払い戻す (refund) 〔N4-N5〕お金を払う
粉	フン / こ / こな	▶粉 (powder) ▶小麦粉 (flour)
並	ヘイ / なみ / なら-べる / なら-ぶ / なら-びに	▶椅子を並べる (line up) ▶一列に並ぶ
閉	ヘイ / と-じる / と-ざす / し-める / し-まる	▶閉会 (=会が終わる・会を終えること) ▶本／目／口を閉じる (shut) ▶今月で店を閉じる (=終わりにする／close) 〔N4-N5〕閉める、閉まる
米	ベイ / マイ / こめ	▶欧米各国 (Western) ▶米国 (=アメリカ) 〔N4-N5〕米

N2レベルの「漢字と語彙」 グループ B

□ 片	ヘン / かた	▶ガラスの破片（はへん） ▶片方（かたほう）の意見／手袋（てぶくろ）（＝二つあるうちの一つの方（ほう）） ▶片道（かたみち）のチケット (one-way) [N4-N5] 片（かた）づける
□ 辺	ヘン / あた-り / べ	▶公園の辺り（あた）(neighborhood) ▶この辺（あた）り ▶どの辺（あた）り [N4-N5] この辺（へん）、どの辺（へん）
□ 返	ヘン / かえ-す / かえ-る	▶本／シャツを裏返（うらがえ）す (turn over, turn inside out) ▶返事（へんじ）が返（かえ）ってくる (return) [N4-N5] 返事（へんじ）、返（かえ）す
□ 変	ヘン / か-わる / か-える	▶場所／予定の変更（へんこう）(change) ▶相変（あいか）わらず（＝いつもと同じように／as ever） [N4-N5] 変（か）わる、変（か）える
□ 保	ホ / たも-つ	▶身分（みぶん）を保証（ほしょう）する (guarantee)
□ 放	ホウ / はな-す	▶子供（こども）たちを解放（かいほう）する（＝放（はな）して自由（じゆう）にする） ▶ドアを開放（かいほう）する（＝開（あ）けてそのままにする） ▶釣（つ）った魚（さかな）を放（はな）す [N4-N5] テレビ／駅／店内の放送（ほうそう）
□ 法	ホウ	▶方法（ほうほう） ▶物理学（ぶつりがく）／経済（けいざい）の法則（ほうそく）(law, rule) ▶勉強法（べんきょうほう）／解決法（かいけつほう）(way)
□ 訪	ホウ / おとず-れる / たず-ねる	▶訪問（ほうもん）(visit) [N4-N5] 訪（たず）ねる
□ 報	ホウ / むく-いる	▶報告（ほうこく）(report) ▶情報（じょうほう）(information)
□ 忙	ボウ / いそが-しい	[N4-N5] 忙（いそが）しい
□ 忘	ボウ / わす-れる	[N4-N5] 忘（わす）れる
□ 防	ボウ / ふせ-ぐ	▶風邪（かぜ）の予防（よぼう）(prevention) ▶事故（じこ）を防（ふせ）ぐ (prevent) ▶防犯（ぼうはん）カメラ (security, crime prevention) ▶消防署（しょうぼうしょ）(fire department) ▶消防車（しょうぼうしゃ）(fire truck)
□ 望	ボウ / モウ / のぞ-む	▶夢（ゆめ）と希望（きぼう）(hope) ▶平和（へいわ）を望（のぞ）む (hope)
□ 貿	ボウ	[N4-N5] 貿易（ぼうえき）

マ〜モ

□ 枚	マイ	▶枚数（まいすう）を数（かぞ）える
□ 末	マツ / すえ	▶粗末（そまつ）な物（もの） ▶考（かんが）えた末（すえ）（＝結果（けっか）） [N4-N5] はがき10枚（まい）
□ 満	マン / み-ちる / み-たす	▶満員電車（まんいんでんしゃ）(crowded) ▶満足（まんぞく）(satisfaction) ↔ 不満（ふまん）を述（の）べる (dissatisfaction) ▶希望（きぼう）に満（み）ちた子供（こども）たち (full of) ▶20歳未満（はたちみまん）(less than)
□ 未	ミ	▶未定（みてい）（＝まだ決（き）まっていないこと） ▶未成年（みせいねん） ▶18歳未満（さいみまん）(less than)
□ 眠	ミン / ねむ-る / ねむ-い	▶睡眠（すいみん）（＝眠（ねむ）ること） [N4-N5] 眠（ねむ）る、眠（ねむ）い
□ 務	ム / つと-める	▶義務（ぎむ）(duty) [N4-N5] 会社（かいしゃ）に務（つと）める
□ 無	ム / ブ	▶お金／時間の無駄（むだ）(waste) ▶無料（むりょう）(free of charge) [N4-N5] 無理（むり）
□ 鳴	メイ / な-く / な-る / な-らす	▶鐘（かね）／ベルを鳴（な）らす (ring) [N4-N5] 鳴（な）く、ベルが鳴（な）る
□ 面	メン / (おも) / (つら)	▶正面（しょうめん）から見る (front) ▶反面（はんめん）…(On the other hand)
□ 毛	モウ / け	▶羊毛（ようもう）(wool) ▶毛皮（けがわ）(fur) [N4-N5] 毛（け）が短（みじか）い犬（いぬ）、髪（かみ）の毛（け）

ヤ〜ヨ

□ 役	ヤク / (エキ)	▶役者（やくしゃ）をめざす (actor) ▶エンジンの役割（やくわり）／各々（おのおの）の役割（やくわり）を決（き）める (part, role) ▶教師（きょうし）の役目（やくめ）／役目（やくめ）を終（お）える (duty, role) ▶ドラマの主役（しゅやく）(leading part) ▶犯人役（はんにんやく）を演（えん）じる [N4-N5] 役（やく）に立（た）つ

グループ B ── N2レベルの「漢字と語彙」

約	ヤク	▶契約(contract) / [N4-N5] 約束
由	ユウ / ユイ	▶〜経由パリ行き(via〜) / [N4-N5] 自由
油	ユ / あぶら	▶石油(oil, petroleum) ▶油で揚げる(oil)
輸	ユ	▶輸送コスト(transport) / [N4-N5] 輸入、輸出
郵	ユウ	▶書類を郵送する(mail) / [N4-N5] 郵便局、郵便で送る
遊	ユウ / あそ-ぶ	▶遊園地(amusement park) / [N4-N5] 遊ぶ
優	ユウ / やさ-しい / すぐ-れる	▶優秀な成績(excellent) ▶俳優(actor) ▶優れた作品(excellent) / [N4-N5] 優しい
予	ヨ	▶予算を組む(budget) ▶予備のお金／予備を持っていく(〜spare) ▶天気予報(weather forecast) ▶風邪を予防する(prevent) / [N4-N5] 予定
預	ヨ / あず-ける / あず-かる	▶荷物を預ける(leave, deposit) ▶貴重品を預かる
要	ヨウ / い-る	▶文章の要旨(summary) ▶需要がある(demand) ▶重要なお知らせ / [N4-N5] 要る
容	ヨウ	▶内容(content) ▶紙の容器に入れる(container) ▶形容詞(adjective) ▶容易なこと(easy) ▶美容(beauty, beauty of figure)
葉	ヨウ / は	▶紅葉(=秋に草木の葉が赤や黄色になること) / [N4-N5] 言葉、葉書
陽	ヨウ	▶太陽(sun) ▶陽気な性格(cheerful)
様	ヨウ / さま	▶町／会議の様子／心配している様子／様子を見る(apearance) ▶美しい／複雑な模様(pattern, design) ▶同様に(similarly) ▶様々な問題(various) / [N4-N5] お客様
浴	ヨク / あ-びる / あ-びせる	▶海水浴(=海で泳いだり*日光浴をしたりすること *sunbathing) / [N4-N5] 浴びる
欲	ヨク / (ほっす-る) / ほ-しい	▶食欲がある(appetite) ▶欲張りな男(=たくさん欲しがる／greedy) / [N4-N5] 欲しい

ラ〜ロ

頼	ライ / たの-む / たの-もしい / たよ-る	▶協力を依頼する(request, ask〜to) ▶信頼できる友達(reliable) ▶頼もしい味方(reliable) ▶人に頼る(rely on) / [N4-N5] 仕事を頼む
絡	ラク / から-む / から-まる	[N4-N5] 連絡
落	ラク / お-ちる / お-とす	▶試験に落第する(get plucked, fail) ▶落ち葉(fallen leaves) / [N4-N5] 落ちる、評判を落とす
卵	ラン / たまご	[N4-N5] 卵
利	リ / き-く	▶利益(profit) ▶利口な犬(clever) ▶有利(advantage)↔不利 / [N4-N5] 利用、便利
裏	リ / うら	▶会場の裏口(back door) ▶本を裏返す(turn over) ▶仲間を裏切る(betray／背叛／배반하다) / [N4-N5] プリントの裏(the back)
流	リュウ / ル / なが-れる / なが-す	▶文化交流／交流を深める(interaction) ▶今年の流行色／風邪の流行(=一時的に人々の間に広がること) ▶一流ホテル／選手(first class, top) ▶流れる(flow) ▶流す

N2レベルの「漢字と語彙」 グループ B

留	リュウ / ル / と-める / と-まる	▶バスの停留所(stop) ▶書留で送る(by registered) [N4-N5] 留める、留まる
両	リョウ	▶円とドルを両替する(exchange money) [N4-N5] 両方、両手
良	リョウ / よ-い	[N4-N5] 良い
量	リョウ / はか-る	▶重量制限(weight) ▶砂糖/仕事/データの分量(quantity) ▶大量のごみ ▶少量のアルコール ▶重さを量る
緑	リョク / みどり	[N4-N5] 緑
類	ルイ	▶種類(kind) ▶人類(humankind) ▶生物の分類(=種類別に分けること/classification)
涙	(ルイ) / なみだ	▶涙が出る/止まらない(tears)
礼	レイ	▶お礼を言う ▶礼儀を知る(courtesy) [N4-N5] 失礼な態度、先に失礼する
冷	レイ / つめ-たい / ひ-える / ひ-や / ひ-やす	▶冷凍食品(frozen) ▶冷静な判断(cool) ▶スープを冷ます/ビールを冷やす(cool) [N4-N5] 冷蔵庫、冷房、体が冷える、冷たい手/飲み物/風/人
例	レイ / たと-える	▶例外(exception) ▶動物に例える(liken to/挙例/비유하다)
齢	レイ	▶年齢(age)
歴	レキ	[N4-N5] 歴史
連	レン / つら-なる / つら-ねる / つ-れる	▶〜との関連(relation, connection) ▶子供連れ(=連れること/accompanied by) [N4-N5] 連れる
練	レン / ね-る	▶厳しい訓練に耐える(training) [N4-N5] 練習
路	ロ / (じ)	▶地下通路(passage) ▶道路(road)
労	ロウ	▶労働時間(=働くこと) ▶苦労の多い仕事(hardships)
録	ロク	▶記録をとる(record) ▶録音(recording)

グループ C 「N4・N5 レベルの漢字」と語彙

ア～オ

- □ 悪 アク / わる-い
  - ▶悪口を言う ▶気持ち悪い
  - [N4-N5] 悪い評判

- □ 安 アン / やす-い
  - ▶不安な気持ち ▶安易なやり方（＝よく考えず、工夫や努力がない）▶重さの目安（＝大体のイメージ）
  - [N4-N5] 安心した表情、安全な場所

- □ 暗 アン / くら-い
  - ▶暗記 ▶暗い性格
  - [N4-N5] 暗い部屋

- □ 医 イ
  - ▶医師（＝医者）▶医療（medical care）
  - [N4-N5] 医者、医学の分野

- □ 意 イ
  - ▶強い意志（will）▶活動の意義（significance）▶意識（consciousness／의식）▶得意な科目 ▶意外な結果 ▶敬意（respect）
  - [N4-N5] 意味、意見、注意、用意

- □ 一 イチ／イツ／ひと／ひと-つ
  - ▶万一に備える（＝もしものとき）▶唯一の趣味（＝ただ一つの）▶一時的な問題（＝その時だけの）▶一部の製品（＝全体の中のある部分）▶意見が一致する（＝違いがなく同じである）▶一般の入場者（general）▶一方（on the other hand）▶一瞬（moment）▶一定の効果（a certain）▶二人一組
  - [N4-N5] 一枚、一冊、一つ、一部屋

- □ 引 イン／ひ-く
  - ▶引退（＝続けてきた活動をやめること。特にスポーツで）▶500円の割引（discount）▶引用（quote／引用／인용）▶強引なやり方（＝反対などにかまわず無理に行う様子）
  - [N4-N5] 線を引く、カーテンを引く、子供の手を引く、注意を引く

- □ 全員（＝みんな）▶満員電車（packed）▶定員を超える（capacity）

- □ 員 イン
  - ▶スポーツクラブの会員（member）
  - ▶委員（committee）▶国会議員
  - [N4-N5] 店員、駅員

- □ 院 イン
  - ▶通院（＝病院に通うこと）▶大学院（graduate school）▶寺院（temple）
  - [N4-N5] 病院、入院、退院

- □ 飲 イン／の-む
  - ▶飲食店（＝食べ物や飲み物のサービスをする店）
  - [N4-N5] 飲み物

- □ 右 ウ／ユウ／みぎ
  - ▶右端（right end）▶左右
  - [N4-N5] 右側

- □ 雨 ウ／あめ／あま
  - ▶梅雨（＝6～7月の特に雨の多い時期）▶大雨 ▶小雨 ▶雨季 ▶雨靴 ▶雨傘
  - [N4-N5] 雨が降る

- □ 運 ウン／はこ-ぶ
  - ▶幸運（good luck）
  - [N4-N5] 運動、運転、荷物を運ぶ

- □ 英 エイ
  - ▶英文（＝英語の文、文章）
  - [N4-N5] 英語

- □ 映 エイ／うつ-る／うつ-す
  - ▶計画に住民の意見を反映する（reflect）▶映画を上映する ▶窓に映る自分の顔 ▶鏡に映してみる
  - [N4-N5] 映画

- □ 駅 エキ
  - ▶各駅停車（＝各駅にとまること、また、その電車）
  - [N4-N5] 駅前の本屋、駅ビル

- □ 円 エン／まる-い
  - ▶円周 ▶円形 ▶円高・円安
  - [N4-N5] 1万円、円い月

N2レベルの「漢字と語彙」 グループ C

□ 遠	エン / とお-い	▶遠足(excursion) ▶永遠のテーマ(forever) [N4-N5] 遠慮、駅から遠い
□ 屋	オク / や	▶屋外(outdoor) ▶屋内(indoor) ▶屋根(roof) [N4-N5] 屋上、パン屋
□ 音	オン / イン / おと	▶雑音(noise) ▶騒音(=うるさくて迷惑な音) ▶録音(recording) ▶母音(vowel) [N4-N5] 音楽、発音の練習

カ〜キ

□ 火	カ / ひ	▶火災(fire) ▶火山の噴火(eruption of volcano) ▶花火(fireworks／烟花／불꽃) ▶消火 [N4-N5] 火事
□ 何	(カ) / なに / なん	▶何とか間に合う(=あれこれ工夫や努力をして、十分ではないがとりあえず) ▶何となく右に曲がった(=特に理由や目的はないが) [N4-N5] 何色、何個、何歳、何冊
□ 花	カ / はな	▶花柄のスカート(flower pattern) ▶花嫁(bride) ▶花粉(pollen／花粉／꽃가루) ▶草花 [N4-N5] 花見
□ 夏	カ / なつ	▶春夏秋冬 ▶初夏 ▶真夏(midsummer) ▶夏季休暇 [N4-N5] 夏休み
□ 家	カ / ケ / いえ / や	▶農家(farmer) ▶家事(housework) ▶国家(nation) ▶作家(=小説家、創作活動をする人) ▶政治家(politician) ▶田中家の人たち ▶家主(=その家や建物を持っている人) ▶大家(=そのアパートや貸しビルを持っている人) [N4-N5] 家族、家庭
□ 歌	カ / うた / うた-う	▶歌手 ▶校歌 ▶国歌 ▶流行歌 [N4-N5] 歌を歌う
□ 画	ガ / カク	▶風景画(=風景をかいた絵) ▶画家(painter) ▶図画(=絵をかくこと。絵) [N4-N5] 映画、漫画、計画
□ 回	カイ / まわ-る / まわ-す	▶回転(rotation／旋转／회전) ▶回復(=よくない状態から元に戻ること) ▶回答(response) ▶今回 ▶次回 ▶前回 ▶数回(several times) ▶毎回 ▶回数 ▶右に回す ▶車で街を回る(go around) [N4-N5] 何回、右回り、タイヤが回る
□ 会	カイ / あ-う	▶ファンクラブの会員(member) ▶会計(accounting) ▶会合(=話し合いのために集まること) ▶年に一度の大会(=大きな会) ▶宴会(=お酒や料理を楽しむ集まり) ▶開会・閉会 ▶学会(=専門分野の研究者による会、団体) ▶議会(parliament／议会／의회) ▶集会(=多くの人がある目的をもって集まること) [N4-N5] 会議、コンサート会場、社会、会社、会話、機会
□ 海	カイ / うみ	▶海外に行く(overseas) ▶海洋資源(ocean) ▶海底を調べる [N4-N5] 海岸
□ 界	カイ	▶隣の家との境界(boundary) ▶限界(limit) [N4-N5] 世界
□ 開	カイ / ひら-く / ひら-ける / あ-く / あ-ける	▶サービスの開始 ▶試合の展開(deployment／开展／전개) ▶ドアを開放する(=開けたままにする) ▶市民に運動場を開放する(=自由に使えるようにする) ▶開店 [N4-N5] 窓を開ける、店／ページを開く、ドアが開く

グループ C 「N2レベルの「漢字と語彙」

□ 外	ガイ・ゲ／そと・ほか／はず-す・はず-れる	▶午後から外出する（=出かける）▶外部の協力 ▶案外面白い (unexpectedly) ▶意外な結果 (unexpected) ▶屋外 (outdoor) ▶海外 (overseas) ▶郊外 (suburbs) ▶例外 (exception) ▶外科 (surgery) [N4-N5] 外国、郊外に住む、～以外
□ 学	ガク／まな-ぶ	▶学習 (learning) ▶学術 (academic) ▶大学に進学する（=より上の学校に進むこと）▶語学 (=外国語学習) ▶哲学 (philosophy) ▶工場／授業を見学する [N4-N5] 科学、日本文学、入学、留学
□ 楽	ガク・ラク／たの-しい・たの-しむ	▶楽器 (instrument／乐器／악기) ▶気楽な旅 (=心配したり気を使ったりしない) ▶娯楽 (=遊びや楽しみ) [N4-N5] 音楽、楽な仕事、旅行を楽しむ
□ 寒	カン／さむ-い	▶寒冷な気候 (=空気が冷たく、寒い) ▶防寒にいい (=寒さを防ぐこと) [N4-N5] 寒い季節
□ 間	カン／あいだ・ま	▶期間 (period) ▶年間計画 (=一年、一年の) ▶中間報告 (=ものとものの間、途中) ▶夜間の勤務 (=夜の間) ▶間隔 (distance) ▶瞬間 (moment) ▶世間の目 (public) ▶民間の会社 (=国などでなく一般の／private) ▶仲間 (fellow) ▶人間 (human being) ▶居間 (living room) ▶手間がかかる (labor) ▶間に合う (be in time) [N4-N5] 時間、週間、昼間
□ 漢	カン	[N4-N5] 漢字
□ 館	カン	▶博物館 (museum) ▶体育館 (gymnasium) [N4-N5] 図書館、映画館、大使館、美術館、旅館
□ 顔	(ガン)／かお	▶笑顔 (smile) [N4-N5] 顔を洗う
□ 起	キ／お-きる・お-こる・お-こす	▶起床 (=起きること) [N4-N5] 7時に起きる、地震／事故／問題が起きる
□ 帰	キ／かえ-る・かえ-す	▶帰宅 (=家に帰ること) ▶帰国する (=国に帰る)
□ 気	キ・ケ	▶気温 (temperature) ▶変わりやすい気候 (climate) ▶気圧 (pressure／气压／기압) ▶人の気配 (=目に見えないがそう感じさせるもの／sign, indication) ▶気味が悪い／太り気味 (=感じ、気持ち／そのような感じ) ▶大気 (=地球の表面をおおう空気) ▶蒸気 (steam) ▶湿気が多い (moisture) ▶湯気が立つ (steam) ▶電気 (electricity) ▶店の雰囲気 (atmosphere) ▶景気 (=経済の状態) ▶勇気 (courage) ▶陽気な人 (=明るい／cheerful) ▶平気な顔 (=気にしていない) [N4-N5] 気分、気持ち、空気、元気、天気、病気
□ 九	キュウ・ク／ここの・ここの-つ	▶九州 (Kyushu) [N4-N5] 九月、九日、九個、九人
□ 休	キュウ／やす-む・やす-まる・やす-める	▶休暇 (vacation) ▶休業 (=店が休むこと) ▶休憩／一休み (=作業を止めて少し休みをとること) ▶休講 (=教師が講義を休むこと) ▶休日 ▶休息 (=仕事などをやめて体や心を休めること) ▶休養 (=仕事などを休んで力を取り戻すこと) ▶連休 (=休みの日が続くこと) [N4-N5] 夏休み、昼休み
□ 究	キュウ	[N4-N5] 研究
□ 急	キュウ／いそ-ぐ	▶急速な発展／変化 (rapid) ▶至急の場合 (urgent) ▶急激な円高／ダイエット (sudden) ▶急行 ▶特急 ▶急ぎの用事
□ 牛	ギュウ／うし	[N4-N5] 牛肉、牛乳

N2レベルの「漢字と語彙」 グループ C

□ 去 キョ／コ／さ-る	▶過去(past) ▶走り去る(run away) N4-N5 去年
□ 魚 ギョ／うお／さかな	▶深海魚(＝海の深いところにすむ魚) ▶魚市場 N4-N5 魚屋
□ 京 キョウ／(ケイ)	▶上京(＝東京に出てくること) N4-N5 東京、京都
□ 強 キョウ／ゴウ／つよ-い	▶安全を強化する(＝強くする) ▶強力な薬(＝力や効果が大きい) ▶強風 ▶強盗(robbery) ▶強引なやり方(＝人の意見にかまわず無理に物事を行う様子) ▶強気な態度 ▶弱肉強食(＝より強い者が弱い者を支配して栄えること) N4-N5 勉強、強いチーム
□ 教 キョウ／おし-える／おそ-わる	▶高校教師(＝先生) ▶教授(doctor) ▶教養を高める(＝勉強や知識によって心が豊かになること) ▶宗教(religion) ▶教科書(textbook) ▶仏教(Buddhism) ▶キリスト教(christianity) ▶先生に教わる(＝教えてもらう) N4-N5 教育、教会
□ 業 ギョウ	▶24時間営業(＝店や社員がサービスや活動をすること) ▶大企業／中小企業(company) ▶休業(＝店や会社が休むこと) ▶準備作業(＝ある目的を持った仕事) ▶農業(agriculture) ▶漁業(fishing industry) ▶商業(commerce) ▶サービス業(service industry) ▶人気の職業(occupation) ▶失業(＝仕事を失うこと) N4-N5 授業、卒業、産業、工業
□ 近 キン／ちか-い	▶接近(＝近づくこと、近くにあること) ▶付近の住民(＝その場所に近い所) ▶近代文学(＝現代に近い時代) ▶近年の傾向(recent years) ▶近日発売予定(soon) N4-N5 近所、最近
□ 金 キン／かね	▶金額(amount of money) ▶金銭の問題(money) ▶金融(finance) ▶現金(cash) ▶借金(debt) ▶賞金(prize money) ▶税金(tax) ▶代金(price, charge) ▶貯金(savings) ▶電気料金(charge, fee) N4-N5 金色、金持ち
□ 銀 ギン	▶銀河(galaxy) N4-N5 銀行

ク～コ

□ 区 ク	▶税金の区分(＝分けること、分け方／division) ▶善悪の区別(distinction) ▶地区の代表(district) N4-N5 ○○市○○区
□ 空 クウ／そら／あ-く／あ-ける／から	▶空中を飛ぶ(air) ▶航空事故(aircraft) ▶空想(＝現実的でないことをいろいろ思うこと) ▶架空の人物(＝事実でなく想像の) ▶真空(vacuum／真空／진공) ▶空き缶 ▶空になる(get empty) ▶空手を習う N4-N5 空気、空港、青空、席が空く
□ 兄 ケイ／キョウ／あに	▶父兄への説明会(＝親など、子供の保護者 ※主に学校で使う) N4-N5 兄弟
□ 計 ケイ	▶計算ミス(calculation) ▶会計報告(accounting) ▶合計(total) ▶新しいビルの設計(design, plan) ▶人口の統計(statistics) ▶体重計 N4-N5 計画
□ 軽 ケイ／かる-い	▶軽い気持ち ▶軽量化(＝軽いこと) ▶軽自動車 N4-N5 軽い荷物
□ 月 ゲツ／ガツ／つき	▶月給(＝一カ月の給料／monthly salary) ▶長い年月 ▶満月(full moon) ▶三日月(crescent moon／新月／초승달) N4-N5 今月、来月、正月、毎月

グループ C　N2レベルの「漢字と語彙」

犬 ケン / いぬ
- ▶愛犬（＝ペットの犬　※愛情をこめた言い方）▶飼い犬
- [N4-N5] 子犬

見 ケン / み-る / み-える / み-せる
- ▶見解を述べる（＝見方やとらえ方）
- ▶工場見学（＝仕事や授業などを見て学ぶこと）▶見当（＝大体こんな感じという予想）▶新しい星を発見する
- [N4-N5] 見物客、手紙を拝見する、意見、花見、窓からよく見える、人に見せる

建 ケン / た-てる / た-つ
- ▶ダム／道路／ビルの建設　▶家／寺の建築
- [N4-N5] 建物、新しいビルが建つ、家を建てる

研 ケン
- ▶研修（＝仕事に必要な知識や技術を得るため、期間を設けて指導を受けたり勉強したりすること）
- [N4-N5] 研究

県 ケン
- ▶県民（＝県に住んでいる人）▶県立の高校（＝県の、県がつくった）▶県庁（＝県の役所）▶都道府県（※日本の行政単位──東京都、北海道、大阪府・京都府、それ以外の県）
- [N4-N5] ○○県（prefecture）

験 ケン
- ▶実験（experiment）▶受験（＝試験を受けること）
- [N4-N5] 経験、試験

元 ゲン / ガン / もと
- ▶元日（＝1月1日）▶元の形に戻る（original）▶元市長（former）
- [N4-N5] 元気

言 ゲン / ゴン / い-う / こと
- ▶世界の言語（language）▶Aさんからの伝言（message）▶一言で表す／一言注意する（＝一つの言葉、ちょっとだけ言うこと）▶方言（＝地方の言葉、話し方）
- [N4-N5] 言葉

古 コ / ふる-い
- ▶古典作品から学ぶ（classic）▶中古楽器（used）
- [N4-N5] 古い本

五 ゴ / いつ / いつ-つ
- ▶五十音順（＝あ、い、う、え、お、の順）
- [N4-N5] 五月、五日、五個

午 ゴ
- ▶正午（noon）
- [N4-N5] 午前、午後

後 ゴ / コウ / のち / うし-ろ / あと / おく-れる
- ▶以後の作品（＝それ後）▶今後の計画（＝これから）▶食後　▶前後のつながり（＝前と後）▶授業の前後に会う（＝前や後）▶後者（＝二つのうち後のほう）⇔前者　▶大学の後輩
- [N4-N5] 最後、後で連絡する、1時間後、卒業後

語 ゴ / かた-る
- ▶英文（＝英語の文、文章）▶静かに語る（talk, tell）▶物語（story）
- [N4-N5] 英語

工 コウ / ク
- ▶工員（＝工場で働く人）▶ガラス工芸（craft）▶工事　▶人工の島（＝人間が作った）▶授業の工夫（＝良い方法がないか、いろいろ考えること、その方法）▶大工（carpenter）
- [N4-N5] 工場

広 コウ / ひろ-い / ひろ-まる / ひろ-める / ひろ-がる
- ▶広告（advertising）▶駅前の広場（square）▶幅広い知識　▶うわさが広まる　▶技術を広める　▶可能性が広がる
- [N4-N5] 広い部屋

光 コウ / ひか-る / ひかり
- ▶光線（ray）▶日光（sunlight）▶観光（sightseeing）▶蛍光灯（fluorescent light／형광등）
- [N4-N5] 目が光る、月の光

好 コウ / この-む / す-く
- ▶両国の友好関係（friendship）▶親友（＝特に親しい友達）▶好物（＝好きな食べ物や飲み物）▶食べ物の好み（preference）
- [N4-N5] 好きな食べ物、好き嫌い

N2レベルの「漢字と語彙」 グループC

□ 考	コウ / かんが-える	▶事情を考慮する（＝いろいろなことを含めてよく考える／consider） ▶計画の参考にする（reference） **N4-N5** 考え方
□ 行	コウ / ギョウ / い-く / ゆ-く / おこな-う	▶飛行（flight） ▶夜行性の動物（＝夜に活動する） ▶行動（action, behavior） ▶計画を実行する（＝実際に行う） ▶本を発行する（issue） ▶行事（event） ▶順番待ちの行列（＝列をつくって並ぶこと／line） **N4-N5** ～に行く、急行、銀行
□ 校	コウ	▶校舎（＝学校の建物） ▶校庭で遊ぶ **N4-N5** 小学校、中学校、高校
□ 高	コウ / たか-い	▶高層ビル（階を重ねた高い） ▶高価な時計（＝値段が高い） ▶高級レストラン（high grade） ▶高速道路（high speed） ▶高度な技術（advanced） **N4-N5** 高いビル／料金
□ 口	コウ / くち	▶口実（excuse） ▶悪口（＝人を悪く言うこと） ▶利口なやり方（clever） ▶火口（crater） ▶裏口（back door） ▶銀行の窓口（counter） ▶～が窓口になる（＝取引の相手や客などに対して、最初に対応する者・ところ） **N4-N5** 入口、出口
□ 合	ゴウ / あ-う / あ-わせる	▶合計（total） ▶3か国が合同で調査する（joint） ▶合理的な方法（rational） ▶二つの川／チームが合流する（＝ある所で一つになる） ▶会合（＝話し合いのために集まること） ▶集合（＝集まること、集まり） ▶合図を出す（sign） **N4-N5** 都合がいい、体の具合、試合、場合、男女の割合、自分に合う仕事
□ 国	コク / くに	▶国籍（nationality） ▶国家の成立（nation） ▶国民（＝その国の人） ▶国立公園（national） ▶日本全国を回る（＝国全体） **N4-N5** 国際、帰国、国の計画
□ 黒	コク / くろ / くろ-い	▶黒板に字を書く（blackboard） **N4-N5** 黒のボールペン、黒い犬
□ 今	コン / いま	▶今回（this time） ▶今学期 ▶今大会 **N4-N5** 今月、今朝、今晩、ちょうど今

サ～シ

□ 左	サ / ひだり	▶左右 **N4-N5** 左側
□ 菜	サイ	▶菜食主義者（vegetarian） **N4-N5** 野菜
□ 作	サク / サ / つく-る	▶作者（author） ▶資料／計画の作成（＝事務的な仕事で何かものを作ること） ▶彼の代表的な作品（works） ▶作家（＝文学や芸術の作品をつくる人。特に小説家） ▶機械の製作（product） ▶番組／アニメの制作 ▶物語を創作する（create） ▶傑作（＝非常にすぐれた作品） ▶名作（＝有名な作品、歴史に残るようなすぐれた作品） ▶作物を育てる（crop） ▶発送作業（＝ある目的をもった仕事） ▶機械の操作（＝自分の思うように動かすこと） ▶ゆっくりとした動作（＝体の動き） ▶手作り（handmade） **N4-N5** 作文
□ 三	サン / み / み-つ / みっ-つ	▶三角（形）（triangle） ▶再三（＝何度も） ▶三日月（crescent moon／新月／초승달） **N4-N5** 三月、三日、三個
□ 山	サン / やま	▶火山（volcano） ▶登山（climbing） **N4-N5** 山登り、富士山

グループ C　N2レベルの「漢字と語彙」

□ 産	サン／う-む／う-まれる	▶(生)産地(=作られたところ)／アフリカ原産の花／自動車／コメの生産(production)／破産(bankruptcy)／財産(property)／卵／子供を産む／子供／子牛が産まれる　N4-N5 主な産業、(=お)土産
□ 子	シ／ス／こ	▶子孫(descendants／子孫／자손)／王子(Prince)／電子辞書(electronic)／町の様子(state／状況／모습)／子犬／親子／迷子(lost child)／一人っ子(=兄弟のいない子)　N4-N5 子供、椅子、息子
□ 止	シ／と-まる／と-める	▶停止ボタン(=止めること)／駐車禁止(prohibition／禁止／금지)／事故の防止に努める(prevention)／「この先、行き止まり」(dead end)／「この先、通行止め」(=車や人の通行を止めること)　N4-N5 計画の中止
□ 仕	シ／つか-える	▶仕方ない(can't be helped)　N4-N5 仕事
□ 四	シ／よ-つ／よっ-つ／よん	▶四角／四角い皿(square)／四季(four seasons)／▶四月、四日、四個
□ 市	シ／いち	▶市場(market)／▶市長(mayor)／見本市(trade fair)　N4-N5 市民の集まり
□ 死	シ／し-ぬ	▶死者の数／猫の死体／死亡を確認する(=死ぬこと)／急死(=突然死ぬこと)　N4-N5 死ぬ
□ 私	シ／わたくし／わたし	▶私立の学校(=個人や民間の団体がつくった／private)／私生活(private life)　N4-N5 私たち
□ 使	シ／つか-う	▶大使(ambassador／大使／대사)／電気の使用(=使うこと)　N4-N5 使い方
□ 始	シ／はじ-める／はじ-まる	▶サービスの開始(=始めること)／▶事件の一部始終(=始まりから終わりまでの全部)／▶始終文句を言う(all the time)／▶原始時代(primitive times)　N4-N5 始めの部分、一日が始まる、話し始める
□ 姉	シ／あね	▶仲のいい三姉妹　N4-N5 お姉さん、私の姉
□ 思	シ／おも-う	▶外国の思想／思想を持つ(thought)／▶患者の意思(intention)／▶楽しい思い出(memory)　N4-N5 思ったこと
□ 紙	シ／かみ	▶紙幣(bill)／▶表紙(cover)／▶コピー用紙(copy paper)　N4-N5 手紙
□ 試	シ／ため-す	▶試食する(try tasting)／入試(=入学試験)／実力を試す(try the ability)　N4-N5 試合、試験
□ 字	ジ	▶活字離れ(=印刷された文字→本や新聞など　※元々は印刷用の型)／誤字／習字(=字の書き方を習うこと)／数字／文字／名字(family name)　N4-N5 字を覚える
□ 耳	みみ	N4-N5 ゾウの耳
□ 自	ジ／みずか-ら	▶自衛のため(self-defense)／自信(self-confidence)／自分自身を知る(oneself　※自分を強調する表現)／自宅(=自分の家)／大学の自治(self-government)／息子を自慢する(boast one's son)／各自の責任(one's own)／▶自然(nature)／自動ドア(automatic)／▶社長自ら説明する(oneself)　N4-N5 自分、自由

N2レベルの「漢字と語彙」 グループ C

□ 事	ジ／こと	▶未解決の事件(incident) ▶事実(fact) ▶家庭の事情(circumstance) ▶困った事態(situation) ▶新聞の記事(article) ▶毎年の行事(events) ▶無事の知らせ(=特に問題がないこと) ▶事務(=主に机の上でする仕事) ▶家事(=掃除や洗濯など家の仕事) ▶道路工事(=建築などの実際の作業) ▶炊事(=煮たり炊いたりして食事の用意をすること) ▶見事(beautiful) ▶出来事(event) **N4-N5** 仕事、火事、事故、大事、返事
□ 持	ジ／も-つ	▶体力／建物／体制の維持(=物事の状態をそのまま続かせること) ▶弁当を持参する(=自分で用意し持ってくる) ▶責任／役割／不満を持つ **N4-N5** 荷物を持つ、車を持つ、夢／意見を持つ
□ 時	ジ／とき	▶収穫の時期(=あることを行う時、期間) ▶時給(=1時間あたりの給料) ▶現在の時刻を表示する(=ある瞬間の時間) ▶東京とパリの時差 ▶時速250キロで走る ▶一時的な問題(=長く続かない、その時限りの／temporary) ▶一時停止 ▶常時受け付け(=常にそうであること) ▶随時募集(=必要に応じていつでも) ▶同時 ▶日時(date and time) ▶当時流行っていた曲(=そのころ) ▶臨時休業(temporary) **N4-N5** 時代の流れ、時々
□ 七	シチ／なな／なな-つ／なの	**N4-N5** 七月、七日、七個
□ 室	シツ	▶室内の温度(=部屋の中) ▶温室栽培(greenhouse) ▶満室(=ホテルなどで、空いている部屋がないこと) ▶和室(=日本風の部屋) ▶洋室 **N4-N5** 教室
□ 質	シツ	▶水の性質(nature／性质／성질) ▶俳優の素質(=それになるのに必要な能力や性質) ▶宇宙の物質(material／物质／물질) **N4-N5** 質問
□ 写	シャ／うつ-す／うつ-る	▶写生 ▶複写(copy) **N4-N5** 写真、ノートに写す
□ 社	シャ／やしろ	▶社員(employees) ▶社説 ▶支社(branch office) ▶商社(trading company) ▶入社(=社員としてその会社に入ること) ▶退社(=会社をやめること、その日の仕事を終えて会社を出ること) ▶社会人(=社会の一員として自分の役割や仕事を持つ人 ※学生に対する語) **N4-N5** 会社、社会、神社
□ 車	シャ／くるま	▶車輪(wheel) ▶車庫(garage) ▶車掌(conductor) ▶乗車(=車やバス、電車に乗ること) ▶駐車場(parking lot) ▶停車中のバス／急停車(=車や電車が止まること／止めること) ▶発車時刻(departure) ▶特急列車／列車事故(train) ▶歯車(gear)ー歯車が狂う(=どこかで問題が生じて、順調だったものがうまくいかなくなること) **N4-N5** 電車、自動車、自転車、汽車
□ 借	シャク／か-りる	▶借金(debt) ▶お金の貸し借り **N4-N5** 本を借りる
□ 弱	ジャク／よわ-い／よわ-る／よわ-まる／よわ-める	▶社会的弱者 ▶弱小チーム ▶相手の弱点(weak point) ▶強弱をつけて話す ▶弱気な意見(bearish／懦弱的／약기) ▶弱火でゆっくり煮る **N4-N5** 弱いチーム

グループ C N2レベルの「漢字と語彙」

主 シュ / ぬし / おも
- ▶主義を変える (principle) ▶それぞれの主張 (claim, assertion) ▶主要なテーマ (main) ▶民主的な方法 (democratic) ▶主語 (subject) ▶持ち主に返す (owner) ▶家主 (=その家や建物を持っている人) ▶主な原因 (main)
- [N4-N5] うちの主人／田中さんのご主人、店の主人

首 シュ / くび
- ▶首相 (Prime Minister) ▶首都 (capital city) ▶手首 (wrist)
- [N4-N5] 太い首

秋 シュウ / あき
- ▶春夏秋冬 ▶秋季大会
- [N4-N5] 秋の野菜

終 シュウ / お-わる / お-える
- ▶サービスの終了 (end) ▶事件の一部始終 (=初めから終わりまでの全部) ▶始終文句を言う (all the time) ▶最終回 (last time) ▶最終日 ▶終電 (=その日の最後の電車)
- [N4-N5] 授業が終わる、食事を終える

習 シュウ / なら-う
- ▶習字 (=字を習うこと) ▶数学の演習 (exercise) ▶学習 (learning) ▶自習 (self-study) ▶実習 (practical training)
- [N4-N5] 復習、習慣

週 シュウ
- ▶週末 (※主に土曜日と日曜日。金曜日を含める場合もある) ▶週明けに返事をする (at the beginning of next week) ▶週刊誌 (weekly magazine)
- [N4-N5] 先週、週間

集 シュウ / あつ-まる / あつ-める
- ▶集会 (=多くの人がある目的をもって集まること) ▶集金 ▶集合 (=集まること、集まり) ▶集団 (group) ▶集中 (=一つのところに集まる・集めること) ▶編集 (edit) ▶社員を募集する (recruit) ▶フランス文学全集 (=ある基準で作品を集めて、一冊または一つのシリーズにしたもの)
- [N4-N5] 人が集まる、お金を集める

十 ジュウ / ジュッ / ジッ / とお
- ▶不十分な説明 ▶五十音順 (=あ、い、う、え、お…の順)
- [N4-N5] 十月、十日、十個、十分な大きさ

住 ジュウ / す-む / す-まう
- ▶住居を定める (=住む場所や家) ▶住宅販売／情報／地域 (=人が住むための建物・家) ▶住民 ▶快適な／新しい住まい (=住むこと、住んでいる所) ▶衣食住 (food, clothing and shelter)
- [N4-N5] 住所

重 ジュウ / チョウ / おも-い / かさ-ねる / かさ-なる
- ▶重量制限 (weight limit) ▶重力 (gravity) ▶体重 ▶重体 (=病気やけがの状態がひどく、命の危険があること) ▶経験を重視する (=大切だと考え重く見ること) ▶重大なミス (=簡単に扱えない非常に大きな) ▶重点分野 (=大切な部分、力を入れるところ) ▶会社の重役 (executive) ▶重要な書類 (important) ▶厳重な管理 (strict) ▶貴重な経験 (valuable) ▶互いの文化を尊重する (respect) ▶慎重な判断 (careful) ▶箱／経験を重ねる (=その上に同じようなものをさらに乗せる) ▶音／予定が重なる
- [N4-N5] 重い荷物

出 シュツ / で-る / だ-す
- ▶出勤 (=勤めのため、家を出ること／職場に出て来ること) ▶出場 (=試合などに出ること) ▶〜出身 (=〜から来た、〜育ちである) ▶出身校 (=卒業した学校。特に大学) ▶出張 (business trip) ▶出店 (=店を出すこと) ▶出版 (publication) ▶午後から外出する (=出かける) ▶収入と支出 (outgo) ▶レポートの提出 (submit) ▶料理の出来 (=出来具合、出来た状態の良い・悪い) ▶試験／新聞に出る ▶日の出 (sunrise)
- [N4-N5] 出発、輸出、出席、レポート／お金／力を出す

N2レベルの「漢字と語彙」 グループ C

- □ 春 シュン / はる
  - ▶春夏秋冬(しゅんかしゅうとう)
  - [N4-N5] 春の花(はるのはな)

- □ 所 ショ / ところ
  - ▶役所(やくしょ)(government office) ▶市役所(しやくしょ)
  - ▶名所(めいしょ)(＝美しい景色や歴史的価値のある建物などで有名な所) ▶洗面所(せんめんじょ)(lavatory) ▶便所(べんじょ)(toilet) ▶長所(ちょうしょ)(strong point, good point) ▶短所(たんしょ)(weak point, defect)
  - [N4-N5] 場所(ばしょ)、住所(じゅうしょ)、近所の公園(きんじょのこうえん)、事務所(じむしょ)

- □ 書 ショ / か-く
  - ▶書斎(しょさい)(＝家の中で、本を読んだり何かを書いたりするための部屋) ▶書籍(しょせき)(＝本 ※雑誌と区別する場合も多い) ▶書店(しょてん)(＝本屋) ▶書道(しょどう)(＝筆を使って文字の美しさを表す芸術。また、文字の書き方を習うこと) ▶書物(しょもつ)(＝文章が書かれ本の形をしたもの) ▶書類(しょるい)(documents)
  - ▶清書(せいしょ)(＝提出などのためにきれいに書き直すこと) ▶図書(としょ)(＝本 ※地図や資料など「本」以外を含む場合も多い)
  - ▶投書(とうしょ)(＝意見や感想などを書いて新聞社などに出すこと、出されたもの) ▶読書(どくしょ)(＝本を読むこと) ▶証明書(しょうめいしょ)(certificate)
  - ▶下書(したが)き(draft) ▶手書(てが)きのサイン
  - [N4-N5] 辞書(じしょ)

- □ 暑 ショ / あつ-い
  - ▶猛暑(もうしょ)(＝ひどい暑さ) [N4-N5] 暑い夜(あついよる)

- □ 女 ジョ / おんな / め
  - ▶女王(じょおう)(queen) ▶女子学生／社員(じょしがくせい／しゃいん)(＝女、女の) ▶女優(じょゆう)(actress) ▶女房(にょうぼう)(＝妻 ※主に自分の妻について使う)
  - ▶男女(だんじょ) ▶長女(ちょうじょ)(＝一番上の娘) ▶次女(じじょ)(＝二番目の娘)
  - [N4-N5] 女性向けの雑誌(じょせいむけのざっし)

- □ 小 ショウ / ちい-さい / こ
  - ▶小学生(しょうがくせい)(elementary school child) ▶縮小(しゅくしょう)コピー(reduction) ▶大小(だいしょう) ▶世界最小の〜(せかいさいしょうの)(＝一番小さい〜) ▶小船(こぶね)
  - ▶小型(こがた)カメラ(＝小さいデザインの)
  - [N4-N5] 小学校(しょうがっこう)、小鳥(ことり)

- □ 少 ショウ / すく-ない / すこ-し
  - ▶少年(しょうねん)(boy) ▶少女(しょうじょ)(girl) ▶少々高(しょうしょうたか)い(＝少し ※柔らかい言い方) ▶多少汚(たしょうよご)れている(＝いくらか、少し ※あまり多くない様子を表す) ▶最少人数(さいしょうにんずう)(＝一番少ない) ▶少数意見(しょうすういけん)(＝数が少ないこと／minority) ▶少量(しょうりょう)バター
  - [N4-N5] 少ないお金(すくないおかね)

- □ 乗 ジョウ / の-る / の-せる
  - ▶乗客(じょうきゃく)(passenger) ▶乗車(じょうしゃ) ▶バス乗(の)り場(ば) ▶相談に乗(そうだんにの)る(＝応じる) ▶調子／流行に乗(ちょうし／りゅうこうにの)る ▶風／波に乗(かぜ／なみにの)る
  - [N4-N5] 電車／車／飛行機／馬に乗(でんしゃ／くるま／ひこうき／うまにの)る、手の上に乗(てのうえにの)せる

- □ 場 ジョウ / ば
  - ▶劇場(げきじょう)(theater) ▶市場(いちば)(market) ▶劇／番組に登場(げき／ばんぐみにとうじょう)する(＝現れる) ▶入場(にゅうじょう)(＝会場に入ること) ▶農場(のうじょう)(farm) ▶牧場(ぼくじょう)(ranch／牧場／목장) ▶場面(ばめん)(scene) ▶事故／撮影の現場(じこ／さつえいのげんば)(＝実際の場所) ▶競技場(きょうぎじょう)(stadium) ▶駐車場(ちゅうしゃじょう)(parking lot)
  - [N4-N5] 会場(かいじょう)、工場(こうじょう)、練習場(れんしゅうじょう)、場合(ばあい)、場所(ばしょ)、売場(うりば)

- □ 上 ジョウ / うえ / うわ / あ-げる / かみ
  - ▶上級(じょうきゅう)(senior) ▶上京(じょうきょう)(＝東京に出ること) ▶上旬(じょうじゅん)(＝月の最初の10日間) ▶会話の上達(かいわのじょうたつ)(progress) ▶上等な肉(じょうとうなにく)(high-quality) ▶上品な服(じょうひんなふく)(refined) ▶値上げする(ねあげする)(raise the price)
  - [N4-N5] 屋上(おくじょう)、上着(うわぎ)

- □ 色 ショク / シキ / いろ
  - ▶地域の特色(ちいきのとくしょく)(＝ほかと特に違うところ、ほかよりすぐれている点) ▶顔色(かおいろ)がよくない(＝顔の表面の色、様子)
  - [N4-N5] 美しい景色(うつくしいけしき)

- □ 食 ショク / く-う / た-べる
  - ▶食欲(しょくよく)(appetite) ▶食卓を囲(しょくたくをかこ)む(dining table) ▶食糧問題(しょくりょうもんだい)(＝食べ物。特に米や麦など) ▶昼食(ちゅうしょく)(lunch) ▶飲食店(いんしょくてん)(＝食べ物や飲み物のサービスをする店) ▶衣食住(いしょくじゅう)(food, clothing and shelter) ▶早食(はやぐ)い ▶大食(おおぐ)い
  - [N4-N5] 食事(しょくじ)、食料を買いに行く(しょくりょうをかいにいく)

グループ C N2レベルの「漢字と語彙」

心 シン / こころ
- ▶心身（＝心と体） ▶心臓（heart） ▶心理学／集団の心理（psychology） ▶関心（interest） ▶感心（＝すぐれた行動や技術などに触れて、心に深く感じること／admiration） ▶苦心（＝あることをするのに、いろいろ心を使って苦労すること）
- ▶決心（＝どうするか、心を決めること）
- ▶中心（center） ▶心から礼を言う（sincerely） [N4-N5] 心配

真 シン / ま
- ▶真剣な悩み（serious trouble） ▶真夏 ▶真っ赤（bright red） ▶真夜中（midnight）
- [N4-N5] 写真、真面目、真ん中

進 シン / すす-む / すす-める
- ▶進学（＝より上の学校に進むこと） ▶進級（＝レベルや学年が上に進むこと） ▶前進 [N4-N5] 前に進む

森 シン / もり
- ▶森林（forest） [N4-N5] 森の動物

新 シン / あたら-しい / あら-た
- ▶新鮮な野菜（fresh） ▶新作（＝新しい作品） ▶新年 ▶新品 ▶新たな始まり [N4-N5] 新聞

親 シン / おや / した-しい
- ▶親戚（relatives／亲戚／친척） ▶親友（＝特に親しい友達） ▶親類（＝親戚） ▶父親 ▶母親 ▶親子 [N4-N5] 親切

人 ジン / ニン / ひと
- ▶人工衛星（artificial） ▶会社の人事（personnel affairs） ▶人種の違い（race） ▶人生（life） ▶人物の特徴（person） ▶人類の歴史（human race） ▶個人の問題（individual） ▶詩人（poet） ▶成人（adult） ▶婦人（＝大人の女性） ▶友人（＝友達） ▶老人（old person） ▶人気の店（popular） ▶人間社会（human） ▶人数を数える ▶商人（merchant／상인） ▶職人（craftsman） ▶他人（others） ▶犯人を捕まえる（criminal） ▶申込者本人（＝その人） ▶役人（public servant）
- [N4-N5] 人工の雨、日本人、人形、大人

ス〜ソ

図 ズ / ト
- ▶動物図鑑（＝絵や写真を中心に説明している本） ▶複雑な図形（graphic） ▶図表で説明する（chart） [N4-N5] 地図、図書館

水 スイ / みず
- ▶窓の水滴（drop of water） ▶髪の水分／水分と栄養（moisture, water） ▶断水（＝水道の水が止まること） ▶噴水（fountain） ▶水産業（marine products industry） ▶水蒸気（vapor） ▶香水（perfume）
- [N4-N5] 水道、水泳

世 セイ / セ / よ
- ▶世紀（century） ▶中世（medieval） ▶世間の目（＝世の中、社会、周囲） ▶若い世代（generation） ▶世の中（＝人が生きて暮らしていくこの世界。社会、世間）
- [N4-N5] 世界、世話

正 セイ / ショウ / ただ-しい / ただ-す / まさ
- ▶正確な数字（accurate） ▶正解／正答 ▶公正な判断（fair） ▶不正（な）行為（＝規則に反するなど、よくないこと） ▶法律の改正（＝より適切な内容に改めること） ▶文の修正（＝不足を補ったり間違いを直したりすること） ▶正式なやり方（formal） ▶正門（main gate） ▶正直に答える（honestly） ▶正面（front） ▶正社員（＝会社などで契約し、安定した立場で働く人）
- [N4-N5] 正月、正しい答え

生 セイ / ショウ / い-きる / う-まれる / なま
- ▶生存の可能性（survival） ▶生物（＝生き物／living thing） ▶生命保険（life） ▶人生を楽しむ（life） ▶生産（production） ▶幸せな一生／一生忘れない（＝生まれてから死ぬまで／これから死ぬまで） ▶生き生き（と）した顔（lively） ▶生放送（live） ▶生の魚（raw）
- [N4-N5] 生活、生徒、学生、先生、生まれる

N2レベルの「漢字と語彙」 グループ C

□ 西	セイ/サイ/にし	▶西暦2000年 (AD2000) 　▶関西地方 (= Kansai area) 　▶東西に走る道路　N4-N5 西側、西口
□ 声	(セイ)/こえ	▶大声　▶小声　N4-N5 鳴き声
□ 青	セイ/あお/あお-い	▶青年 (youth) 　▶青少年　N4-N5 青い空
□ 夕	(セキ)/ゆう	▶夕日／夕陽 (sunset) 　▶夕刊 (evening edition)　N4-N5 夕方
□ 赤	セキ/あか/あか-い	▶赤道 (equator)　N4-N5 赤ちゃん
□ 切	セツ/き-る/き-れる	▶締め切り (deadline) 　▶踏切 (crossing) 　▶売り切れ (sold out) 　▶売り切れる　N4-N5 切手、親切、大切
□ 説	セツ	▶多くの市民を前に演説する (speech) 　▶解説 (=あることについてわかりやすく説明すること) 　▶社説 (=新聞が自社の意見としてのせるもの)　N4-N5 説明、小説を書く
□ 千	セン	N4-N5 千円
□ 川	(セン)/かわ	N4-N5 川が流れる
□ 先	セン/さき	▶先端技術／棒の先端 (advanced / tip) 　▶先頭を走る (top) 　▶先日 (the other day) 　▶先祖を大切にする (ancestor ／先祖／조상) 　▶人間の祖先 (ancestor ／祖先／조상) 　▶1か月先のこと (ahead) 　▶指先で触れる　▶送り先の住所　▶店先 (=店の前の方の部分、店の前) 　▶先ほど (=さっき)　N4-N5 先週、先生、先輩
□ 洗	セン/あら-う	▶洗剤 (detergent／洗洁精／세제) 　▶洗面所 (=家の中で顔を洗う所)　N4-N5 洗濯
□ 前	ゼン/まえ	▶前回 (last time) 　▶15日/30歳/1万円前後　▶前日　▶前者 (=二つのうち前のほう) 　▶前進する (move forward) 　▶以前 (before) 　▶戦前 (=戦争の前、試合の前。特に「第二次世界大戦/World War II」の前) 　▶出発の直前 (=すぐ前) 　▶駅前の広場　▶交差点の手前 (=少し前)　N4-N5 5分前、ドアの前
□ 早	ソウ/サッ/はや-い/はや-まる/はや-める	▶早朝の対応　▶早退 (=決まった時間より早く、会社や学校から帰ること) 　▶早期 (=早い、早めの) 　▶早速効果が表れる (=すぐに／immediately) 　▶早口 (=速くしゃべること)　N4-N5 早く着く
□ 走	ソウ/はし-る	▶走者 (runner)　N4-N5 毎朝走る
□ 送	ソウ/おく-る	▶送信 (=メールや信号を送ること) ↔受信　▶送別会 (farewell party) 　▶送料 (=物を送るときの料金) 　▶メールの転送 (=送られたものをさらに別のところに送ること) 　▶輸送 (transportation) 　▶郵送 (=郵便で送ること／mailing) 　▶見送りに行く (send-off) 　▶参加を見送る (=今回はやらない)　N4-N5 車で送る
□ 足	ソク/あし/た-りる/た-す	▶遠足 (excursion) 　▶不足 (=足りないこと) 　▶満足 (=十分足りていること) 　▶足跡 (footprints／足迹／발자국) 　▶1万円足す (add)　N4-N5 100円足りない
□ 族	ゾク	N4-N5 家族
□ 村	ソン/むら	▶農村 (=住民の多くが農業で生活している村) 　▶漁村 (=住民の多くが漁業で生活している村) 　▶村民　▶村長　▶市町村　N4-N5 小さな村

グループ C　N2レベルの「漢字と語彙」

タ～チ

多 タ／おお-い
- 多少（＝いくらか／ more or less）
- 多量の雨
- [N4-N5] 多い名前

太 タイ／ふと-い／ふと-る
- 太陽（sun）
- [N4-N5] 太い腕

体 タイ／テイ／からだ
- 体育（＝健康な体をつくるための教育）
- 体温・体重・体操（exercise）
- 体調（＝体の調子・状態）・動物の死体・身体検査・法律の体系／体系的に学ぶ（＝一つの流れにまとまったもの／ system）・日本の教育体制（＝一つの形にまとまったもの／ system）・気体（gas）・液体（liquid）・固体（solid）・全体（whole）
- 団体旅行（＝ある目的のために集まって活動を行うもの）⇔個人旅行
- 文体（＝文のスタイル）・体積（volume／体积／체적，부피）・具体的な目的（concrete）
- [N4-N5] 大体の予定

待 タイ／ま-つ
- プレゼントを期待する（expect）
- 駅で待ち合わせる・駅の待合室　[N4-N5] 招待

貸 （タイ）／か-す
- 賃貸（rent）・本の貸し出し（rental）・お金の貸し借り（lending and borrowing）
- [N4-N5] 本を貸す

代 ダイ／タイ／か-わる／か-える
- 代表（representative）・代理（＝その人の代わりに物事をすること）・代金（＝物やサービスの値段／ price）・さまざまな年代の人（＝同じような年齢であること／ age）・近代文学（＝現代に近い時代）・現代の技術／若者（modern）・選手の交代（＝人や役割が入れかわること）
- [N4-N5] 時代、代わりの人

台 ダイ／タイ
- 灯台（lighthouse／灯台／등대）・舞台（stage）・台詞（＝劇の中で役者が言う言葉）
- [N4-N5] 台所、台風

題 ダイ
- 題名（title）・話題（topic）
- [N4-N5] 宿題、問題

大 ダイ／タイ／おお／おお-きい／おお-いに
- 大臣（minister）・大統領（president）
- 大分治った（＝かなり、相当）・国際大会（＝大きな会）・大気（＝地球の表面をおおう空気）・大国（＝ある分野で大きな力を持つ国）・大作（＝大きな作品、すぐれた作品）・大使（ambassador）・大層驚く／大層な建物（＝大変、大変な）・大量のごみ・偉大な作家・拡大コピー・巨大な船（huge）・重大なミス（＝簡単に扱えない、非常に大きな）・費用の増大・莫大な財産・膨大な資料・大雨・大型の台風
- 大家（＝そのアパートや貸しビルを持っている人）・大いに語る／反省する（＝非常に、たくさん）
- [N4-N5] 大好き、大事、大切、大人

短 タン／みじか-い
- 短気な男（short-tempered／急性子／성질이 급한）・短所（shortcoming／短处／단점）⇔長所
- [N4-N5] 短い会話、短文

男 ダン／おとこ
- 男子学生（＝男、男の）・長男（＝一番目の男の子供）・次男（＝二番目の〃）・三男（＝三番目の〃）
- [N4-N5] 男性向けの雑誌

N2レベルの「漢字と語彙」 グループ C

□ 地	チ / ジ	▶地下1階 ▶地球(earth) ▶地質(=土や岩石などの性質／geological features) ▶住宅地域(area) ▶地区の代表(district) ▶地上に出る ▶工業地帯(zone) ▶ゴール地点 ▶地方の経済(local) ▶空き地(vacant lot) ▶各地の天気(=それぞれの地方、場所) ▶基地(base) ▶耕地 ▶(生)産地(=作られた場所) ▶広い土地(land) ▶地面に置く(ground) ▶柔らかい生地(=服などの材料となっている布、服の一部としての布の部分) ▶無地のカーテン(=全体が同じ色で模様がないこと) ▶社会的な地位(position) **N4-N5** 地理に詳しい
□ 池	チ / いけ	▶電池(battery) **N4-N5** 公園の池
□ 知	チ / し-る	▶知識(knowledge) ▶通知(=知らせ) ▶友人や知人(acquaintance) ▶知恵(wisdom) ▶高い知能(intelligence) ▶知事(governor) **N4-N5** 本当のことを知る、承知する
□ 茶	チャ / サ	▶喫茶店(cafe) **N4-N5** 紅茶、茶わん
□ 着	チャク / き-る / き-せる / つ-く / つ-ける	▶到着(arrival) ▶服を着替える ▶着替え ▶水着(swimsuit) ▶古着(=一度使われた服) ▶子供に服を着せる ▶気持ちが落ち着く(settle down) **N4-N5** 上着、下着、着物
□ 中	チュウ / なか	▶中央の席(center) ▶町の中心(center) ▶中間報告 ▶中旬(=月の11〜20日) ▶年中行事(=毎年決まった時期に行われる行事) ▶(一)年中(=一年を通してずっと) ▶夢中(=あることに心や注意が集中して、ほかのことをすっかり忘れている様子) ▶会議中(=〜しているところ) ▶食事の最中(=まさにそれをしているところ) ▶今週中に終える(=〜が終わるまでの間) ▶夜中 ▶真夜中(midnight) **N4-N5** 中止、途中、一日中、中に入る、背中、真ん中
□ 注	チュウ / そそ-ぐ	▶注目の選手(attention) ▶注文(order) ▶お湯を注ぐ(pour) **N4-N5** 注意、注射
□ 昼	チュウ / ひる	▶昼食(=昼ご飯) ▶昼寝 **N4-N5** 昼間、昼休み
□ 町	チョウ / まち	▶町民 ▶町長 ▶市町村 ▶下町(downtown) **N4-N5** 住みやすい町
□ 長	チョウ / なが-い	▶長期計画(=長い時間にわたる) ▶長方形(rectangular／장방형／직사각형) ▶身長(=背の高さ) ▶子供の成長(growth) ▶長所(=良いところ) ▶長女(=一番上の娘) ▶長男(=一番上の息子) ▶議長(chairman) ▶市長(mayor) ▶長靴 ▶長袖のシャツ(long sleeves) **N4-N5** 校長、社長、店長
□ 鳥	チョウ / とり	▶野鳥(wild bird) ▶海鳥 **N4-N5** 小鳥
□ 朝	チョウ / あさ	▶朝食 ▶朝刊(morning edition) ▶早朝 ▶朝日(morning sun) ▶翌朝(next morning) **N4-N5** 朝ご飯、今朝

グループ C　N2レベルの「漢字と語彙」

ツ～ト

通（ツウ／とお-る／とお-す／かよ-う）
- ～を通過する（＝～を通り過ぎる）
- 通行止め（＝道路を通ること）
- 地下通路（passage）
- 開通を祝う（＝鉄道・道路・電話などが新たにできて通じること）
- 不通（＝通れなくなっていること）
- 日本全国で通用するカード／プロで通用する力／スペイン語が通用する国（＝正しいもの、役に立つものとして用いられること）
- 共通の話題（＝どれにもあてはまること）
- 通学
- 通勤途中（commuting）
- 通信手段（＝郵便・電話・ネットなどで情報を伝えること）
- 通知（＝知らせ）
- 車を通す
- 試験に通る（＝合格する）
- [N4-N5] 交通、普通のやり方、病院に通う、地下を通る

低（テイ／ひく-い）
- 人気の低下（decline）
- 最低の評価（＝一番低い）
- 低気圧（low pressure）
- [N4-N5] 低いテーブル

弟（テイ／ダイ／おとうと）
- 弟子（disciple／弟子／제자）
- [N4-N5] 兄弟

天（テン）
- 天候の変化（weather）
- 天井（ceiling）
- 天然の塩 ⇔ 人工
- [N4-N5] 天気

店（テン／みせ）
- 喫茶店
- 支店（branch）
- 出店（＝新たに店を出すこと）
- 書店（＝本屋）
- 商店（＝店）
- 駅の売店
- 本店（head office）
- [N4-N5] 店員、ラーメン店、店が開く

転（テン／ころ-がる／ころ-がす／ころ-ぶ）
- 転職（job change）
- 移転（＝店やオフィスの場所を移すこと）
- 回転（rotation）
- ボールが転がる（roll）
- 道で転ぶ（fall down／摔倒／넘어지다）
- [N4-N5] 運転

田（デン／た）
- 田植え（rice planting）
- 田畑（fields of rice and other crops）
- 田んぼ（＝田／rice fields）
- [N4-N5] 田舎で暮らす

電（デン）
- 電柱（telephone pole）
- 電波が届く（radio waves）
- 電力の使用（electric power）
- 充電（charging）
- 停電（＝一時的に電気が止まること）
- 発電所（power plant）
- [N4-N5] 電気をつける、電灯

都（ト／ツ／みやこ）
- 都会（urban）
- 大都会（metropolis, big city）
- 都市（city）
- 都心（the center of Tokyo）
- 都庁（Metropolitan Government）
- 首都（capital city）
- 古い都
- [N4-N5] 東京都、都合

土（ド／ト／つち）
- 広い土地（land）
- 土（soil／土／흙）
- [N4-N5] 土曜日、土産

度（ド／たび）
- 緯度（latitude／纬度／위도）
- 経度（longitude／经度／경도）
- 温度（temperature）
- 角度（angle）
- 限度を超える（＝限界／limit）
- 高度な技術（advanced）
- 湿度（humidity）
- 選挙制度（system）
- 速度（speed）
- 態度（attitude）
- けがの程度（degree）
- 適度な運動（moderate）
- 新しい年度（business year, school year）
- 塩分の濃度（＝濃さ）
- ～度（whenever／Each time ～）
- 度々（often）
- [N4-N5] 今度

冬（トウ／ふゆ）
- 春夏秋冬
- 冬季オリンピック
- 真冬の寒さ
- [N4-N5] 冬のコート

東（トウ／ひがし）
- 東西に走る道路
- 東洋の文化（Oriental）
- 関東地方（Kanto area）
- [N4-N5] 駅の東口

N2レベルの「漢字と語彙」 グループ C

答 トウ / こた-える / こた-え
- ▶答案を採点する（=答え、答えが書かれたもの） ▶解答時間／用紙（=問題を解いて答えを出すこと、その答え） ▶アンケートに対する回答（=質問や要求に答えること、その答え） ※「正解」のない場面 ▶二人の問答（=質問と答え、議論すること）
- N4-N5 質問に答える

頭 トウ / あたま
- ▶頭部を守る ▶先頭を走る（top） ▶頭痛（headache） ▶会社の頭脳（brain）
- N4-N5 頭がいい

同 ドウ / おな-じ
- ▶同一の目的（=同じであること） ▶同時進行 ▶同性の友人 ▶同様の結果（=ほとんど同じであること） ▶共同利用（=同じ目的のために一緒に物事をすること） ▶合同チーム（=二つ以上のものが一つになること）
- N4-N5 同じクラス

動 ドウ / うご-く / うご-かす
- ▶ゆっくりとした動作（=体を動かすこと、体の動き） ▶移動時間（movement） ▶国連の／クラブ活動（activity） ▶感動する（be moved, be impressed） ▶行動（action, behavior） ▶自動ドア（automatic）
- N4-N5 運動、動物、目の動き

堂 ドウ
- N4-N5 講堂

道 ドウ / みち
- ▶道路（road） ▶車道（=道路のうち、特に車が走るところ）↔歩道（sidewalk） ▶鉄道（railroad） ▶片道乗車券（one-way） ▶近道（shortcut） ▶赤道（equator） ▶書道（=筆を使って文字の美しさを表す芸術。また、文字の書き方を習うこと） ▶道徳教育（moral）
- N4-N5 水道、柔道

働 ドウ / はたら-く
- ▶労働組合（labor） ▶重労働（=体力を激しく使う仕事）
- N4-N5 週5日働く

特 トク
- ▶特殊な方法（special） ▶特色を出す（feature） ▶特売（sale） ▶独特な形（unique）
- N4-N5 特別、特急

読 ドク / よ-む
- ▶読書（=本を読むこと）
- N4-N5 名前の読み方

ナ〜ノ

南 ナン / みなみ
- ▶南極（antarctica／南极／남극） ▶南北に走る鉄道
- N4-N5 南向きの部屋

二 ニ / ふた / ふた-つ
- ▶（もう）二度と〜ない（not 〜 any more）
- N4-N5 二月、二日、二個、二人

肉 ニク
- ▶筋肉（muscle） ▶皮肉（irony）
- N4-N5 牛肉、豚肉、鶏肉

日 ニチ / ジツ / ひ / か
- ▶日時（date and time） ▶日課（=習慣で毎日やっていること） ▶日光（daylight） ▶日中（daytime） ▶日程（schedule） ▶来日（=日本に来ること） ▶元日（1月1日） ▶休日 ▶後日（at a later date） ▶祝日（national holiday） ▶先日（the other day） ▶前日 ▶試合の当日（=そのことがある日・あった日） ▶平日（weekday） ▶本日（=今日） ▶翌日（=その次の日） ▶日差し（sunlight） ▶日にち（date） ▶誕生日（birthday） ▶月日 ▶曜日（day of the week） ▶明後日 ▶一昨日
- N4-N5 今日、明日、昨日、日記、毎日

入 ニュウ / い-る / い-れる / はい-る
- ▶クラブに入会する ▶入社（=社員としてその会社に入ること） ▶入場（=会場に入ること） ▶入選（=応募作品などがすぐれたものとして選ばれること） ▶データ入力（input） ▶書類に記入する（fill） ▶毎月の／臨時収入（income） ▶人の家に侵入する（invade／侵入／침입하다） ▶出入り口
- N4-N5 入学、輸入、砂糖を入れる

グループ C ― N2レベルの「漢字と語彙」

年	ネン / とし	▶年間消費量（ねんかんしょうひりょう） ▶年中無休（ねんじゅうむきゅう）（＝一年中） ▶年中行事（いちねんじゅう／ねんちゅうぎょうじ）（＝一年の間の） ▶新しい年度（あたらしいねんど）(business year, school year) ▶年末（ねんまつ） ▶年齢（ねんれい）(age) ▶一昨年（おととし） ▶近年（きんねん）(recent years) ▶昨年（さくねん）(＝去年／きょねん) ▶新年（しんねん） ▶長年の苦労（ながねんのくろう）(many years) ▶例年に比べ（れいねんにくらべ）（＝いつもの年） ▶学年（がくねん） ▶少年（しょうねん）(boy) ▶青年（せいねん）(youth) ▶中年（ちゅうねん）(middle-aged) ▶年上（としうえ） ▶年下（としした） [N4-N5] 今年、来年、去年、再来年、毎年（ことし、らいねん、きょねん、さらいねん、まいとし）

ハ〜ホ

売	バイ / う-る / う-れる	▶駅の売店（えきのばいてん）(business) ▶変わった商売（かわったしょうばい） ▶株の売買（かぶのばいばい）(trade) ▶発売日（はつばいび）(release date) ▶販売方法（はんばいほうほう）(sale) ▶売上を伸ばす（うりあげをのばす）(sales) ▶売り切れ（うりきれ）(sold out) ▶売り切れる（うりきれる） ▶売れ行きがいい（うれゆきがいい）（＝売れ方／うれかた） [N4-N5] 高く売る（たかくうる）、おもちゃ売場（うりば）
買	バイ / か-う	▶土地の売買（とちのばいばい）(trade) [N4-N5] 安く買う（やすくかう）、買い物（かいもの）
白	ハク / しろ / しら / しろ-い	▶白髪の老人（しらが／はくはつのろうじん）(gray hair／白发／흰머리카락) [N4-N5] 白いシャツ（しろいシャツ）、白線（はくせん）
八	ハチ / や / やっ-つ / よう	▶四苦八苦（しくはっく） [N4-N5] 八月、八日、八個、八百屋（はちがつ、ようか、はっこ、やおや）
発	ハツ	▶実力を発揮する（じつりょくをはっき）(show one's ability) ▶新しい島を発見する（あたらしいしまをはっけん）(discover) ▶本を発行する（ほんをはっこう）(issue) ▶急行の発車時間（きゅうこうのはっしゃじかん）(departure) ▶ロケットの発射（はっしゃ）(launch) ▶荷物の発送（にもつのはっそう）(shipping) ▶脳の発達（のうのはったつ）(development) ▶経済の発展（けいざいのはってん）(development) ▶発電所（はつでんしょ）(power plant) ▶発売日（はつばいび）(release date) ▶電話の発明（でんわのはつめい）(invention) ▶水分の蒸発（すいぶんのじょうはつ）(evaporation) [N4-N5] 出発（しゅっぱつ）
半	ハン / なか-ば	▶半額（はんがく）(half price) ▶円の半径（えんのはんけい）(radius／半径／반지름) ▶半年（はんとし）(half a year) ▶半日（はんにち）(half a day) ▶クラスの大半（たいはん）(the greater part) ▶来週の半ば（らいしゅうのなかば)(middle) [N4-N5] 半分（はんぶん）
飯	ハン / めし	▶朝飯・昼飯・晩飯（あさめし・ひるめし・ばんめし） [N4-N5] 夕飯（ゆうはん）
百	ヒャク	[N4-N5] 百年、百個（ひゃくねん、ひゃっこ）
病	ビョウ	▶看病（かんびょう）（＝病人の世話をすること） ▶急病（きゅうびょう） ▶伝染病（でんせんびょう）（＝人から人へうつる病気／infectious disease） [N4-N5] 病院、病気（びょういん、びょうき）
品	ヒン / しな	▶作品（さくひん）(works) ▶商品（しょうひん）(goods) ▶ボウリング大会の賞品（たいかいのしょうひん）(prizes) ▶消耗品（しょうもうひん）（＝紙や石けんなど、使うと減っていく品物／しなもの） ▶輸入食品（ゆにゅうしょくひん）（＝食べることを目的にした品物／もくてき） ▶新品↔中古品（しんぴん↔ちゅうこひん） ▶製品（せいひん）(product) ▶車の部品（くるまのぶひん）(parts) ▶返品（へんぴん）（＝買うのをやめて品物を返すこと／しなものかえす） ▶薬品を扱う（やくひんをあつかう）(chemicals) ▶下品な言葉（げひんなことば）(vulgar) ▶上品な服（じょうひんなふく）(classy) ▶手品（てじな）(magic tricks) ▶化粧品（けしょうひん）(cosmetics) ▶高級品（こうきゅうひん）(high grade) ▶不良品（ふりょうひん）(defective goods) ▶輸入品（ゆにゅうひん） ▶品揃え（しなぞろえ）（＝品物の量や種類／しなものりょうしゅるい） [N4-N5] 品物（しなもの）
父	フ / ちち	▶父兄への説明会（ふけいへのせつめいかい）（＝親など、子供の保護者 ※主に学校で使う／ほごしゃ おも がっこう つか） ▶父母（ふぼ） ▶父親（ちちおや） ▶伯父（おじ）（＝おじさん ※親の兄／おやのあに） ▶叔父（おじ）（＝おじさん ※親の弟／おやのおとうと） [N4-N5] 祖父（そふ）
不	フ / (ブ)	▶不安な夜（ふあんなよる）(uneasy) ▶不運な結果（ふうんなけっか）(unfortunate) ▶コピー不可（ふか）(not allowed) ▶不幸な人生（ふこうなじんせい）(unhappy) ▶不正(な)行為（ふせい(な)こうい）（＝規則に反するなど、よくないこと／きそくはん） ▶不足を埋める／補う（ふそくをうめる／おぎなう）(shortage) ▶不満を訴える／述べる（ふまんをうったえる／のべる）(dissatisfaction) ▶不利な条件（ふりなじょうけん）(adverse／不利的／불리한) ▶不良品（ふりょうひん） [N4-N5] 不便（ふべん）

N2レベルの「漢字と語彙」 グループ C

風 フウ / かぜ
- ▶風景(landscape) ▶風船(balloon)
- ▶風潮(tide) ▶風力 ▶強風 ▶現代風(=現代的、現代らしいこと) ▶洋風建築/料理(western-style) ▶和風パスタ(Japanese style)
- [N4-N5] 風が吹く、台風

服 フク
- ▶服装(=服や帽子、アクセサリーなど。それらを身につけた様子) ▶衣服(=服、着るもの) ▶和服(=昔からの日本の服、着物) ▶病気を克服する(overcome)
- [N4-N5] 洋服

物 ブツ / モツ / もの
- ▶物質(substance) ▶物理学(physics)
- ▶怪物(monster) ▶鉱物(mineral)
- ▶植物(plant) ▶人物を描く(person)
- ▶生物(=生き物/living thing) ▶この島の名物(specialty) ▶貨物列車(cargo) ▶穀物の生産(grain) ▶作物を育てる(crop) ▶書物(=文章が書かれ本の形をしたもの) ▶食物に含まれる鉄(=食べる対象となるもの) ▶物置(=物を置くための場所、小屋) ▶物音(=何かの音) ▶物語(story) ▶物事(things) ▶本物(the real thing) ▶好物(favorite food)
- [N4-N5] 果物、見物客、荷物、着物、品物、建物

分 ブン / フン / わ-ける / わ-かれる / わ-かる / わ-かつ
- ▶機械を分解する(decompose) ▶植物の分布を表した図(=分かれてあちこちにあること、その様子) ▶商品の分類(=ある基準をもとに分けること) ▶区分(division) ▶5等分する(=同じに分けること) ▶水分(moisture) ▶薬の成分(ingredients/成分/성분) ▶部分(part) ▶土の養分(=栄養になる成分) ▶身分の違い(social position) ▶仕事の分量(quantity) ▶大分治った(=かなり、相当) ▶余分なお金(extra) [N4-N5] 自分、気分、随分

文 ブン / モン
- ▶文芸作品(=文学。文学とその他の芸術) ▶文献を調べる(literature)
- ▶文脈から判断する(context) ▶エジプト文明(civilization) ▶論文を書く(paper, treatise) ▶文字の大きさ(character) ▶文句を言う(complaint)/決まり文句(set phrase) ▶注文(order)
- [N4-N5] 作文、文章、文学、文化、文法

聞 ブン / き-く / き-こえる
- ▶伝聞情報(=伝え聞くこと) ▶聞き手(=聞く人)
- [N4-N5] 新聞、話し声が聞こえる

別 ベツ / わか-れる
- ▶別荘(villa) ▶区別(distinction) ▶差別のない社会(discrimination) ▶性別を書く(distinction of sex) ▶送別会(farewell party)
- [N4-N5] 特別

便 ベン / ビン / たよ-り
- ▶便所(=トイレ) ▶便箋(letter paper)
- ▶郵便番号(postal) ▶航空便で出す(air mail) [N4-N5] 不便

勉 ベン
- ▶勉学に努める(study) [N4-N5] 勉強

歩 ホ / ある-く
- ▶歩道(sidewalk) ▶大きな一歩(step)
- [N4-N5] 散歩

母 ボ / はは
- ▶父母 [N4-N5] 祖母

方 ホウ / かた
- ▶方角(direction) ▶方言(=地方の言葉/dialect) ▶方向(direction) ▶方針(policy) ▶方々(=さまざまな場所、あちこち) ▶京都方面(direction) ▶一方(on the other hand) ▶片方(=二つあるうちの一つのほう) ▶地方のテレビ局(local) ▶正方形(square) ▶話し方を学ぶ(way of talking) ▶見方(viewpoint) ▶ご参加の方々(=人たち) [N4-N5] 夕方、両方

北 ホク / きた
- ▶北海道 ▶北極(arctic) ▶南北に走る鉄道 [N4-N5] 駅の北口

グループC　N2レベルの「漢字と語彙」

- □ 木 ボク/モク/き/こ
  - ▶大木(たいぼく) ▶木材(もくざい)(=材料としての木)
  - ▶木製(もくせい)の皿 ▶材木(ざいもく)(=家や家具などの材料用の木) ▶植木(うえき)(=庭などに植えてある木) ▶草木(くさき) ▶並木道(なみきみち)(=道路の両側などに並べて植えられた木)
  - [N4-N5] 桜(さくら)の木、木(き)の実(み)

- □ 本 ホン/(もと)
  - ▶基本(きほん)知識(basic) ▶社会資本(しゃかいしほん)/資本金(しほんきん)(capital) ▶本日(ほんじつ)(=今日) ▶本社(ほんしゃ)(head office) ▶本店(ほんてん)(flagship store) ▶大会本部(たいかいほんぶ)(headquarters) ▶申込者本人(もうしこみしゃほんにん)(=その人) ▶本物(ほんもの)のダイヤモンド(genuine) ▶絵本(えほん)(picture book) ▶原本(げんぽん)でなくコピーを渡す(master) ▶標本(ひょうほん)(specimen/标本/표본) ▶見本(みほん)(sample)
  - [N4-N5] 本当(ほんとう)、本屋(ほんや)

マ～モ

- □ 毎 マイ
  - ▶毎度(まいど)(=いつも) ▶毎回(まいかい)
  - [N4-N5] 毎日(まいにち)、毎晩(まいばん)

- □ 妹 マイ/いもうと
  - ▶姉妹(しまい)(sisters) [N4-N5] 妹(いもうと)

- □ 万 マン/バン
  - ▶万歳(ばんざい)(※みんなで祝いや喜びの気持ちを表すときに言う言葉で、このとき、両手を上げる動作をする)
  - [N4-N5] 万年筆(まんねんひつ)

- □ 味 ミ/あじ/あじ-わう
  - ▶気味(きみ)が悪い(=あるものから受ける感じ・気持ち/feeling) ▶正味(しょうみ)200グラム(=入れ物などを除いた実際の中身/net) ▶地味(じみ)なデザイン(sober/朴素的/수수한) ▶季節/作品/感動/苦しみを味(あじ)わう(=十分に感じとる/taste) [N4-N5] 変わった味(あじ)

- □ 民 ミン
  - ▶民間(みんかん)の会社(=国などでなく一般の/private) ▶民主的(みんしゅてき)(な)方法(democratic) ▶民謡(みんよう)(=その土地の人々の生活の中から生まれ、伝えられてきた歌/folk) ▶国民(こくみん)(=その国の人) ▶住民(じゅうみん)(resident) ▶農民(のうみん)(farmer)
  - [N4-N5] 市民(しみん)

- □ 名 メイ/な
  - ▶名詞(めいし)(noun) ▶署名(しょめい)(signature) ▶題名(だいめい)(title) ▶地名(ちめい) ▶名作(めいさく)(=有名な作品、歴史に残るようなすぐれた作品) ▶名所(めいしょ)(=美しい景色や歴史的価値のある建物などで有名な所) ▶ピザ作りの名人(めいじん)(=すぐれた技術や能力で、その分野で評判の高い人) ▶名店(めいてん)(=有名な店、評判の高い店) ▶大阪名物(おおさかめいぶつ)(specialty) ▶名字(みょうじ)(last name) ▶氏名(しめい)(full name) ▶宛名(あてな)(=手紙などを送るために書く相手の名前) ▶仮名(かめい)(=実際の名前を避けて使われる名前)
  - [N4-N5] 有名(ゆうめい)、名前(なまえ)

- □ 明 メイ/あ-かり/あか-るい
  - ▶明確(めいかく)な目的(clear) ▶安全の証明(しょうめい)(proof) ▶透明(とうめい)な袋(transparent) ▶週明(しゅうあ)けに返事をする(at the beginning of next week) ▶明(あか)るい性格(cheerful) ▶明(あ)かり(light)
  - [N4-N5] 明(あか)るい部屋(へや)

- □ 目 モク/め
  - ▶活動の目的(もくてき)(purpose) ▶今年の目標(もくひょう)(goal) ▶選択科目(せんたくかもく)(subject) ▶費用/評価の項目(こうもく)(item) ▶注目(ちゅうもく)を集める選手(=注意して見つめること/attention) ▶目印(めじるし)になる建物(mark) ▶合格/費用の目安(めやす)(=予想されるところ・範囲、見当、基準/aim) ▶それぞれの役目(やくめ)(role)
  - [N4-N5] 右目(みぎめ)、目(め)にごみが入る(はい)

- □ 門 モン
  - ▶正門(せいもん)(main gate) ▶裏門(うらもん) ▶開門(かいもん)
  - [N4-N5] 専門(せんもん)

- □ 問 モン/と-う/と-い/とん
  - ▶問答(もんどう)を続ける(=質問と答え、議論すること) ▶学問(がくもん)の道(study, learning) ▶疑問(ぎもん)(question) ▶訪問(ほうもん)(visit) ▶商品に関する問(と)い合わせ(inquiry) ▶問(と)いに答える ▶罪(つみ)を問(と)う/学校のあり方を問(と)う
  - [N4-N5] 問題(もんだい)、10問(もん)、質問(しつもん)

N2レベルの「漢字と語彙」グループC

ヤ～ヨ

□ 夜 ヤ/よる
▶夜間の受付 ▶夜行性の動物（＝夜の間に活動すること）▶深夜の放送 ▶徹夜（＝何かをして、夜の間、寝ないで過ごすこと）▶夜明け(dawn) ▶夜中 ▶夜道
[N4-N5] 夜遅く、今夜

□ 野 ヤ/の
▶野外コンサート(outdoor) ▶野心を抱く(ambition／野心／야심) ▶野鳥(wild bird) ▶平野(plain／平原／평야) ▶野に咲く花(field／野地／들판)
[N4-N5] 野球

□ 薬 ヤク/くすり
▶薬剤師（＝資格を持ち、医者の指示に従って薬を用意する人）▶薬品(chemicals) ▶薬局（＝薬屋／drugstore） ▶農薬(pesticide) ▶薬指(ring finger) ▶目薬
[N4-N5] 薬を飲む

□ 友 ユウ/とも
▶二人の友情(friendship) ▶友人（＝友達 ※やや硬い言い方）▶親友（＝特に親しい友達）▶両国の友好関係(friendly relations)
[N4-N5] 友達

□ 有 ユウ/ウ/ある
▶有効な手段(effective) ▶有利な条件(advantageous) ▶有料トイレ（＝お金が必要な）▶経験の有無（＝あるかないか、ということ）
[N4-N5] 有名

□ 用 ヨウ/もち-いる
▶法律用語(term) ▶用心が足りない（＝災害などよくないことが起きないよう、心配し注意すること）▶建物の用途（＝物やお金の使う目的や対象）▶適用（＝他の分野への応用(application)）▶急用のため欠席する（＝急な用事） ▶薬の使用（＝使うこと） ▶信用を失う(credit／信用／신용) ▶日本全国で通用するカード／プロで通用する力／スペイン語が通用する国（＝正しいもの、役に立つものとして用いられること）▶器用な人（＝体や道具などを使って細かい作業などをまくやること）▶コピー用紙 ▶費用(cost) ▶火／記号を用いる(use)
[N4-N5] 用意、利用、用事、非常用の食料

□ 洋 ヨウ
▶海洋資源(ocean) ▶東洋文化(Oriental) ▶太平洋(Pacific Ocean)
[N4-N5] 西洋

□ 曜 ヨウ
▶曜日(day of the week)
[N4-N5] 月曜日

ラ～ワ

□ 来 ライ/く-る
▶来社 ▶来店 ▶来日（＝日本に来ること）▶卒業して以来（＝その時からずっと）▶外来患者（＝入院はせず、通って診察を受けること）▶外来植物（＝外国から来た）▶本来の目的／本来あり得ないこと（＝もともとはそうだということ）▶未来(future)
[N4-N5] 来週、来月、来年

グループC　N2レベルの「漢字と語彙」

□ **理** リ
- ▶理想の生活(ideal) ▶データ／健康／ビルの管理(management) ▶市場の原理(principle) ▶合理的な方法(reasonable) ▶車の修理(repair) ▶ごみの／事務処理(＝扱って問題を残さないようにする、片づける) ▶心理学／集団の心理(psychology) ▶荷物／考えを整理する(＝整えてきちんとする／put in order) ▶本人／社長の代理(＝代わりをする者) ▶物理学(physics) ▶理科(science) ▶話を理解する(understand)
- [N4-N5] 理由、地理、無理

□ **立** リツ／た-つ／た-てる
- ▶国立公園(national) ▶私立大学(private) ▶結婚／企画が成立する(＝実際のこととしてまとまる) ▶意見の対立(conflict) ▶親からの独立(independence) ▶利用者の立場(standpoint) ▶夕立(＝夏の午後に突然降ってすぐにやむ雨) ▶音を立てる(make noise)
- [N4-N5] 立って見る、本を立てて置く、計画を立てる、立派

□ **旅** リョ／たび
- ▶旅(travel) ▶旅人(traveler) ▶長旅の疲れ
- [N4-N5] 旅館

□ **料** リョウ
- ▶キャンセル料 ▶原料(raw material) ▶材料(material) ▶資料(material) ▶料金(fee, charge) ▶給料(salary) ▶送料(＝物を送るときの料金) ▶入場無料(free of charge) ▶有料(raw material)
- [N4-N5] 料理、食料

□ **力** リョク／リキ／ちから
- ▶学力(＝学習して得た知識や能力) ▶実力(＝実際の力、本当の力) ▶仕事の能力／能力を伸ばす(ability) ▶月の引力(gravitation pull) ▶強力なエンジン(powerful) ▶法的な効力(＝効果を与える力／effect) ▶地球の重力(gravity) ▶体力の限界(stamina) ▶電力(electric power) ▶努力を続ける(effort) ▶パリ／彼女の魅力(charm／魅力／매력) ▶自力で解決する
- [N4-N5] 力が出る、力を出す、経済力

□ **林** リン／はやし
- ▶林道(＝森林につくられる道、道路) ▶山林(＝山と林、山にある林) ▶森林(forest)
- [N4-N5] 松林

□ **六** ロク／む／む-つ／む-っつ／むい
- [N4-N5] 六月、六日、六個

□ **話** ワ／はな-す／はなし
- ▶話題(topic) ▶神話(myth／神話／신화) ▶童話(＝子供のために作られた話／fairy tale) ▶昔話(folk tale／故事／옛날이야기) ▶話し手(＝話している人)
- [N4-N5] 作り話、会話

形の似ている漢字
N2レベルの「漢字と語彙」 グループD

□ 以	イ	▶以上 ▶以下 ▶以内 ▶以前 ▶以後
□ 似	に-る	▶似る
□ 委	イ	▶委員
□ 季	キ	▶季節 ▶四季
□ 宇	ウ	▶宇宙
□ 字	ジ	▶文字 ▶漢字
□ 永	エイ / なが-い	▶永遠 ▶永久 ▶永い
□ 泳	エイ / およ-ぐ	▶水泳 ▶泳ぐ
□ 氷	ヒョウ / こおり	▶氷山 ▶氷
□ 延	エン / の-びる / の-ばす	▶延期 ▶延長 ▶延びる ▶延ばす
□ 庭	テイ / にわ	▶家庭 ▶庭園 ▶庭
□ 温	オン / あたた-か / あたた-かい / あたた-まる / あたた-める	▶温度 ▶気温 ▶温か ▶温かい ▶温まる ▶温める
□ 湿	シツ / シッ / しめ-る	▶湿度 ▶湿気 ▶湿る
□ 快	カイ / (こころよ-い)	▶快晴 ▶愉快 (▶快く(=気持ち良く))
□ 決	ケツ / ケッ / き-める / き-まる	▶解決 ▶決心 ▶決定 ▶決める ▶決まる
□ 格	カク	▶性格
□ 絡	ラク	▶連絡
□ 希	キ	▶希望
□ 布	フ / プ / ぬの	▶布団 ▶分布 ▶布
□ 究	キュウ	▶研究
□ 窓	まど	▶窓口
□ 橋	キョウ / はし	▶歩道橋 ▶鉄橋 ▶つり橋
□ 稿	コウ	▶原稿
□ 勤	キン / つと-める / つと-まる	▶勤務 ▶出勤 ▶勤める ▶勤まる
□ 動	ドウ / うご-く / うご-かす	▶動物 ▶運動 ▶動作 ▶行動 ▶移動 ▶自動車 ▶動き ▶動かす
□ 働	ドウ / はたら-く	▶労働 ▶働く
□ 偶	グウ	▶偶然 ▶偶数
□ 隅	すみ	▶隅
□ 検	ケン	▶検査 ▶検討
□ 険	ケン / けわ-しい	▶危険 ▶保険 ▶険しい
□ 個	コ	▶個人 ▶個性
□ 固	コ / かた-める / かた-まる / かた-い	▶固体 ▶固める ▶固まる ▶固い
□ 郊	コウ	▶郊外
□ 効	コウ / き-く	▶効果 ▶効く
□ 祭	サイ / まつ-り / まつ-る	▶祭日 ▶祭り ▶祭る
□ 察	サツ	▶観察 ▶診察 ▶警察
□ 際	サイ / きわ(ぎわ)	▶交際 ▶国際 ▶窓際
□ 擦	サツ / す-る / す-れる	▶摩擦 ▶擦る ▶擦れる
□ 材	ザイ	▶材料 ▶材木
□ 財	ザイ / サイ	▶財産 ▶財布

グループD　N2レベルの「漢字と語彙」

残	ザン / のこ-る / のこ-す	▶残念（ざんねん）　▶残業（ざんぎょう）　▶残る（のこ）　▶残す（のこ）
浅	あさ-い	▶浅い（あさ）
札	サツ / ふだ	▶1万円札（まんえんさつ）　▶改札（かいさつ）　▶名札（なふだ）
礼	レイ	▶礼儀（れいぎ）　▶失礼（しつれい）
支	シ / ささ-える	▶支店（してん）　▶支持（しじ）　▶支える（ささ）
枝	えだ	▶枝（えだ）
技	ギ / わざ	▶技術（ぎじゅつ）　▶技（わざ）
指	シ / ゆび / さ-す	▶指示（しじ）　▶指定（してい）　▶指導（しどう）　▶親指（おやゆび）　▶指す（さ）
脂	シ / あぶら	▶脂肪（しぼう）　▶肉の脂(身)（にく あぶら み）
捨	シャ / す-てる	▶四捨五入（ししゃごにゅう）　▶捨てる（す）
拾	ひろ-う	▶拾う（ひろ）
周	シュウ / まわ-り	▶周囲（しゅうい）　▶周辺（しゅうへん）　▶周り（まわ）
週	シュウ	▶毎週（まいしゅう）　▶週末（しゅうまつ）
調	チョウ / しら-べる	▶調査（ちょうさ）　▶調子（ちょうし）　▶調整（ちょうせい）　▶調べる（しら）
紹	ショウ	▶紹介（しょうかい）
招	ショウ / まね-く / まね-き	▶招待（しょうたい）　▶招く（まね）　▶招き（まね）
深	シン / ふか-い / ふか-まる / ふか-める / ふか-さ	▶深夜（しんや）　▶深い（ふか）　▶深まる（ふか）　▶深める（ふか）　▶深さ（ふか）
探	タン / さが-す / さぐ-る	▶探検（たんけん）　▶探査（たんさ）　▶探す（さが）　▶探る（さぐ）
辛	シン / つら-い / から-い	▶香辛料（こうしんりょう）　▶辛い（つら）　▶辛い（から）
幸	コウ / しあわ-せ / さいわ-い / （さち）	▶幸福（こうふく）　▶不幸（ふこう）　▶幸せ（しあわ）　▶幸い（さいわ）
狭	（キョウ）/ せま-い	▶狭い（せま）
挟	はさ-む / はさ-まる	▶挟む（はさ）　▶挟まる（はさ）
増	ゾウ / ま-す / ふ-える / ふ-やす	▶増加（ぞうか）　▶増す（ま）　▶増える（ふ）　▶増やす（ふ）
贈	（ゾウ）/ おく-る	▶贈る（おく）
憎	（ゾウ）/ にく-む / にく-い / にく-らしい / にく-しみ	▶憎む（にく）　▶憎い（にく）　▶憎らしい（にく）　▶憎しみ（にく）
卒	ソツ	▶卒業（そつぎょう）
率	（ソツ）/ リツ / （ひき-いる）	▶率直（そっちょく）　▶確率（かくりつ）
燥	ソウ	▶乾燥（かんそう）
操	ソウ / （あやつ-る）	▶体操（たいそう）
兆	チョウ	▶一兆（いっちょう）
逃	（トウ）/ に-げる / に-がす / （のが-れる）/ （のが-す）	▶逃げる（に）　▶逃がす（に）
詰	つ-める / つ-まる	▶詰める（つ）　▶詰まる（つ）
結	ケツ / ケッ / むす-ぶ	▶結論（けつろん）　▶結果（けっか）　▶結婚（けっこん）　▶結ぶ（むす）
越	エツ / こ-す / こ-える	▶越冬（えっとう）　▶越す（こ）　▶越える（こ）
超	チョウ / こ-す / こ-える	▶超過（ちょうか）　▶超す（こ）　▶超える（こ）
農	ノウ	▶農業（のうぎょう）　▶農家（のうか）　▶農作物（のうさくぶつ）　▶農産物（のうさんぶつ）
濃	ノウ / こ-い / こ-さ	▶濃度（のうど）　▶濃縮（のうしゅく）　▶濃い（こ）　▶濃さ（こ）
脳	ノウ	▶頭脳（ずのう）
悩	ノウ / なや-む	▶苦悩（くのう）　▶悩み（なや）

N2レベルの「漢字と語彙」 グループ D

□ 波	ハ / なみ	▶波形(はけい) ▶電波(でんぱ) ▶波(なみ)
□ 破	ハ / やぶ-る / やぶ-れる	▶破産(はさん) ▶破る(やぶる) ▶破れる(やぶれる)
□ 爆	バク	▶爆発(ばくはつ) ▶爆弾(ばくだん) ▶原爆(げんばく)
□ 暴	ボウ / あば-れる	▶暴力(ぼうりょく) ▶暴れる(あばれる)
□ 比	ヒ	▶比較(ひかく) ▶比例(ひれい)
□ 批	ヒ	▶批判(ひはん) ▶批評(ひひょう)
□ 輸	ユ	▶輸出(ゆしゅつ) ▶輸入(ゆにゅう) ▶輸送(ゆそう)
□ 輪	リン / わ	▶車輪(しゃりん) ▶輪(わ)
□ 予	ヨ	▶予定(よてい) ▶予防(よぼう) ▶予備(よび) ▶予報(よほう)
□ 了	リョウ	▶完了(かんりょう) ▶終了(しゅうりょう)
□ 容	ヨウ	▶内容(ないよう) ▶容器(ようき) ▶容量(ようりょう) ▶美容(びよう) ▶美容院(びよういん)
□ 溶	ヨウ / と-ける / と-かす / と-く	▶溶岩(ようがん) ▶溶ける(とける) ▶溶かす(とかす) ▶溶く(とく)
□ 例	レイ / たと-える	▶例外(れいがい) ▶例える(たとえる)
□ 列	レツ	▶行列(ぎょうれつ) ▶列車(れっしゃ)
□ 連	レン / (つら-なる)	▶連続(れんぞく) ▶連絡(れんらく) ▶連合(れんごう)
□ 運	ウン / はこ-ぶ	▶運転(うんてん) ▶運動(うんどう) ▶運命(うんめい) ▶幸運(こううん) ▶運ぶ(はこぶ)

グループ E N2レベルの「漢字と語彙」

読み方を間違えやすい漢字

N2〜N3レベルの漢字

□ 覚	カク / おぼ-える / さ-める / さ-ます	▶感覚 ▶覚える ▶目が覚める ▶目を覚ます
□ 降	(コウ) / ふ-る / お-りる / お-ろす	▶雨が降る ▶電車を降りる ▶車から荷物を降ろす
□ 消	ショウ / け-す / きえ-る	▶消化 ▶火を消す ▶火が消える
□ 占	セン / し-める / うらな-う	▶占める ▶占う
□ 凍	トウ / こお-る / こご-える	▶冷凍 ▶池が凍る ▶手が凍える
□ 逃	(トウ) / に-げる / に-がす / のが-す	▶逃げる ▶釣った魚を逃がす ▶チャンスを逃す
□ 捕	ホ / と-らえる / と-る / つか-まえる / つか-まる	▶逮捕 ▶動きを捕らえる ▶ボールを捕る ▶ヘビを捕まえる ▶犯人が捕まる
□ 抱	(ホウ) / だ-く / いだ-く / かか-える	▶子供を抱く ▶夢を抱く ▶借金を抱える
□ 頼	ライ / たの-む / たの-もしい / たよ-る	▶信頼 ▶手伝いを頼む ▶頼もしい後輩 ▶親に頼る
□ 冷	レイ / つめ-たい / ひ-やす / ひ-える / さ-ます	▶冷凍 ▶冷たい ▶ビールを冷やす ▶体が冷える ▶お湯を冷ます

N4〜N5レベルの漢字

□ 画	ガ / カク	▶画家 ▶絵画 ▶計画 ▶企画
□ 家	カ / ケ / いえ / うち / や	▶家族 ▶田中家 ▶家を買う ▶家の近所 ▶家主
□ 下	カ / ゲ / した / しも / さ-げる / さ-がる / くだ-る / お-ろす / お-りる	▶地下 ▶上下 ▶下書き ▶川下 ▶値段を下げる ▶熱が下がる ▶川を下る ▶お金を下ろす ▶山を下りる
□ 外	ガイ / ゲ / そと / はず-す / はず-れる	▶外出 ▶外科 ▶外側 ▶外す ▶外れる
□ 開	カイ / ひら-く / ひら-ける / あ-く / あ-ける	▶開店 ▶本を開く ▶道が開ける ▶ドアが開く ▶窓を開ける
□ 間	カン / ゲン / あいだ / ま	▶時間 ▶人間 ▶寝ている間 ▶間に合う
□ 魚	ギョ / うお / さかな	▶漁業 ▶魚市場 ▶魚料理
□ 空	クウ / そら / あ-く / あ-ける / から	▶空港 ▶空 ▶席が空く ▶時間を空ける ▶空箱
□ 言	ゲン / ゴン / い-う / こと	▶言語 ▶伝言 ▶言い方 ▶言葉
□ 後	ゴ / コウ / のち / うし-ろ / あと	▶午後 ▶後輩 ▶晴れ後くもり ▶後ろの席 ▶後でやる
□ 行	コウ / ギョウ / おこな-う / い-く	▶旅行 ▶行事 ▶毎年行う ▶行き先
□ 作	サク / サ / つく-る	▶作品 ▶動作 ▶手作り
□ 重	ジュウ / チョウ / かさ-なる / かさ-ねる / おも-い	▶重要 ▶慎重 ▶予定が重なる ▶経験を重ねる ▶重い

N2レベルの「漢字と語彙」 グループ F
特別な読み方 ― 熟字訓
とくべつ　よ　かた　　じゅくじくん

- □ 明日 (あす／あした)
- □ 田舎 (いなか)
- □ 笑顔 (えがお)
- □ お母さん (かあ)
- □ 伯父／叔父 (おじ／おじ)
- □ お父さん (とう)
- □ 大人 (おとな)
- □ 伯母／叔母 (おば／おば)
- □ お巡りさん (まわ)
- □ 風邪 (かぜ)
- □ 仮名 (かな)
- □ 為替 (かわせ)
- □ 昨日 (きのう)
- □ 今日 (きょう)
- □ 果物 (くだもの)
- □ 玄人 (くろうと)
- □ 今朝 (けさ)
- □ 景色 (けしき)
- □ 心地 (ここち)
- □ 今年 (ことし)
- □ 差し支える (さつか)
- □ 老舗 (しにせ)
- □ 芝生 (しばふ)
- □ 上手 (じょうず)

- □ 白髪 (しらが)
- □ 素人 (しろうと)
- □ 相撲 (すもう)
- □ 足袋 (たび)
- □ 一日 (ついたち)
- □ 梅雨 (つゆ)
- □ 凸凹 (でこぼこ)
- □ 手伝う (てつだ)
- □ 時計 (とけい)
- □ 友達 (ともだち)
- □ 名残 (なごり)
- □ 雪崩 (なだれ)
- □ 兄さん (にい)
- □ 姉さん (ねえ)
- □ 博士 (はかせ)
- □ 二十／二十歳 (はたち／はたち)
- □ 二十日 (はつか)
- □ 一人 (ひとり)
- □ 二人 (ふたり)
- □ 二日 (ふつか)
- □ 吹雪 (ふぶき)
- □ 下手 (へた)
- □ 部屋 (へや)
- □ 迷子 (まいご)

- □ 真っ赤 (まっか)
- □ 真っ青 (まっさお)
- □ 土産 (みやげ)
- □ 息子 (むすこ)
- □ 眼鏡 (めがね)
- □ 紅葉／紅葉 (こうよう／もみじ)
- □ 木綿 (もめん)
- □ 最寄り (もより)
- □ 八百屋 (やおや)
- □ 浴衣 (ゆかた)
- □ 行方 (ゆくえ)

N2レベルの「語彙」

動詞 ①

N２レベルの「語彙」グループA

語	例	意味
□ 滑る（すべる）	▶床が滑る	(The floor is slippery.／地板滑／마루가 미끄럽다)
□ すれ違う（すれちがう）	▶Ａさんとすれ違う	(pass Mr. A on the street／和小Ａ擦肩而过／Ａ씨와 엇갈리다)
□ 向く（むく）	▶前を向く	(look ahead／向前／앞을 향하다)
□ うなずく	▶大きくうなずく	(fully nod one's head／使劲儿点头／크게 고개를 끄덕이다)
□ おじぎをする	▶軽くおじぎをする	(＝挨拶として小さく頭を下げる)
□ ささやく	▶優しい声でささやく	(whisper in a gentle voice／用温柔的声音私语／상냥한 목소리로 속삭이다)
□ 怒鳴る（どなる）	▶大声で怒鳴る	(shout with a large voice／大声怒吼／큰 소리로 고함을 치다)
□ にらむ	▶相手をにらむ	(stare someone off／恨对方／상대를 노려보다)
□ 見つめる（みつめる）	▶画面を見つめる	(＝集中してじっと見る)
□ ほほ笑む（ほほえむ）	▶静かにほほ笑む	(smile)
□ 掻く（かく）	▶背中をかく	(scratch one's back／挠后背／등을 긁다)
□ 抱える（かかえる）	▶かばんを抱える	(hold one's bag／抱着包／가방을 안다)
□ 包む（つつむ）	▶紙で包む	(wrap with paper／用纸来包装／종이로 싸다)
□ つまずく	▶石につまずく	(stumble on a stone／被石头绊倒／돌에 발이 걸리다)
□ 曲げる（まげる）	▶針金を曲げる	(bend a wire／弄弯钢丝／바늘을 굽히다)
□ 破る（やぶる）	▶紙を破る	(tear paper／撕纸／종이를 찢다)
□ 膨らます（ふくらます）	▶風船を膨らます	(blow up a balloon／吹气球／풍선을 불다)
□ くっつける	▶机を壁にくっつける	(＝寄せて付ける)
□ ねじる	▶体をねじる	(twist one's body／扭着身体／몸을 비틀다)
□ 埋める（うめる）	▶土の中にゴミを埋める	(bury garbage in the soil／把垃圾埋进土里／흙속에 쓰레기를 묻다)
□ 加える（くわえる）	▶塩を加える	(＝足す)
□ 散らかす（ちらかす）	▶部屋を散らかす	(＝物を片づけず、あちこち置いたままにする)
□ 積む（つむ）	▶本を積む	(pile up a book／堆书／책을 쌓다)
□ 詰める（つめる）	▶かばんに荷物を詰める	(pack things in a bag／把货物放进包里／가방에 짐을 채우다)
□ 鳴らす（ならす）	▶ベルを鳴らす	(ring a bell／响铃／벨을 누르다)
□ 除く（のぞく）	▶不良品を除く	(remove defective products／除去不良品／불량품을 빼다)

グループA ― N2レベルの「語彙」

□ はがす	▶ポスターをはがす	(tear off a poster ／撕下广告／포스터를 떼다)
□ はさむ	▶手帳にメモをはさむ	(slip a memo in between a notebook ／把纸条夹在笔记本里／수첩에 메모를 끼우다)
□ ひっくり返す	▶魚をひっくり返す	(＝裏返す)
□ ひねる	▶足をひねる	(sprain one's foot ／扭到脚／발을 삐다)
□ ふさぐ	▶入口をふさぐ	(block an entrance ／堵住入口／입구를 막다)
□ ぶつける	▶壁にボールをぶつける	(hit a ball on the wall ／球弹到墙壁上／벽에 공을 던지다)
□ ぶら下げる	▶首からカメラをぶら下げる	(hang a camera from one's neck ／脖子上挂着相机／목에 카메라를 매달다)
□ 振る	▶手を振る	(wave one's hand ／招手／손을 흔들다)
□ 混ぜる	▶バターを混ぜる	(mix)
□ 真似る	▶先生の話し方を真似る	(mimic teacher's way of speaking ／模仿老师的说话方式／선생님의 말투를 흉내내다)
□ 挙げる	▶手を挙げる	(raise one's hand ／举手／손을 들다)
□ 扱う	▶慎重に扱う	(treat carefully ／慎重处理／신중하게 다루다)
□ あふれる	▶川の水があふれる	(The river water overflows. ／河水涨起来了／강물이 넘치다)
□ 誤る	▶使い方を誤る	(＝間違える)
□ 改める	▶間違いを改める	(correct a mistake ／修改错误／틀린 것을 고치다)
□ 荒れる	▶荒れた天気	(heavy weather ／变天／거친 날씨)
□ 生かす	▶経験を生かす	(＝その良い点が出るようにする)
□ 失う	▶権利を失う	(lose the right ／失去权利／권리를 잃다)
□ 応じる	▶要求に応じる	(accept a demand ／答应要求／요구에 응하다)
□ 収める	▶引き出しに収める	(＝入れる)
□ 劣る	▶能力が劣る	(be less able ／能力低下／능력이 떨어지다)
□ 及ぼす	▶影響を及ぼす	(influence ／波及影响／영향을 미치다)
□ 欠ける	▶能力に欠ける	(lack one's ability ／能力欠缺／능력이 없다)
□ 感じる	▶やりがいを感じる	(feel worth doing something ／感到有做的价值／보람을 느끼다)
□ 効く	▶薬が効く	(medicine working ／药起效／약이 듣다)
□ 越える	▶山を越える	(go over the mountain ／翻山／산을 넘다)
□ 逆らう	▶流れに逆らう	(go against the flow ／逆流／흐름을 거역하다)
□ 避ける	▶渋滞を避ける	(avoid congestion ／避开堵车／교통정체를 피하다)

65

N2レベルの「語彙」 グループA

	語	例	意味
☐	支(ささ)える	▶生活(せいかつ)を支(ささ)える	(support lives／维持生活／생활을 지탱하다)
☐	示(しめ)す	▶例(れい)を示(しめ)す	(show)
☐	生(しょう)じる	▶問題(もんだい)が生(しょう)じる	(problem occuring／产生问题／문제가 생기다)
☐	ずらす	▶机(つくえ)を少(すこ)しずらす	(move a desk a little／将桌子错开／책상을 조금 비켜놓다)
☐	ずれる	▶位置(いち)がずれる	(get out of position／位置错开／위치가 비뚤어지다)
☐	耐(た)える	▶痛(いた)みに耐(た)える	(endure the pain／忍受疼痛／아픔을 참다)
☐	適(てき)する	▶この仕事(しごと)に適(てき)した人(ひと)	(person appropriate for this work／适合这项工作的人／이 일에 적합한 사람)
☐	閉(と)じる	▶目(め)を閉(と)じる	(shut)
☐	とどまる	▶その場(ば)にとどまる	(＝先(さき)に進(すす)まず、そこにいる)
☐	怠(なま)ける	▶勉強(べんきょう)を怠(なま)ける	(neglect one's study／怠慢工作／공부를 게을리하다)
☐	狙(ねら)う	▶優勝(ゆうしょう)を狙(ねら)う	(to aim for the championship／以夺取冠军为目的／우승을 노리다)
☐	生(は)える	▶草(くさ)が生(は)える	(grass growing／长草／풀이 자라다)
☐	省(はぶ)く	▶説明(せつめい)を省(はぶ)く	(omit explanation／省去说明／설명을 생략하다)
☐	反(はん)する	▶規則(きそく)に反(はん)する	(violate a rule／违反规则／규칙에 반하다)
☐	控(ひか)える	▶酒(さけ)を控(ひか)える	(keep away from drinking／控制喝酒／술을 삼가다)
☐	含(ふく)む	▶ビタミンを含(ふく)む	(include vitamins／含有维生素／비타민을 포함하다)
☐	震(ふる)える	▶恐(こわ)くて足(あし)が震(ふる)える	(My leg shakes with fear.／害怕得脚发抖／무서워서 발이 떨리다)
☐	恵(めぐ)まれる	▶機会(きかい)に恵(めぐ)まれる	(be given a good opportunity／得到好机会／기회를 얻다)
☐	目指(めざ)す	▶教師(きょうし)を目指(めざ)す	(aim to be a teacher／想当教师／교사를 목표로하다)
☐	設(もう)ける	▶機会(きかい)を設(もう)ける	(create an opportunity／设计机会／기회를 주다)
☐	基(もと)づく	▶データに基(もと)づく	(base on the data／基于数据／데이터에 근거하다)
☐	求(もと)める	▶許可(きょか)を求(もと)める	(seek permission／征求许可／허락을 구하다)
☐	やむ	▶雨(あめ)がやむのを待(ま)つ	(wait till it stops raining／等待雨停／비가 그치는 것을 기다리다)
☐	譲(ゆず)る	▶席(せき)を譲(ゆず)る	(give up one's seat／让座位／자리를 양보하다)
☐	ゆるめる	▶ネクタイをゆるめる	(loosen a tie／松开领带／넥타이를 느슨하게 하다)
☐	儲(もう)ける	▶お金(かね)を儲(もう)ける	(gain money／存钱／돈을 벌다)
☐	儲(もう)かる	▶儲(もう)かる話(はなし)	(get rich quick scheme／赚钱的事情／돈이 되는 이야기)
☐	たまる	▶たまったゴミ	(collected garbage／寄存的垃圾／모인 쓰레기)

グループA　N2レベルの「語彙」

語	例	意味
□ 積もる	▶積もった雪	(piled snow ／堆雪／쌓인 눈)
□ 数える	▶人数を数える	(count the number of people ／数人数／사람 수를 세다)
□ 測る	▶長さを測る	(measure length ／測量长度／길이를 재다)
□ 計る	▶時間を計る	(measure time ／计算时间／시간을 재다)
□ 図る	▶解決を図る	(solve ／谋求解决问题／해결을 꾀하다)
□ 実る	▶果物が実る	(The fruit ripens. ／水果成熟／과일이 열매를 맺다)
□ 茂る	▶草が茂る	(The grass grows thick. ／草丛茂密／풀이 우거지다)
□ 吠える	▶犬が吠える	(The dog barks. ／犬吠／개가 짖다)
□ 吸う	▶息を吸う	(inhale ／吸气／숨을 들이쉬다)
□ 吐く	▶息を吐く	(breath out ／吐气／숨을 내쉬다)
□ 流行る	▶青が流行る	(Blue is popular. ／流行蓝色／파란색이 유행이다)
□ 雇う	▶アルバイトを雇う	(employ a part-time worker ／雇佣打工的人／아르바이트를 고용하다)
□ 属する	▶会社に属する	(belong to a company ／属于公司／회사에 속하다)
□ はずす	▶席をはずす	(leave one's seat ／离开座位／자리를 비우다)
□ さぼる	▶仕事をさぼる	(play truant from work ／旷工／일을 게을리 하다)
□ つなぐ	▶AとBをつなぐ	(connect A and B ／连接A和B／A와 B를 연결하다)
□ 切れる	▶用紙が切れる	(run out of paper ／纸张用完／용지가 잘리다)
□ 占める	▶3分の1を占める	(occupy 1/3 ／占有三分之一／3분의 1을 점유하다)
□ 超える	▶1万円を超える	(exceed 10,000 yen ／超过一万日元／만엔을 넘다)
□ 達する	▶500人に達する	(reach)
□ 並ぶ	▶列に並ぶ	(line up in a queue ／排成纵队／줄에 서다)
□ 伸びる	▶売り上げが伸びる	(Sales are increased. ／销售额上升／매상이 늘다)
□ 好む	▶薄味を好む	(prefer lightly-flavored food ／喜欢清淡的味道／싱거운 맛을 좋아하다)
□ ほっとする	▶間に合ってほっとする	(feel relieved because one is on time ／赶上放心了／시간을 맞추어서 한숨 돌리다)
□ あきらめる	▶進学をあきらめる	(give up to go to the next stage of education ／放弃升学／진학을 포기하다)
□ あきる	▶ゲームに飽きる	(get tired of the game ／厌烦游戏／게임에 싫증나다)
□ 嫌がる	▶練習を嫌がる	(hate practicing something ／讨厌练习／연습을 싫어하다)
□ 恐れる	▶失敗を恐れる	(afraid of failure ／害怕失败／실패를 두려워하다)

67

N2レベルの「語彙」 グループA

語彙	例	意味
□ 落ち込む（おちこむ）	▶失敗して落ち込む（しっぱい　お こ）	(get failed and depressed ／由于失败而失落／실패해서 기가죽다)
□ 悔やむ（くや）	▶失敗を悔やむ（しっぱい　く）	(regret failure ／因为失败而后悔／실패를 분하게 여기다)
□ ためらう	▶話すのをためらう（はな）	(hesitate to talk ／犹豫说什么／말하는 것을 망설이다)
□ 悩む（なや）	▶進路に悩む（しんろ　なや）	(fret oneself with deciding one's way ／烦恼于去向／진로를 가지고 고민하다)
□ あせる	▶寝坊してあせる（ねぼう）	(oversleep and be in a hurry ／睡过头了着急／늦잠을 자서 초조해하다)
□ あわてる	▶突然の来客にあわてる（とつぜん　らいきゃく）	(panicked with a sudden visitor ／为突然到访的客人感到慌张／갑자기 온 손님에 당황하다)
□ 憧れる（あこが）	▶歌手に憧れる（かしゅ　あこが）	(yearn after a singer ／向往当歌手／가수를 동경하다)
□ 与える（あた）	▶チャンスを与える（あた）	(give)
□ 任せる（まか）	▶部下に任せる（ぶか　まか）	(leave work to a subordinate ／委托给部下／부하에게 맡기다)
□ あきれる	▶幼稚な発言にあきれる（ようち　はつげん）	(disagreeably surprised at a childish remark ／为幼稚的发言感到惊讶／유치한 말에 질리다)
□ 従う（したが）	▶指示に従う（しじ　したが）	(follow an instruction ／遵从指示／지시에 따르다)
□ わびる	▶失礼をわびる（しつれい）	(apologize for one's rudeness ／为失礼进行道歉／실례를 사과하다)
□ かわいがる	▶犬をかわいがる（いぬ）	(cherish a dog ／宠爱小狗／개를 귀여워하다)
□ 愛する（あい）	▶国を愛する（くに　あい）	(love)
□ 信じる（しん）	▶成功を信じる（せいこう　しん）	(believe)
□ 許す（ゆる）	▶ミスを許す（ゆる）	(excuse one's mistake ／原谅过失／실수를 용서하다)
□ 誘う（さそ）	▶食事に誘う（しょくじ　さそ）	(invite for dinner ／邀请吃饭／식사를 권유하다)
□ 招く（まね）	▶友人を家に招く（ゆうじん　いえ　まね）	(invite a friend to one's house ／招待朋友来家／친구를 집에 부르다)
□ 甘やかす（あま）	▶子供を甘やかす（こども　あま）	(spoil a child ／溺爱孩子／아이의 응석을 받아주다)
□ うらやむ	▶他人をうらやむ（たにん）	(be envious of someone ／憎恨他人／타인을 부러워하다)
□ いじめる	▶弱い者をいじめる（よわ　もの）	(bully a weak person ／欺负弱者／약자를 괴롭히다)
□ 傷つける（きず）	▶車を傷つける（くるま　きず）	(hurt the car ／我伤车／차를 흠집내다)
□ 責める（せ）	▶失敗を責める（しっぱい　せ）	(blame a failure ／责备失败／실패를 책망하다)
□ だます	▶人をだます（ひと）	(cheat a person ／骗人／사람을 속이다)
□ 疑う（うたが）	▶本当かどうか疑う（ほんとう　うたが）	(doubt if something is true ／怀疑是否是真的／정말인지 아닌지 의심하다)
□ 頼る（たよ）	▶親に頼る（おや　たよ）	(rely on parents ／依赖父母／부모님에게 의존하다)
□ おどかす	▶大声でおどかす（おおごえ）	(threaten with a loud voice ／大声恐吓／큰 소리로 위협하다)
□ からかう	▶同僚をからかう（どうりょう）	(make fun of a colleague ／嘲笑同事／동료를 놀리다)

□ なぐさめる	▶友達をなぐさめる	(console one's friend ／安慰朋友／친구를 위로하다)
□ 祈る（いの）	▶合格を祈る（ごうかく　いの）	(pray for passing ／祈祷合格／합격을 기도하다)
□ 願う（ねが）	▶子供の成長を願う（こども　せいちょう　ねが）	(wish growth of a child ／希望孩子成長／아이의 성장을 바라다)
□ 探す（さが）	▶本を探す（ほん　さが）	(look for a book ／找书／책을 찾다)
□ 探る（さぐ）	▶方法を探る（ほうほう　さぐ）	(look for ways ／探讨方式／방법을 탐구)
□ 蓄える（たくわ）	▶食料を蓄える（しょくりょう　たくわ）	(store food ／积蓄食品／식료를 축적한다)
□ 貯める（た）	▶お金を貯める（かね　た）	(save money ／存钱／돈을 저축하다)
□ 混ざる（ま）	▶(色が)混ざる（いろ　ま）	(be mixed ／混合／섞이다)
□ 混じる（ま）	▶(別のものが)混じる（べつ　ま）	(be mixed in with ／混、杂、夹杂／섞이다)
□ 味わう（あじ）	▶料理を味わう（りょうり　あじ）	(get a taste of the dish ／品尝料理／요리를 맛보다)

グループ A　N2レベルの「語彙」

動詞① 動詞② 動詞③ 形容詞 副詞 名詞 接続詞 カタカナ語 擬音語・擬態語 慣用句 対義語・類義語 前に付く語と後ろにつく語 N2レベルのその他の語彙

N2レベルの「語彙」 グループB

動詞② する動詞

語	例	意味
□ 合図(する) あいず	▶手で合図する	(to sign with one's hand／做出手势／손으로 신호하다)
□ 安定(する) あんてい	▶経済の安定	(economic stability／经济安定／경제의 안정)
□ 意識(する) いしき	▶ライバルを意識する	(to be aware of rivals／意识到竞争对手／라이벌을 의식하다)
□ 一致(する) いっち	▶意見の一致	(consensus of opinion／一致意见／의견의 일치)
□ 違反(する) いはん	▶ルールに違反する	(to violate the rules／违反规矩／규칙에 위반되다)
□ 印刷(する) いんさつ	▶資料を印刷する	(to print out a document／印刷资料／자료를 인쇄하다)
□ 引退(する) いんたい	▶仕事を引退する	(to retire from work／退出工作／일을 은퇴하다)
□ 影響(する) えいきょう	▶健康に影響する	(to affect one's health／影响健康／건강에 영향을 주다)
□ 延長(する) えんちょう	▶試合を延長する	(to send the match into extra time／延长比赛／시합을 연장하다)
□ 応対(する) おうたい	▶電話で応対する	(to answer by phone／用电话回应／전화로 응대하다)
□ 応募(する) おうぼ	▶コンクールに応募する	(to apply for a contest／应征比赛／대회에 응모하다)
□ 改行(する) かいぎょう	▶次の行で改行する	(to begin a new line after the next line／在下一行改行／다음 줄에서 줄 바꿈을 하다)
□ 解決(する) かいけつ	▶問題の解決	(problem solution／解决问题／문제의 해결)
□ 外食(する) がいしょく	▶家族で外食する	(to dine out with one's family／家人外出就餐／가족끼리 외식하다)
□ 解答(する) かいとう	▶問題に解答する	(to answer a question／解答问题／문제에 답하다)
□ 回復(する) かいふく	▶景気の回復	(economic recovery／经济恢复／경기 회복)
□ 拡大する かくだい	▶被害の拡大	(expansion of the damage／受灾面积扩大／피해의 확대)
□ 活動(する) かつどう	▶活発に活動する	(to actively work／频繁活动／활발하게 활동하다)
□ 活躍(する) かつやく	▶世界中で活躍する	(to be active all over the world／在世界上大显身手／세계 속에서 활약하다)
□ 関係(する) かんけい	▶事件に関係する	(related to an accident／与事件有关系／사건에 관계되다)
□ 感謝(する) かんしゃ	▶両親に感謝する	(to appreciate one's parents／感谢父母／부모님께 감사드리다)
□ 鑑賞(する) かんしょう	▶映画を鑑賞する	(to see a movie／鉴赏电影／영화를 감상하다)
□ 感心(する) かんしん	▶サービスの良さに感心する	(to be impressed by high quality service／对完善的服务感到佩服／서비스가 좋아서 감탄하다)
□ 感染(する) かんせん	▶ウイルスに感染する	(to infect with viruses／感染病毒／바이러스에 감염되다)
□ 管理(する) かんり	▶データを管理する	(to manage data／管理数据／데이터를 관리하다)

グループ B ― N2レベルの「語彙」

語	例	意味
□ 完了（する）（かんりょう）	▶手続きの完了	(completion of a procedure／办完手续／수속 완료)
□ 関連（する）（かんれん）	▶音楽に関連する仕事	(work related to music／与音乐有关的工作／음악에 관련된 일)
□ 企画（する）（きかく）	▶イベントを企画する	(to plan an event／企划娱乐活动／이벤트를 기획하다)
□ 期待（する）（きたい）	▶新人に期待する	(to expect to rookie／期待新人／신인에게 기대하다)
□ 寄付（する）（きふ）	▶お金を寄付する	(to donate money／捐钱／돈을 기부하다)
□ 逆転（する）（ぎゃくてん）	▶立場の逆転	(reverse of a position／立场转变／입장의 역전)
□ 休憩（する）（きゅうけい）	▶10分休憩する	(to take 10 minute break／休息十分钟／10분 휴식하다)
□ 救助（する）（きゅうじょ）	▶溺れている人を救助する	(to rescue a drowning person／救助溺水的人／물에 빠진 사람을 구조하다)
□ 急増（する）（きゅうぞう）	▶患者の急増	(patients' sudden increase／患者突然增加／환자의 급증)
□ 供給（する）（きょうきゅう）	▶電気を供給する	(to supply electricity／供电／전기를 공급하다)
□ 恐縮（する）（きょうしゅく）	▶ほめられて恐縮する	(to be praised and feel grateful／受到表扬不好意思／칭찬을 받아 송구해하다)
□ 工夫（する）（くふう）	▶やり方を工夫する	(to contrive ways to do／考虑做法／방법을 궁리하다)
□ 区別（する）（くべつ）	▶色で区別する	(to distinguish by color／通过颜色进行区别／색으로 구별하다)
□ 苦労（する）（くろう）	▶お金がなくて苦労する	(to have a hard time without money／没钱很辛苦／돈이 없어 고생하다)
□ 経営（する）（けいえい）	▶レストランを経営する	(to run a restaurant／经营餐馆／레스토랑을 경영하다)
□ 継続（する）（けいぞく）	▶契約を継続する	(to continue a contract／继续签约／계약을 계속하다)
□ 軽蔑（する）（けいべつ）	▶弱い者いじめをする人を軽蔑する	(to despise a person who bullies the weak／看不起欺负弱者的人／약자를 괴롭히는 사람을 경멸하다)
□ 契約（する）（けいやく）	▶保険を契約する	(to make an insurance contract／签约保险／보험을 계약하다)
□ 見学（する）（けんがく）	▶工場を見学する	(to tour the factory／参观工厂／공장을 견학하다)
□ 検索（する）（けんさく）	▶ホテルを検索する	(to search for hotels／检索酒店／호텔을 검색하다)
□ 検査（する）（けんさ）	▶胃を検査する	(to examine one's stomach／检查胃／위를 검사하다)
□ 検討（する）（けんとう）	▶方法を検討する	(to consider the way／探讨方法／방법을 검토하다)
□ 後悔（する）（こうかい）	▶言わなかったことを後悔する	(to regret not saying／后悔没说出来／말하지 않은 것을 후회하다)
□ 合計（する）（ごうけい）	▶支出を合計する	(to sum up expenses／合计支出／지출을 합계하다)
□ 貢献（する）（こうけん）	▶勝利に貢献する	(to contribute to the victory／对胜利有所贡献／승리에 공헌하다)
□ 交際（する）（こうさい）	▶職場の同僚と交際する	(to go out with one's colleague／和职场的同事交往／직장 동료와 교제하다)
□ 構成（する）（こうせい）	▶3つのパートで構成する	(to consist of three parts／由三部分构成／3가지 부분으로 구성되다)
□ 交代（する）（こうたい）	▶役割を交代する	(to change roles／交换任务／역할을 교대하다)

N2レベルの「語彙」 グループ B

☐	興奮(する) こうふん	▶試合に興奮する しあい こうふん	(to get excited with a game ／对比赛感到兴奋／시합에 흥분하다)
☐	考慮(する) こうりょ	▶体調を考慮する たいちょう こうりょ	(to consider physical condition ／考虑身体状况／컨디션을 고려하다)
☐	誤解(する) ごかい	▶意味を誤解する いみ ごかい	(to misunderstand a meaning ／误解意思／의미를 오해하다)
☐	呼吸(する) こきゅう	▶ゆっくり呼吸する こきゅう	(to breathe slowly ／慢慢呼吸／천천히 호흡하다)
☐	克服(する) こくふく	▶苦手なものを克服する にがて こくふく	(to get over something disliked ／克服不擅长的东西／싫어하는 것을 극복하다)
☐	混雑(する) こんざつ	▶駅の混雑 えき こんざつ	(crowd in a station ／车站人多／역의 혼잡)
☐	採点(する) さいてん	▶テストを採点する さいてん	(to mark a test ／考试打分／시험을 채점하다)
☐	採用(する) さいよう	▶経験者を採用する けいけんしゃ さいよう	(to hire an experienced person ／录用有经验的人员／경험자를 채용하다)
☐	再利用(する) さいりよう	▶紙を再利用する かみ さいりよう	(to recycle paper ／再回收利用纸张／종이를 재이용하다)
☐	削除(する) さくじょ	▶必要ない文を削除する ひつよう ぶん さくじょ	(to delete unnecessary sentences ／删除没必要的句子／필요없는 문장을 삭제하다)
☐	撮影(する) さつえい	▶風景を撮影する ふうけい さつえい	(to take a picture of a landscape ／拍摄风景／풍경을 촬영하다)
☐	支給(する) しきゅう	▶交通費を支給する こうつうひ しきゅう	(to pay for transportation fee ／支付交通费／교통비를 지급하다)
☐	持参(する) じさん	▶昼食を持参する ちゅうしょく じさん	(to bring lunch ／自带午餐／점심을 지참하다)
☐	指示(する) しじ	▶やり直しを指示する なお しじ	(to order a do-over ／指示重新来过／새로 하라고 지시하다)
☐	失業(する) しつぎょう	▶不景気で失業する ふけいき しつぎょう	(to be unemployed due to a recession ／因为不景气而失业／불경기로 직업을 잃다)
☐	実行(する) じっこう	▶計画を実行する けいかく じっこう	(to execute a plan ／实行计划／계획을 실행하다)
☐	実施(する) じっし	▶説明会を実施する せつめいかい じっし	(to hold a briefing session ／实施说明会／설명회를 실시하다)
		▶調査を実施する ちょうさ じっし	(to conduct a survey ／实施调查／조사를 실시하다)
☐	指定(する) してい	▶場所を指定する ばしょ してい	(to appoint a place ／指定场所／장소를 지정하다)
☐	辞任(する) じにん	▶責任をとって辞任する せきにん じにん	(to resign to take responsibility ／引咎辞职／책임을 지고 사임하다)
☐	収穫(する) しゅうかく	▶米を収穫する こめ しゅうかく	(to harvest rice ／收获大米／쌀을 수확하다)
☐	重視(する) じゅうし	▶経験を重視する けいけん じゅうし	(to make much on experience ／重视经验／경험을 중시하다)
☐	就職(する) しゅうしょく	▶銀行に就職する ぎんこう しゅうしょく	(to work for a bank ／在银行就职／은행에 취직하다)
☐	終了(する) しゅうりょう	▶作業を終了する さぎょう しゅうりょう	(to finish work ／结束工作／작업을 종료하다)
☐	受験(する) じゅけん	▶大学を受験する だいがく じゅけん	(to take a university entrance exam ／考大学／대학 시험을 보다)
☐	出場(する) しゅつじょう	▶試合に出場する しあい しゅつじょう	(to participate in a game ／参加考试／시합에 나가다)
☐	出世(する) しゅっせ	▶出世するタイプ しゅっせ	(a type of person who gains a successful career ／出人头地的类型／출세할 타입)
☐	出版(する) しゅっぱん	▶本を出版する ほん しゅっぱん	(to publish a book ／出版书／책을 출판하다)

グループ B ― N2レベルの「語彙」

□ 消化(する) しょうか	▶食べ物を消化する	(to digest food ／消化食物／음식을 소화하다)	
□ 昇進(する) しょうしん	▶部長に昇進する	(to promote to director ／晋升为部长／부장으로 승진하다)	
□ 上達(する) じょうたつ	▶会話の上達	(progress in conversation ／会话能力提高／회화가 늚)	
□ 衝突(する) しょうとつ	▶車が壁に衝突する	(A vehicle collides with a wall. ／车撞倒墙壁上／차가 벽에 충돌하다)	
□ 消費(する) しょうひ	▶エネルギーを消費する	(to consume energy ／消费能量／에너지를 소비하다)	
□ 証明(する) しょうめい	▶支払いを証明する	(to certify the payment ／证明支付／지불을 증명하다)	
□ 署名(する) しょめい	▶契約書に署名する	(to sign a contract ／在合同上签名／계약서에 서명하다)	
□ 処理(する) しょり	▶ゴミを処理する	(to dispose garbage ／处理垃圾／쓰레기를 처리하다)	
□ 進学(する) しんがく	▶大学院に進学する	(to go on to graduate school ／升入研究生院／대학원에 진학하다)	
□ 申請(する) しんせい	▶パスポートを申請する	(to apply for a passport ／申请护照／여권을 신청하다)	
□ 進歩(する) しんぽ	▶技術の進歩	(progress in technology ／技术的进步／기술의 진보)	
□ 信用(する) しんよう	▶相手を信用する	(to give credit to a person ／相信对方／상대를 신용하다)	
□ 信頼(する) しんらい	▶コーチを信頼する	(to trust the coach ／信赖教练／코치를 신뢰하다)	
□ 推薦(する) すいせん	▶本を推薦する	(to recommend a book ／推荐书／책을 추천하다)	
□ 請求(する) せいきゅう	▶資料を請求する	(to request for information materials ／申请资料／자료를 청구하다)	
□ 制限(する) せいげん	▶入場を制限する	(to limit the admission ／限制入场／입장을 제한하다)	
□ 製造(する) せいぞう	▶車を製造する	(to manufacture a car ／制造汽车／차를 제조하다)	
□ 成長(する) せいちょう	▶子供の成長	(growth of a child ／孩子的成长／아이의 성장)	
□ 設計(する) せっけい	▶家を設計する	(to design a house ／设计房屋／집을 설계하다)	
□ 接続(する) せつぞく	▶インターネットに接続する	(to connect to an internet ／连接网络／인터넷에 접속하다)	
□ 節約(する) せつやく	▶電気代を節約する	(to save electricity bills ／节约电费／전기세를 절약하다)	
□ 専攻(する) せんこう	▶経済を専攻する	(to major in economics ／经济专业／경제를 전공하다)	
□ 選択(する) せんたく	▶方法を選択する	(to choose the way ／选择方法／방법을 선택하다)	
□ 宣伝(する) せんでん	▶映画を宣伝する	(to promote a movie ／宣传电影／영화를 선전하다)	
□ 送金(する) そうきん	▶息子に送金する	(to send money to one's son ／给儿子打款／아들에게 송금하다)	
□ 創作(する) そうさく	▶物語を創作する	(to create a story ／创作故事／이야기를 창작하다)	
□ 操作(する) そうさ	▶パソコンを操作する	(to operate a PC ／操作电脑／컴퓨터를 만지다)	
□ 測定(する) そくてい	▶気温を測定する	(to measure temperature ／测定气温／기온을 측정하다)	
□ 尊敬(する) そんけい	▶先輩を尊敬する	(to respect the senior ／尊敬师长／선배를 존경하다)	

N2レベルの「語彙」 グループ B

語彙	例	意味
□ 尊重(する) そんちょう	▶希望を尊重する きぼう そんちょう	(to respect one's will ／尊重希望／희망을 존중하다)
□ 退職(する) たいしょく	▶家庭の事情で退職する かてい じじょう たいしょく	(to retire due to a family reason ／因为家里的事情而退休／집안일로 퇴직하다)
□ 対立(する) たいりつ	▶Aグループと対立する たいりつ	(to conflict with group A ／和A组对立／A 그룹과 대립하다)
□ 担当(する) たんとう	▶受付を担当する うけつけ たんとう	(in charge of a reception ／承担接待工作／접수를 담당하다)
□ 駐車(する) ちゅうしゃ	▶車を駐車する くるま ちゅうしゃ	(to park a car ／停车／차를 주차하다)
□ 注目(する) ちゅうもく	▶新人作家に注目する しんじんさっか ちゅうもく	(to pay attention to a rookie writer ／新人作家受到注目／신인 작가에게 주목하다)
□ 調整(する) ちょうせい	▶日程を調整する にってい ちょうせい	(to adjust a schedule ／调整日程／일정을 조정하다)
□ 挑戦(する) ちょうせん	▶記録に挑戦する きろく ちょうせん	(to challenge to a record ／挑战记录／기록에 도전하다)
□ 治療(する) ちりょう	▶病気を治療する びょうき ちりょう	(to cure a disease ／治疗疾病／병을 치료하다)
□ 追加(する) ついか	▶項目を追加する こうもく ついか	(to add an item ／追加项目／항목을 추가하다)
□ 通勤(する) つうきん	▶バスで通勤する つうきん	(to take a bus to work ／坐公交上班／버스로 통근하다)
□ 通行(する) つうこう	▶右側を通行する みぎがわ つうこう	(to walk on the right side ／靠右侧行驶／우측을 통행하다)
□ 通知(する) つうち	▶結果を通知する けっか つうち	(to notice results ／通知结果／결과를 통지하다)
□ 手当(する) てあて	▶けがを手当する てあて	(to treat one's injury ／医治受伤部位／상처를 응급처치하다)
□ 低下(する) ていか	▶気温の低下 きおん ていか	(drop in temperature ／气温降低／기온의 저하)
□ 抵抗(する) ていこう	▶政府に抵抗する せいふ ていこう	(resist the government ／抗拒政府／정부에 저항하다)
□ 提出(する) ていしゅつ	▶レポートを提出する ていしゅつ	(to submit a report ／提出报告／보고서를 제출하다)
□ 停電(する) ていでん	▶台風で停電する たいふう ていでん	(to blackout caused by a typhoon ／因台风停电／태풍으로 정전되다)
□ 徹夜(する) てつや	▶一晩徹夜する ひとばんてつや	(to stay up all night ／熬了一夜／하룻밤 철야하다)
□ 伝言(する) でんごん	▶同僚に伝言する どうりょう でんごん	(to give one's colleague a message ／给同事留言／동료에게 전언하다)
□ 展示(する) てんじ	▶絵を展示する え てんじ	(to display a picture ／展示画／그림을 전시하다)
□ 転職(する) てんしょく	▶転職の理由 てんしょく りゆう	(reason to change jobs ／跳槽的理由／전직의 이유)
□ 転送(する) てんそう	▶メールを転送する てんそう	(to forward mail ／转发邮件／메일을 전송하다)
□ 添付(する) てんぷ	▶ファイルを添付する てんぷ	(to attach a file ／添加文件／파일을 첨부하다)
□ 統一(する) とういつ	▶大きさを統一する おお とういつ	(to unify sizes ／统一大小／크기를 통일하다)
□ 倒産(する) とうさん	▶企業の倒産 きぎょう とうさん	(bankruptcy of a company ／企业破产／기업의 도산)
□ 投票(する) とうひょう	▶新人候補に投票する しんじんこうほ とうひょう	(to vote for a new candidate ／投票给新的候补人员／신인 후보에게 투표하다)
□ 得(する) とく	▶1万円得する まんえんとく	(to profit 10,000 yen ／便宜一万日元／만 엔의 이익을 보다)
□ 特定(する) とくてい	▶犯人を特定する はんにん とくてい	(to identify a culprit ／锁定罪犯／범인을 특정하다)

グループ B　N2レベルの「語彙」

語彙	例	意味
□ 独立（する）（どくりつ）	▶親から独立する（おや どくりつ）	(to be independent of parents ／离开父母独立生活／부모님에게서 독립하다)
□ 仲直り（する）（なかなお）	▶友達と仲直りする（ともだち なかなお）	(to become friends again ／与朋友和好／친구와 화해하다)
□ 納得（する）（なっとく）	▶説明に納得する（せつめい なっとく）	(to be satisfactory with an explanation ／对于说明表示理解／설명에 이해하다)
□ 妊娠（する）（にんしん）	▶妊娠の可能性（にんしん かのうせい）	(possibility of pregnancy ／怀孕的可能性／임신 가능성)
□ 熱中（する）（ねっちゅう）	▶ゲームに熱中する（ねっちゅう）	(to get deeply absorbed in a game ／热衷于游戏／게임에 열중하다)
□ 配布（する）（はいふ）	▶資料を配布する（しりょう はいふ）	(to distribute a material ／发布资料／자료를 배포하다)
□ 発見（する）（はっけん）	▶ウイルスを発見する（はっけん）	(to discover a virus ／发现病毒／바이러스를 발견하다)
□ 発言（する）（はつげん）	▶会議で発言する（かいぎ はつげん）	(to speak in a conference ／会议发言／회의에서 발언하다)
□ 発行（する）（はっこう）	▶新聞を発行する（しんぶん はっこう）	(to issue a newspaper ／发行报纸／신문을 발행하다)
□ 発展（する）（はってん）	▶国の発展（くに はってん）	(development of a country ／国家的发展／국가의 발전)
□ 発売（する）（はつばい）	▶新商品を発売する（しんしょうひん はつばい）	(to sell new products ／销售新商品／신상품을 팔기 시작하다)
□ 発明（する）（はつめい）	▶新薬を発明する（しんやく はつめい）	(to invent new medicine ／发明新药／신약을 발명하다)
□ 判断（する）（はんだん）	▶中止を判断する（ちゅうし はんだん）	(to judge to call off ／判断中止／중지하기로 판단하다)
□ 販売（する）（はんばい）	▶自動車を販売する（じどうしゃ はんばい）	(to sell a car ／販売汽车／자동차를 판매하다)
□ 比較（する）（ひかく）	▶２つを比較する（ひかく）	(to compare two things ／比较两种东西／２개를 비교하다)
□ 非難（する）（ひなん）	▶政府の対応を非難する（せいふ たいおう ひなん）	(to condemn the government's handling ／谴责政府的做法／정부의 대응을 비난하다)
□ 批判（する）（ひはん）	▶政府を批判する（せいふ ひはん）	(to criticize the government ／批判政府／정부를 비판하다)
□ 批評（する）（ひひょう）	▶作品を批評する（さくひん ひひょう）	(to judge a work ／评价作品／작품을 비평하다)
□ 評価（する）（ひょうか）	▶努力を評価する（どりょく ひょうか）	(to evaluate efforts ／评价努力程度／노력을 평가하다)
□ 表示（する）（ひょうじ）	▶成分を表示する（せいぶん ひょうじ）	(to label ingredients ／表示成分／성분을 표시하다)
□ 分解（する）（ぶんかい）	▶機械を分解する（きかい ぶんかい）	(to disassemble a machine ／分解机器／기계를 분해하다)
□ 分析（する）（ぶんせき）	▶データを分析する（ぶんせき）	(to analyze data ／分析数据／데이터를 분석하다)
□ 分類（する）（ぶんるい）	▶本を分類する（ほん ぶんるい）	(to classify books ／书本分类／책을 분류하다)
□ 平均（する）（へいきん）	▶データを平均する（へいきん）	(to average data ／平均数据／데이터를 평균하다)
□ 変化（する）（へんか）	▶気候の変化（きこう へんか）	(change in climate ／气候的变换／기후 변화)
□ 変換（する）（へんかん）	▶漢字に変換する（かんじ へんかん）	(to convert to Kanji ／変换汉字／한자로 변환하다)
□ 変更（する）（へんこう）	▶規則を変更する（きそく へんこう）	(to change the rules ／变更规则／규칙을 변경하다)
□ 編集（する）（へんしゅう）	▶雑誌を編集する（ざっし へんしゅう）	(to edit a magazine ／编辑杂志／잡지를 편집하다)
□ 報告（する）（ほうこく）	▶結果を報告する（けっか ほうこく）	(to report results ／报告结果／결과를 보고하다)

N2レベルの「語彙」 グループ B

	語彙	例	訳
☐	防止（する）ぼうし	▶犯罪を防止する はんざい ぼうし	(to prevent crime ／防止犯罪／범죄를 방지하다)
☐	保護（する）ほご	▶動物を保護する どうぶつ ほご	(to protect animals ／保护动物／동물을 보호하다)
☐	募集（する）ぼしゅう	▶参加者を募集する さんかしゃ ぼしゅう	(to recruit participants ／募集参加人员／참가자를 모집하다)
☐	保証（する）ほしょう	▶安全を保証する あんぜん ほしょう	(to guarantee safety ／保证安全／안전을 보증하다)
☐	保存（する）ほぞん	▶食品を保存する しょくひん ほぞん	(to preserve food ／保存食品／식품을 보존하다)
☐	翻訳（する）ほんやく	▶小説を翻訳する しょうせつ ほんやく	(to translate a novel ／翻译小说／소설을 번역하다)
☐	満足（する）まんぞく	▶結果に満足する けっか まんぞく	(to be satisfied with results ／对结果感到满足／결과에 만족하다)
☐	味方（する）みかた	▶弟に味方する おとうと みかた	(to take sides with one's young brother ／袒护弟弟／남동생의 편을 들다)
☐	無視（する）むし	▶注意を無視する ちゅうい むし	(to ignore warning ／无视提醒／주의를 무시하다)
☐	矛盾（する）むじゅん	▶言っていることと矛盾する い むじゅん	(to be in contradiction with what one said ／和说的事情矛盾／말하는 것과 모순되다)
☐	命令（する）めいれい	▶部下に命令する ぶか めいれい	(to order one's subordinate ／命令部下／부하에게 명령하다)
☐	予想（する）よそう	▶優勝チームを予想する ゆうしょう よそう	(to predict a winning team ／预想冠军队／우승팀을 예상하다)
☐	予測（する）よそく	▶未来を予測する みらい よそく	(to predict the future ／预测未来／미래를 예측하다)
☐	流行（する）りゅうこう	▶インフルエンザの流行 りゅうこう	(epidemic of flu ／流行性感冒／독감의 유행)
☐	両替（する）りょうがえ	▶空港で両替する くうこう りょうがえ	(to exchange money at the airport ／在机场兑钱／공항에서 환전하다)
☐	割引（する）わりびき	▶料金を割引する りょうきん わりびき	(to discount the price ／收费打折／요금을 할인하다)

動詞 ③

□売り〜	sell	□売り切れる	▶人気のケーキが売り切れる	(be sold out)
		□売り上げる	▶100万円を売り上げる	(sell out)
□追い〜	follow	□追い越す	▶前の車を追い越す	(＝前を行くものの先に出る。)
		□追い付く	▶前の車に追い付く	(＝後ろの方にいたものが、前を行くものと同じレベルまで来る。)
□取り〜	take, get	□取り返す	▶点を取り返す	(take back scores／夺回分数／점수를 되찾다)
		□取り組む	▶環境問題に取り組む	(deal with environmental problems／致力于环境问题／환경문제와 마주하다)
		□取り次ぐ	▶電話を取り次ぐ	(＝間に入って用事を伝えたり電話をつないだりする。)
		□取り付ける	▶エアコンを取り付ける	(＝器具などを適当な場所に置いたり付けたりする。)
		□取り戻す	▶自信を取り戻す	(＝再び持つ。)
□乗り〜	ride, get on	□乗り換える	▶電車を乗り換える	(＝乗っていた乗り物を降りて、別の乗り物に乗る。)
		□乗り越す	▶一駅乗り越す	(＝降りる予定の場所より遠くまで乗る。)
		□乗り過ごす	▶居眠りして乗り過ごす	(＝降りる予定の場所より先へ行ってしまう。)
		□乗り継ぐ	▶電車を乗り継ぐ	(＝別の乗り物に乗りかえて、先へ進む。)
		□乗り遅れる	▶バスに乗り遅れる	(＝乗る時間に遅れる。)
□引き〜	pull, draw	□引き上げる	▶税金を引き上げる	(＝料金や率などを上げる。)
		□引き受ける	▶仕事を引き受ける	(take on a job／接受工作／일을 떠맡다)
		□引き返す	▶途中で引き返す	(＝やめて戻る。)
		□引き出す	▶お金を引き出す	(＝銀行などからお金を出す。)
		□引き止める	▶会社をやめようとする友達を引き止める	(＝誰かの行動を止める、やめさせる。)

N2レベルの「語彙」 グループC

□振り～	swing	□振り返る	▶後ろ/過去を振り返る	(=顔を後ろに向けて見る、過去を思い返す。)
		□振り向く	▶呼ばれて振り向く	(=顔を後ろに向けて見る)※「振り返る」より瞬間的。
		□振り込む	▶お金を振り込む	(pay to one's account／汇款／돈을 내다)
□見～	look, see	□見上げる	▶空を見上げる	(=上の方を向いて見る)
		□見下ろす	▶屋上から見下ろす	(=下の方を向いて見る)
		□見失う	▶目標を見失う	(=どこにあるか、どんなものか、わからなくなる。)
		□見送る	▶駅で友達を見送る	(see off one's friend at the station／在车站送朋友／역에서 친구를 배웅하다)
		□見比べる	▶2つを見比べる	(=見ながら比べる。)
		□見直す	▶内容を見直す	(=それでいいか、もう一度よく見る。)
		□見習う	▶先輩を見習う	(=見て学ぶ。いい例として、まねをする。)
		□見慣れる	▶見慣れた風景	(=いつも見て慣れている。)
		□見逃す	▶間違いを見逃す	(=①見たけど気がつかない。②ミスなどに気がついているが、相手を責めないでおく。)
□やり～	do	□やり終える	▶仕事をやり終える	(=すべてやって、終える。)
		□やり続ける	▶同じことをやり続ける	(=続ける、続けてやる。)
		□やり直す	▶人生をやり直す	(=もう一度やる。)
□～込む	crowded, put into	□思い込む	▶正しいと思い込む	(=すっかりそうだと信じて疑わない。)
		□持ち込む	▶食べ物を持ち込むことはできない	(=持って中に入る。)
		□割り込む	▶話に割り込む	(cut into a conversation／插话／이야기에 끼어들다)
□～直す	correct	□書き直す	▶間違えた漢字を書き直す	(=もう一度最初から書く。)
		□作り直す	▶料理を作り直す	(=最初からもう一度作る。)
□～間違える	wrong to	□言い間違える	▶つい言い間違える ※他の例:見間違える、聞き間違える、乗り間違える	(=間違って言う。)
□～つく	on	□思いつく	▶いい方法を思いつく ※他の例:考えつく、かみつく	(come up with a good idea／想到好方法／좋은 방법을 생각해 내다)

グループ C ― N2レベルの「語彙」

□ 留める(と)	stay, keep	□ 書き留める(か と)	▶電話番号を書き留める	(=忘れないように書いておく。)
□ ～きれない	too much/many to…	□ 食べきれない(た)	▶こんなにたくさん食べきれない	(=多くて全部～ない。)
□ 組み～(く)	combine	□ 組み立てる(く た)	▶家具を組み立てる ※他の例：組み合わせる	(=材料や部品を合わせて、一つのまとまった形にする。)
□ ～違う(ちが)	differ	□ すれ違う(ちが)	▶廊下ですれ違う ※他の例：行き違う	(pass someone in a hallway／在走廊上擦肩而过／복도에서 스쳐 지나가다)
□ ～合う(あ)	each other, together	□ 助け合う(たす あ)	▶夫婦で助け合う ※他の例：話し合う	(=互いに力を貸し合う。)
□ ～替える(か)	substitute	□ 立て替える(た か)	▶お金を立て替える ※他の例：入れ替える、詰め替える	(=本来払う人に代わって一時的にお金を払う。)
□ 出～(で)	out	□ 出迎える(でむか)	▶空港で出迎える	(=駅などに出て行って迎える。)
□ 問い～(と)	ask	□ 問い合わせる(と あ)	▶市役所に問い合わせる ※他の例：問い直す	(=よくわからない点を聞いて確かめる。)
□ ～戻す(もど)	back	□ 払い戻す(はら もど)	▶切符を払い戻す ※他の例：取り戻す、呼び戻す	(refund one's ticket／退票／승차권을 환불하다)
□ ～かける	toward, reach	□ 呼びかける(よ)	▶広く呼びかける ※他の例：話しかける、見かける	(=注意を向けるよう、声をかける。)

N2レベルの「語彙」 グループD

形容詞（けいようし）

い形容詞

□ 厚（あつ）かましい	▶厚（あつ）かましい男（おとこ）	（＝遠慮（えんりょ）や周（まわ）りへの気（き）づかいがなく、態度（たいど）が大（おお）きい。）
□ ありがたい	▶ありがたい申（もう）し出（で）	（kind offer／難得的提议／고마운 자청）
□ うっとうしい	▶うっとうしい雨（あめ）	（＝じめじめして不快（ふかい）な）
□ 惜（お）しい	▶惜（お）しい成績（せいせき）	（regrettable record／可惜的成绩／아까운 성적）
□ 賢（かしこ）い	▶賢（かしこ）いやり方（かた）	（smart way／聪明的做法／현명한 방법）
□ かわいらしい	▶可愛（かわい）らしい女（おんな）の子（こ）	（＝雰囲気（ふんいき）やしぐさ、言動（げんどう）、性格（せいかく）などがかわいい。守（まも）ってあげたくなるような。）
□ くどい	▶くどい説明（せつめい）	（lengthy explanation／啰嗦的说明／장황한 설명）
□ 悔（くや）しい	▶悔（くや）しい結果（けっか）	（regrettable result／后悔的结果／속상한 결과）
□ 険（けわ）しい	▶①険（けわ）しい山（やま） ②険（けわ）しい表情（ひょうじょう）	（① steep mountain ② grim look／①险峻的山 ②阴险的表情／①험한 산 ②날카로운 표정）
□ そそっかしい	▶そそっかしい人（ひと）	（＝落（お）ち着（つ）きや慎重（しんちょう）さがない、あわて者（もの）。ミスをしがち。）
□ だらしない	▶だらしない格好（かっこう）	（sloppily appearance／邋遢的打扮／단정하지 못한 모습）
□ つらい	▶つらい体験（たいけん）	（painful experience／痛苦的体验／괴로운 체험）
□ 懐（なつ）かしい	▶懐（なつ）かしい場所（ばしょ）	（good old place／让人怀念的地方／그리운 장소）
□ 憎（にく）い	▶～が憎（にく）い	（hate ～／～可恨／～이 밉다）
□ 憎（にく）らしい	▶憎（にく）らしい言（い）い方（かた）	（＝憎（にく）いと思（おも）わせる感（かん）じの。）
□ ばかばかしい	▶ばかばかしい話（はなし）	（ridiculous story／荒谬的事情／어이없는 이야기）
□ ばからしい	▶まじめに働（はたら）くのがばからしくなる	（feel stupid to work seriously／认真工作很愚蠢／성실하게 일하는 것이 바보스럽게 느껴지다）
□ 甚（はなは）だしい	▶甚（はなは）だしい被害（ひがい）	（severe damage／严重的灾害／심각한 피해）
□ ふさわしい	▶この仕事（しごと）にふさわしい人（ひと）	（appropriate person for this job／适合这个工作的人／이 일에 적합한 사람）
□ 醜（みにく）い	▶醜（みにく）い姿（すがた）	（ugly appearance／丑陋的姿势／보기 흉한 모습）
□ 目覚（めざ）ましい	▶目覚（めざ）ましい進歩（しんぽ）	（amazing progress／日新月异的进步／눈부신 진보）
□ 珍（めずら）しい	▶珍（めずら）しい花（はな）	（rare flower／珍贵的花／희귀한 꽃）
□ めでたい	▶めでたい出来事（できごと）	（auspicious event／可喜可贺的事情／경사스러운 일）
□ もったいない	▶たくさん残（のこ）ってもったいない	（feel regretful to leave too much／剩下很多挺可惜的／많이 남아서 아깝다）
□ やかましい	▶やかましい音（おと）	（loud noise／嘈杂的声音／시끄러운 소리）

□ やばい	▶やばい状態	（＝非常によくない、危険だ）

な形容詞

□ 異常（な）	▶異常な暑さ	(unusual heat／异常的热／이상기후의 더위)
□ 意地悪（な）	▶意地悪な態度	(mean attitude／让人讨厌的态度／심술궂은 태도)
□ 嫌味（な）	▶嫌味な言い方	（＝不快な気持ちにさせる、いやな感じの。）
□ おしゃべり（な）	▶おしゃべりな人	(talkative person／爱说话的人／수다스러운 사람)
□ 温厚（な）	▶温厚な性格	（＝穏やかで優しさのある。）
□ 勝手（な）	▶勝手な行動	(selfish behavior／自作主张的行动／멋대로의 행동)
□ 貴重（な）	▶貴重な資料	(valuable documents／贵重的资料／귀중한 자료)
□ きゃしゃ（な）	▶きゃしゃな体	（＝体が細く上品だが、弱々しい感じ。作りが丈夫でなく、すぐこわれそうな感じ。）
□ 器用（な）	▶道具を器用に使う	(use a tool skillfully／灵活使用工具／도구를 능숙히 사용하다)
□ けち（な）	▶けちな男	(stingy man／吝啬的男人／쩨쩨한 남자)
□ 下品（な）	▶下品な表現	(dirty expression／粗俗的谈吐／천박한 표현)
□ 強引（な）	▶強引なやり方	(forceful way／强硬的做法／억지로 밀어붙이는 방법)
□ 高度（な）	▶高度な技術	(high technology／高度发达的技术／고도의 기술)
□ 爽やか（な）	▶爽やかな朝	(fresh morning／清爽的早上／상쾌한 아침)
□ 自然（な）	▶自然な笑顔	(natural smile／清新自然的笑脸／자연스럽게 웃는 얼굴)
□ 上品（な）	▶上品な話し方	(elegant way of speaking／高雅的谈吐／기품있는 말투)
□ 慎重（な）	▶慎重な姿勢	(cautious attitude／慎重的姿势／신중한 자세)
□ 正確（な）	▶正確なデータ	(accurate data／正确的数据／정확한 데이터)
□ 独特（な）	▶独特な雰囲気	(unique atmosphere／独特的氛围／독특한 분위기)
□ なだらか（な）	▶なだらかな山	(gentle mountain／不陡的山／가파르지 않은 산)
□ 微妙（な）	▶微妙な色	(subtle color／微妙的颜色／미묘한 색)
□ 不器用（な）	▶不器用なタイプ	(awkward type／不灵巧的类型／손재주가 없는 타입)
□ 不幸（な）	▶不幸な出来事	(sad event／不幸的事件／불행한 일)
□ 不自然（な）	▶不自然な表現	(unnatural expression／不自然的表达方式／부자연스러운 표현)
□ 不満（な）	▶不満な表情	(dissatisfied look／不满的表情／불만인 표정)

N2レベルの「語彙」 グループD

□ 不利(な) ふり	▶不利な立場 ふり たちば	(disadvantageous position／不利的立场／불리한 입장)
□ 膨大(な) ぼうだい	▶膨大なデータ ぼうだい	(huge data／庞大的数据／방대한 데이터)
□ 豊富(な) ほうふ	▶豊富な資源 ほうふ しげん	(abundant resources／丰富的资源／풍부한 자원)
□ 見事(な) みごと	▶見事な演奏 みごと えんそう	(stunning performance／出色的演奏／훌륭한 연주)
□ みじめ(な)	▶みじめな気持ち きも	(miserable feeling／悲惨的心情／비참한 기분)
□ めちゃくちゃ(な)	▶めちゃくちゃな内容 ないよう	(messy contents／乱七八糟的内容／엉터리 내용)
□ 面倒(な) めんどう	▶面倒な作業 めんどう さぎょう	(complicated task／麻烦的工作／귀찮은 작업)
□ やっかい(な)	▶やっかいな問題 もんだい	(＝面倒で、扱うのが大変だ。)
□ 有効(な) ゆうこう	▶有効な手段 ゆうこう しゅだん	(effective measure／有效的手段／유효한 수단)
□ 優秀(な) ゆうしゅう	▶優秀な学生 ゆうしゅう がくせい	(excellent student／优秀的学生／우수한 학생)
□ 有能(な) ゆうのう	▶有能な社員 ゆうのう しゃいん	(competent employee／有能力的公司职员／유능한 사원)
□ 豊か(な) ゆた	▶豊かな土地 ゆた とち	(rich land／资源丰富的土地／기름진 토지)
□ 欲張り(な) よくば	▶欲張りな計画 よくば けいかく	(greedy plan／贪婪的计划／욕심을 부린 계획)
□ 余計(な) よけい	▶余計なもの よけい	(extra things／多余的东西／쓸데없는 것)
□ 乱暴(な) らんぼう	▶乱暴な言葉 らんぼう ことば	(strong word／粗暴的语言／난폭한 말)
□ 利口(な) りこう	▶利口な子供 りこう こども	(clever child／口齿伶俐的孩子／영리한 아이)

グループ E　N2レベルの「語彙」

副詞(ふくし)

□ あいにく	▶昨日は花火大会だったが、あいにくの雨で中止になった。	（＝予想と違ったり目的と合わなかったりして都合が悪いこと）
□ 一段と(いちだんと)	▶雨が一段と強くなってきた。	（＝一層(いっそう)）
□ 一切(いっさい)	▶バーゲン品は一切返品できません。	（＝一つも／全く～ない）
□ いっせいに	▶先生の合図で、生徒たちが一斉に走り出した。	（＝多くの者が皆同時にそろって）
□ いったい	▶何度電話しても出ない。いったいどうなっているんだろう。	（＝本当に　※疑問の気持ちを強くこめて）
□ いったん	▶いったん計画を中止して、もう一度初めから考え直しましょう。	（＝一時的に、とりあえず今は）
□ 今に(いまに)	▶彼は今に日本を代表する政治家になるだろう。	（＝近いうちに、そのうち）
□ 今にも(いまにも)	▶父親に叱られて、子供は今にも泣き出しそうな顔をしている。	（＝今すぐにでも）
□ いよいよ	▶いよいよ明日は卒業式だ。	（＝ついに、とうとう）
□ いわば	▶彼女を好きな男子生徒は大勢いる。いわば、学校のスターだ。	（＝例えて言うと）
□ いわゆる	▶彼は私たちとはレベルが違う。いわゆる天才です。	（＝世間一般に言われる）
□ うっかり	▶うっかりデータを消してしまった。	（＝注意不足だったりぼんやりして気がつかず）
□ うんと	▶この料理はうんと辛い。／その時は、先生にはうんと叱られた。	（＝非常に、たっぷりと）
□ 大いに(おおいに)	▶大いに食べましょう。／大いに喜んだ。	（＝たくさん）
□ おそらく～だろう	▶あの二人、よく似ている。おそらく親子だろう。	（＝たぶん）
□ 思い切って(おもいきって)	▶思い切って髪を短く切った。	（＝迷いを捨て、心を決めて）
□ 思い切り(おもいきり)	▶せっかく海外旅行に来たんだから、思い切り楽しみたい。	（＝徹底的に、好きなだけ）
□ 思わず(おもわず)	▶思わず大声を出してしまった。	（＝無意識に）
□ かえって	▶おいしくしようとチーズを入れたら、かえって変な味になってしまった。	（＝意図や予想と違って、逆に）
□ 必ずしも(かならずしも)	▶有名な病院の医者が、必ずしもいい医者とは限らない。	（＝絶対に～とはいえない）

N2レベルの「語彙」 グループ E

□ ぎっしり	▶箱を開けると、チョコレートがぎっしり詰まっていた。	(＝すき間なく物がいっぱいに詰まっている様子)
□ くれぐれも	▶壊れやすい機械なので、くれぐれも注意して使ってください。	(＝十分な上にも十分に)
□ さっぱり	▶何度読んでも、さっぱり意味がわからない。	(少しも/全く～ない)
□ さらに	▶午後はさらに気温が上がるそうだ。	(＝今以上に、もっと)
□ じきに	▶じきに痛みはなくなるでしょう。	(＝そのうち)
□ 至急	▶部長、至急事務所にお戻りください。	(＝非常に急ぐこと、大急ぎで)
□ 次第に	▶この後、次第に雨が降り出すでしょう。	(＝順を追って少しずつ、徐々に)
□ 実に	▶実においしいお酒ですね。	(＝本当に)
□ しみじみ	▶一人暮らしを始めた時、親のありがたみをしみじみと感じた。	(＝心に深く感じる様子)
□ 徐々に	▶外国での生活にも徐々に慣れていった。	(＝少しずつ)
□ すべて	▶今回の件は、すべて私の責任です。	(＝全部)
□ せいぜい	▶今日の試合、点が取れてもせいぜい1点だろうね。	(＝多くは望めず、よくても)
□ せっかく～のに	▶せっかく準備したのに、この資料は使わなかった。	(＝努力や機会が無駄になるのを残念に思う気持ち)
□ せめて	▶せめて3日前までには連絡がほしい。	(＝最低でも)
□ そう～ない	▶こんな機会はそうない。	(＝そんなには～ない)
□ 相当	▶このケーキはいつも売り切れだから、相当人気があるんだろう。	(＝かなり)
□ そっと	▶私が泣いていると、友達がそっとハンカチを渡してくれた。	(＝小さな動きで静かに、目立たない感じで)
□ 大して～ない	▶これぐらいの大きさの魚は大して珍しくない。	(＝そんなに～ない、特別～ということはない)
□ たしかに～が	▶確かにAプランの方が安く済むけど、あまりおもしろくない。	(＝本当に)
□ 多少	▶多少の間違いは許されるでしょう。	(＝いくらか、少し)
□ ただ今	▶ただ今、申し込み受付中。	(＝現在)
□ たちまち	▶歩道で突然、人が倒れた。すると、たちまち人が集まってきた。	(＝そうすると)
□ たった今	▶たった今、できあがったところです。	(＝ほんのわずか前に)

グループ E　N2レベルの「語彙」

□ 着々と（ちゃくちゃく）	▶彼は**着々と**仕事を片づけていった。	（＝予定どおり物事が進む様子）
□ どうせ〜だろう	▶宝くじを買ったけど、**どうせ**当たらないだろう。	（＝結局、どっちにしても）
□ どうやら〜ようだ	▶**どうやら**彼女は病気の**ようだ**。	（＝恐らく）
□ ひとまず	▶この箱は**ひとまず**ここに置いておきましょう。	（＝いったん、とりあえず）
□ ひょっとして	▶**ひょっとして**、このケーキ、山田さんが作ったの？	（＝もしかしたら）
□ 別に〜ない（べつ）	▶このドラマ、最近よく話題になっているけど、**別に**、見たいと思わ**ない**。	（＝特別に〜ない）
□ ますます	▶このところ、売り上げが**ますます**伸びている。	（＝一層（いっそう））
□ 全く〜ない（まった）	▶私は車には**全く**興味が**ない**。	（＝全然〜ない）
□ むしろ	▶あの山は険しいというより、**むしろ**危険だ。	（＝どちらかと言えば）
□ めっきり	▶9月に入り、**めっきり**涼しくなった。	（＝はっきりそう感じられるように、十分に）
□ やや	▶あちらの部屋よりこちらの部屋のほうが**やや**広い。	（＝ちょっと）
□ 余計に（よけい）	▶早く着くようにタクシーを使ったら、**余計に**時間がかかった。	（＝そうすることで逆に事態が悪くなって）
□ わざと	▶彼に聞こえるように、**わざと**大きな声で話した。	（＝意図して）
□ わざわざ	▶**わざわざ**声をかけていただき、ありがとうございました。	（＝ほかのついでではなく、その事のためにする様子）
□ わりと	▶田中さんは入院していたと聞いていたが、**わりと**元気だった。	（＝思ったよりも）

名詞
N2レベルの「語彙」 グループ F

☐	あくび	▶あくびが出る	(yawn ／打哈欠／하품이 나오다)
☐	憧れ	▶憧れのスター選手	(hot star player ／憧憬的明星选手／동경하는 스타 선수)
☐	育児	▶育児休暇	(parental leave ／产假／육아 휴가)
☐	いじめ	▶いじめをなくす	(get rid of a bully ／消除欺凌／왕따를 없애다)
☐	命	▶命を守る	(save one's life ／保护生命／생명을 지키다)
☐	医療	▶先進医療を学ぶ	(learn advanced medical technology ／学习先进的医疗／선진 의료를 배우다)
☐	祝い	▶入学祝いのプレゼント	(gift for admission to a school ／庆贺入学的礼物／대학 입학 축하 선물)
☐	疑い	▶がんの疑い	(suspicion of cancer ／怀疑是癌症／암이 의심됨)
☐	打ち合わせ	▶取引先との打ち合わせ	(meeting with a client ／和客户商谈／거래처와의 미팅)
☐	遅れ	▶15分遅れのスタート	(start 15 minute late ／推迟十五分钟开始／15분 늦은 스타트)
☐	教え	▶教えを受けた先生	(teacher that one learned ／接受培训的老师／가르침을 받은 선생님)
☐	思いつき	▶思いつきの企画	(sudden idea ／偶尔想出来的企划／일시적으로 생각해 낸 기획)
☐	学割(学生割引)	▶学割の料金	(student discount price ／学生折扣费用／학생 할인 요금)
☐	過去	▶過去を振り返る	(look back on the past ／回顾过去／과거를 돌아보다)
☐	稼ぎ	▶ちょっとした小遣い稼ぎ	(earn a bit of extra money ／赚点零花钱／작은 용돈 벌이)
☐	画像	▶画像ファイルを送る	(send an image file ／发送图片文件／화상 파일을 보내다)
☐	画面	▶テレビの画面	(TV screen ／电视画面／텔레비전 화면)
☐	企画	▶新商品の企画	(planning of a new product ／新商品的企划／신상품의 기획)
☐	基地	▶南極の観測基地	(observation station in Antarctica ／南极的观测基地／남극의 관측기지)
☐	寄付	▶小学校に寄付する	(donate to an elementary school ／为小学进行捐赠／초등학교에 기부하다)
☐	逆	▶順番を逆にする	(reverse the order ／顺序颠倒／순서를 거꾸로 하다)
☐	休暇	▶休暇を取る	(take a vacation ／取得休假／휴가를 얻다)
☐	休学	▶大学を1年休学する	(take a leave of absence for one year from the university ／大学休学一年／대학을 일 년 휴학하다)
☐	求人	▶求人情報	(job information ／招人信息／구인정보)
☐	給与	▶給与の支払い	(payment of salaries ／工资的支付／급여 지급)

グループ F　N2レベルの「語彙」

☐	恐怖（きょうふ）	▶恐怖の体験	(experience of fear ／恐怖的体验／공포의 체험)
☐	金融（きんゆう）	▶金融関係の仕事	(work related to finance ／金融关系的工作／금융관계의 일)
☐	区切り（くぎり）	▶仕事に区切りをつける	(break out one's work ／在工作上告一段落／일을 일단락 짓다)
☐	くしゃみ	▶くしゃみが出る	(sneeze ／打喷嚏／재채기가 나오다)
☐	組み立て（くみたて）	▶パソコンの組み立て工場	(PC assembly plant ／组装电脑的工厂／컴퓨터 조립 공장)
☐	景気（けいき）	▶景気の回復	(economic recovery ／经济恢复／경기 회복)
☐	掲示板（けいじばん）	▶掲示版で確認する	(check with a bulletin board ／在揭示板上确认／게시판에서 확인하다)
☐	公共（こうきょう）	▶公共の場所	(public place ／公共场所／공공의 장소)
☐	口座（こうざ）	▶銀行の口座	(bank account ／银行户头／은행계좌)
☐	幸福（こうふく）	▶幸福を感じる	(feel happy ／感到幸福／행복을 느끼다)
☐	財産（ざいさん）	▶財産を残す	(leave the property ／留下财产／재산을 남기다)
☐	逆さ（さかさ）	▶箱を逆さにする	(turn over a box ／箱子倒过来／상자를 거꾸로 하다)
☐	支え（ささえ）	▶生活の支えになる	(to become a means of living ／成为工作的支撑／생활의 보탬이 되다)
☐	妨げ（さまたげ）	▶仕事の妨げ	(interfere with work ／工作的障碍／일의 방해)
☐	騒ぎ（さわぎ）	▶騒ぎを起こす	(cause a commotion ／出乱子／소동을 일으키다)
☐	資源（しげん）	▶豊富な資源	(abundant resources ／丰富的资源／풍부한 자원)
☐	事実（じじつ）	▶事実を確かめる	(confirm a fact ／确认事实／사실을 확인하다)
☐	市場（しじょう）	▶金融市場の自由化	(liberalization of financial markets ／金融市场的自由化／금융시장의 자유화)
☐	姿勢（しせい）	▶姿勢を直す	(straighten oneself ／纠正姿势／자세를 바로 하다)
☐	児童（じどう）	▶児童の安全を守る	(protect the safety of children ／保护儿童的安全／아동의 안전을 지키다)
☐	資本（しほん）	▶社会資本　▶資本金	(social capital, capital ／社会资本、资本金／사회자본，자본금)
☐	塾（じゅく）	▶塾に通う小学生	(elementary school student going to a cram school ／上补习班的小学生／초등학생 대상의 학원에 다니다)
☐	条件（じょうけん）	▶採用の条件	(hiring conditions ／录用的条件／채용조건)
☐	商売（しょうばい）	▶商売を続ける	(continue the business ／继续买卖／장사를 계속하다)
☐	正面（しょうめん）	▶正面の入口	(main entrance ／正面入口／정면 입구)
☐	職場（しょくば）	▶同じ職場で知り合う	(get to know each other in the same workplace ／在同一个单位相识／같은 직장에서 서로 알게 되다)
☐	初心者（しょしんしゃ）	▶初心者向けのクラス	(beginners' class ／面向初学者的班级／처음 하는 사람 대상의 클래스)
☐	しわ	▶ズボンのしわを伸ばす	(press out wrinkles in one's trousers ／熨平裤子的皱纹／바지의 주름을 펴다)

87

N2レベルの「語彙」 グループ F

☐	人口（じんこう）	▶人口の増加（じんこう ぞうか）	(increase in population／人口的增加／인구 증가)
☐	人工（じんこう）	▶人工の島（じんこう しま）	(artificial island／人工島／인공의 섬)
☐	睡眠（すいみん）	▶睡眠不足（すいみんぶそく）	(lack of sleep／睡眠不足／수면부족)
☐	隅（すみ）	▶部屋の隅（へや すみ）	(corner of a room／房间的角落／방구석)
☐	世紀（せいき）	▶20世紀最大の謎（せいきさいだい なぞ）	(the biggest mystery in the 20th century／二十世紀最大的謎／20 세기 최대의 수수께끼)
☐	性能（せいのう）	▶パソコンの性能（せいのう）	(performance of a PC／电脑的性能／컴퓨터의 성능)
☐	生命（せいめい）	▶生命保険（せいめいほけん）	(life insurance／生命保险／생명보험)
☐	先進国（せんしんこく）	▶先進国（せんしんこく）	(developed country／发达国家／선진국)
☐	速度（そくど）	▶速度を制限する（そくど せいげん）	(limit the speed／限制速度／속도를 제한하다)
☐	組織（そしき）	▶全国的な組織（ぜんこくてき そしき）	(nationwide organization／全国性的组织／전국적인 조직)
☐	退学（たいがく）	▶大学を退学する（だいがく たいがく）	(quit the university／大学退学／대학을 퇴학하다)
☐	対称（たいしょう）	▶左右対称のデザイン（さゆうたいしょう）	(symmetrical design／左右对称的设计／좌우 대칭의 디자인)
☐	対象（たいしょう）	▶大学1年生対象のアンケート（だいがく ねんせいたいしょう）	(questionnaire for freshman in university／以大学一年级学生为对象的问卷调查／대학 1학년 대상의 앙케트)
☐	大半（たいはん）	▶参加者の大半（さんかしゃ たいはん）	(most of the participants／参加者的大部分／참가자의 대부분)
☐	頼み（たのみ）	▶親友の頼み（しんゆう たの）	(request from one's close friend／亲友的拜托／친한 친구의 부탁)
☐	ため息（いき）	▶ため息をつく（いき）	(sigh／叹息／한숨을 쉬다)
☐	賃貸（ちんたい）	▶賃貸のマンション（ちんたい）	(apartment for rent／租赁公寓／임대아파트)
☐	津波（つなみ）	▶津波の被害（つなみ ひがい）	(tsunami damage／因海啸受灾／해일의 피해)
☐	天然（てんねん）	▶天然の温泉（てんねん おんせん）	(natural hot spring／天然温泉／천연 온천)
☐	動画（どうが）	▶動画で見る（どうが み）	(watch a video／看视频／동영상에서 보다)
☐	当然（とうぜん）	▶当然の結果（とうぜん けっか）	(corollary／当然的结果／당연한 결과)
☐	取り扱い（とりあつかい）	▶取り扱い注意（とりあつかいちゅうい）	(handle with care／小心轻放／취급 주의)
☐	取引先（とりひきさき）	▶取引先の企業（とりひきさき きぎょう）	(trading company／客户企业／거래처 기업)
☐	悩み（なやみ）	▶悩みを相談する（なや そうだん）	(discuss one's worry／商量烦恼／고민을 상담하다)
☐	能率（のうりつ）	▶仕事の能率を上げる（しごと のうりつ あ）	(improve efficiency of work／提高工作效率／일의 능률을 올리다)
☐	望み（のぞみ）	▶望みを持つ（のぞ も）	(have hope／有希望／희망을 가지다)
☐	端（はし）	▶机の端（つくえ はし）	(edge of a desk／桌子的一角／책상 끝)
☐	犯罪（はんざい）	▶犯罪を犯す（はんざい おか）	(commit a crime／进行犯罪／범죄를 저지르다)

グループ F ── N2レベルの「語彙」

語	例	訳
日当たり（ひあたり）	▶日当たりのいい部屋	(sunny room／向阳的房间／햇빛이 잘 드는 방)
被害（ひがい）	▶犯罪の被害にあう	(become a victim of a crime／受害／범죄의 피해를 입다)
ひげ	▶ひげを生やす	(grow a beard／长胡子／수염을 기르다)
人通り（ひとどおり）	▶人通りの多い場所	(busy area／行人多的地方／사람이 많이 다니는 장소)
評判（ひょうばん）	▶店の評判	(reputation of the store／对店铺的评价／가게의 평판)
広場（ひろば）	▶駅前の広場	(square in front of the station／车站前面的广场／역 앞의 광장)
文書（ぶんしょ）	▶ビジネス文書	(business documents／商业文件／비즈니스 문서)
防水（ぼうすい）	▶防水加工	(waterproofing／防水加工／방수가공)
防犯（ぼうはん）	▶防犯カメラ	(security camera／防盗摄像头／방범 카메라)
向かい（むかい）	▶向かいのビル	(building across to／对面的大楼／건너편의 빌딩)
儲け（もうけ）	▶儲けを得る	(earn profits／赚到钱／이익을 얻다)
最寄り（もより）	▶最寄りの駅	(closest station／最近的车站／가까운 역)
夜勤（やきん）	▶夜勤の仕事	(night shift／晚班／야근 일)
余分（よぶん）	▶余分なお金	(extra money／额外的钱／여분의 돈)
余裕（よゆう）	▶時間の余裕	(with enough time／富余的时间／시간의 여유)
履歴書（りれきしょ）	▶履歴書を書く	(write a resume／写履历书／이력서를 쓰다)
割合（わりあい）	▶男性の割合	(proportion of male／男性的比例／남성의 비율)
割り勘（わりかん）	▶割り勘にする	(split the bill／平摊／각자 내다)

接続詞

□ あるいは	▶この魚は焼くか、あるいは煮て食べるとおいしい。	(＝または)
□ こうして	▶天気のいい日にこうして外でご飯を食べるのは楽しいね。	(＝このように)
□ さて	▶みんな集まりましたね。さて、今日の議題ですが…。	(Well)
□ しかも	▶車の修理は２万円で済んだ。しかも１時間で終わった。	(＝それに加えてさらに)
□ したがって	▶社長が急用で午後から外出です。したがって、今日の会議は中止です。	(＝だから)
□ すなわち	▶売上は前回より１００％アップ。すなわち、２倍になったのです。	(＝つまり)
□ そういえば	▶そういえば、彼女、来月結婚するらしいよ。	(Come to think of it／试想想它／그러고 보니)
□ そこで	▶それは辞書にない言葉だった。そこで、インターネットで調べてみた。	(Then)
□ そのうえ	▶彼は仕事が遅い。そのうえ遅刻も多い。	(＝それに加えてさらに)
□ それでも	▶雨が降っていたが、それでも、試合には大勢の観客が集まった。	(＝そんな状況や事実があっても)
□ それとも	▶お飲み物は今、お持ちしましょうか。それとも、食後がよろしいですか。	(＝または、あるいは)
□ それなのに	▶彼はアメリカに１年留学していた。それなのに、英語があまり上手じゃない。	(＝そうだけれども、予想や期待と違って)
□ それにしては	▶この子、１０歳？ それにしては、字が上手だなあ。	(＝それを考えると随分)
□ それにしても	▶夏だからしょうがないけど、それにしても暑いですね。	(＝そうだと認めながらも)
□ だが	▶オリンピックに出られる可能性は低い。だが、あきらめたくない。	(＝しかし、でも)
□ だけど	▶「この映画、面白そう」「うん…。だけど、この俳優は好きじゃない」	(＝けれども、でも)
□ ただ	▶この服、デザインは気に入ってるんです。ただ、ちょっと大き過ぎるんです。	(＝でも ※前の文について、部分的に否定的なことを述べる。不満や残念な気持ちを表す場合が多い。)

グループG N2レベルの「語彙」

□ ただし	▶ただ今、全品5％OFF！（※但し、セール品は除きます。）	（＝しかし、けれども ※前の文について、部分的に否定的なことを述べる。）
□ だったら	▶「だめだ。新幹線、もう満席だ」「だったら飛行機で行こうよ」	（＝そうであれば）
□ だって	▶「もう食べないの？」「だって、おいしくないんだもん。」	（＝なぜなら、どうしてかというと）
□ ところが	▶部屋の電気はついていました。ところが、誰もいませんでした。	（＝でも、しかし）
□ ところで	▶ところで、試験の結果はどうだった？	（＝話は変わるけど／by the way）
□ なお	▶次の会議は15日の午後3時から行います。なお、場所はいつもの201です。	（＝また）

N2レベルの「語彙」 グループH

カタカナ語

語	例	意味
□ アイデア	▶アイデアを出す	(＝案／idea)
□ アクセス(する)	▶空港へのアクセス　▶アクセスが便利	(＝利用するために近づくこと、たどり着くこと／access)
□ アニメ	▶アニメの制作	(animation)
□ アピール(する)	▶値段の安さ／自分をアピールする	(＝魅力や必要性を知ってもらうよう訴える／appeal)
□ アマチュア／アマ	▶アマチュアの大会	(amateur)
□ アレルギー	▶金属アレルギーがある	(allergy／過敏／알레르기)
□ アレンジ(する)	▶①会合をアレンジする ▶②店の棚をアレンジする ▶③中華料理を日本風にアレンジする	(＝①手配する、調整する　②並べる、整える　③新しく構成しなおす／arrange)
□ イベント	▶今月のイベント情報	(＝行事／event)
□ イメージ(する)	▶成功をイメージする	(＝思い浮かべる、心の中に思い描く／image)
□ イラスト	▶動物のイラストを描く	(＝主に本に描かれる絵／illustration)
□ インスタント食品	▶インスタント食品	(＝その場ですぐに出来上がること／instant)
□ インフレ	▶インフレが進む	(inflation)
□ ウイルス	▶ウイルスに感染する	(virus)
□ エコ	▶エコ活動	(＝人の生活と自然がうまく関係を持つこと／eco-, ecology)
□ エチケット	▶エチケットを守る	(＝礼儀作法 etiquette／礼儀／에티켓)
□ エッセイ	▶エッセイを書く	(essay)
□ エネルギー	▶自然エネルギー	(energy／能源／에너지)
□ エンジニア	▶自動車のエンジニアになる	(＝機械・電気・建築などに関する技術者／engineer)
□ オーバー(する)	▶予算をオーバーする	(＝超える／over)
□ オーバー(な)	▶オーバーな表現	(＝多すぎたり強すぎたりすること exaggerated／夸张／오버)
□ オフィス	▶オフィスの環境	(＝事務所、職場／office)
□ オリジナル	▶その会社のオリジナル商品	(＝自ら考え出した、コピーなどに対し元の／original)
□ ガイド(する)	▶観光ガイド　▶町をガイドする	(＝案内、案内をする人・物／guide)

グループ H　N2レベルの「語彙」

語	例	意味
□ カジュアル(な)	▶カジュアルな格好(かっこう)	(＝形式(けいしき)など気(き)にしない、堅(かた)くなく気軽(きがる)な／casual)
□ カタログ	▶カタログから商品(しょうひん)を選(えら)ぶ	(catalogue)
□ カット(する)	▶15ミリほどカットする　▶予算(よさん)／放送(ほうそう)をカットする	(＝切(き)る、削(けず)る、切(き)り捨(す)てる／cut)
□ カバー(する)	▶本(ほん)のカバーを外(はず)す　▶弱点(じゃくてん)をカバーする	(＝覆(おお)ったり包(つつ)んだりするもの、補(おぎな)う／cover)
□ カラー	▶カラーでコピーする	(color)
□ カルチャー	▶カルチャーショック	(＝文化(ぶんか) ※「カルチャーショック」は文化(ぶんか)の違(ちが)いにショックを受(う)けること／culture)
□ カロリー	▶カロリーを計算(けいさん)する	(calorie／卡路里／칼로리)
□ キャンセル(する)	▶予約(よやく)をキャンセルする	(＝取(と)り消(け)す／cancell)
□ キャンパス	▶大学(だいがく)のキャンパス	(campus／校園／캠퍼스)
□ グラウンド	▶高校(こうこう)のグラウンドで練習(れんしゅう)する	(＝運動場(うんどうじょう)／ground)
□ クリック(する)	▶マウスをクリックする	(click)
□ クレーム	▶クレームの電話(でんわ)　▶クレームをつける	(苦情(くじょう)／clame)
□ クレジットカード	▶クレジットカードで支払(しはら)う	(credit card)
□ コース	▶進学(しんがく)コースに入(はい)る　▶コース料理(りょうり)を注文(ちゅうもん)する	(course)
□ コード	▶マイクのコード	(code／码／코드)
□ コーナー	▶絵本(えほん)のコーナー　▶相談(そうだん)コーナーを設(もう)ける	(ある目的(もくてき)で区切(くぎ)られた小(ちい)さな場所(ばしょ)／corner)
□ ゴール(する)	▶ゴールにたどり着(つ)く	(＝目的地(もくてきち)、目指(めざ)す所(ところ)／goal)
□ コスト	▶コストを抑(おさ)える	(cost)
□ コマーシャル	▶テレビのコマーシャルで見(み)る	(テレビやラジオで放送(ほうそう)される商品(しょうひん)などの広告(こうこく)／commercial)
□ コミュニケーション	▶コミュニケーションをとる	(＝考(かんが)えや気持(きも)ち、情報(じょうほう)を伝(つた)え合(あ)うこと／communication)
□ コメント(する)	▶写真(しゃしん)にコメントをつける　▶簡単(かんたん)にコメントする	(＝意見(いけん)、感想(かんそう)、補足(ほそく)／comment)
□ コレクション	▶絵(え)のコレクション	(＝趣味(しゅみ)として集(あつ)めること、収集(しゅうしゅう)／collection)
□ コンクール	▶ピアノコンクールに出場(しゅつじょう)する	(仏 concours／contest)
□ コンセント	▶テレビの裏(うら)のコンセント	(outlet／电源插座／콘센트)

N2レベルの「語彙」 グループ H

	語	例	意味
□	コンテスト	▶作文コンテストに応募する	(contest)
□	コンパクト(な)	▶コンパクトな設計	(＝小さくても中身が十分であること／compact)
□	サークル	▶登山のサークル	(＝趣味の集まり／circle)
□	サイズ	▶サイズを測る	(size)
□	サイト	▶住宅情報を紹介するサイト	(website)
□	サラリーマン	▶普通のサラリーマン	(salaryman)
□	サンプル	▶商品サンプル	(＝見本／sample)
□	シーズン	▶スキーのシーズン	(＝季節／season)
□	システム	▶ATMのシステム	(system／系統／시스템)
□	シフト	▶勤務シフトを組む	(＝状況に合わせて体制を変えること／shift)
□	ジャンル	▶音楽のジャンル	(＝種類／仏 genre)
□	シリーズ	▶テレビドラマの人気シリーズ	(series)
□	シングル	▶シングルの部屋を予約する	(＝一つ、一人用／single)
□	シンプル	▶シンプルなデザイン	(simple)
□	スタイル	▶文章のスタイル	(style)
□	スタッフ	▶スタッフを募集する ▶制作スタッフ	(＝ある仕事を担当する複数の人、一緒に仕事をする人、従業員／staff)
□	ステージ	▶ステージに立つ	(＝舞台／stage)
□	ストレート	▶ストレートに意見を言う	(＝直接／straight)
□	ストレス	▶ストレスのない状態 ▶ストレスがたまる	(＝心や体に負担となるもの、それにより調子が悪くなることや疲れ／stress)
□	スペース	▶荷物を置くスペース	(＝場所、使える場所／space)
□	スムーズ	▶スムーズに進む	(＝物事が問題なく進むこと smooth／平滑／원활)
□	ゼミ	▶大学のゼミ	(seminar)
□	ソフト	▶①ソフトな対応 ▶②ゲームソフトの開発	(＝①優しく柔らかい印象が感じられること ②ソフトウェア／software)
□	ダイエット(する)	▶ダイエットに励む	(＝やせるため、美容のために食事を調整すること／diet)
□	タイプ	▶古いタイプのパソコン	(type)
□	タイミング	▶タイミングが悪い ▶タイミングをはかる	(＝物事をする時、物事をするのにちょうどいい時／timing)

グループH　N2レベルの「語彙」

語	例	意味
□ ダウンロード(する)	▶データをダウンロードする	(download)
□ タッチ(する)	▶画面にタッチする	(=触れる／touch)
□ ダブル	▶ダブルベッド	(=二つ　※広めのベッドが一つ。／double)
□ ダメージ	▶ダメージを与える	(damage)
□ チャンス	▶チャンスをつかむ	(機会／chance)
□ ツイン	▶ツインの部屋	(=二人用　※ベッドが二つ。／twin)
□ データ	▶データを分析する	(data)
□ テーマ	▶研究テーマを決める	(theme／主題／테마)
□ デフレ	▶デフレが続く	(deflation)
□ トラブル	▶トラブルを解決する	(trouble)
□ トレーニング	▶トレーニングを続ける	(=練習／training)
□ バーゲン	▶デパートのバーゲン情報	(=特別に安く売ること／bargain)
□ ハード(な)	▶ハードな仕事／練習	(=厳しい、きつい、大変な／hard)
□ パートナー	▶仕事／ダンスのパートナー	(=共同で仕事をする相手／partner)
□ パターン	▶失敗のパターン	(pattern)
□ バランス	▶栄養のバランスをとる	(balance)
□ ビジネス	▶新しいビジネス　▶ビジネス街	(=仕事、事業、商売／business)
□ ビタミン	▶ビタミンを多く含む野菜	(vitamin)
□ ヒット(する)	▶ヒット商品を生む	(=当たること、商品などが人気を得ること／hit)
□ ヒント	▶ヒントを与える	(hint)
□ ファミレス／ファミリーレストラン	▶ファミレスで食事する	(=家族向けのレストラン／family restaurant)
□ ブーム	▶海外旅行ブームが起こる	(=一時的に盛んになること／boom)
□ フォロー(する)	▶失敗をフォローする	(=後から補う／follow, follow-up)
□ プライバシー	▶プライバシーを守る	(=個人の生活、個人的なこと・秘密／privacy)
□ プライベート(な)	▶プライベートな問題	(=個人的な／private)
□ プラス(する)	▶新しい機能をプラスする	(=足すこと／plus)
□ プラスチック	▶プラスチックの食器	(plastic)

N2レベルの「語彙」 グループH

□ プラン	▶プランを立てる	(＝計画／plan)
□ ブランド	▶高級ブランドのかばん	(brand)
□ フリーサイズ	▶フリーサイズの服	(＝体の大きい・小さいに関係なく着られること／free size)
□ フリーター	▶フリーターの生活	(＝決まった仕事に就かず、アルバイトなどで生活すること)
□ フリーマーケット	▶フリーマーケットで買う	(flea market／跳蚤市场／벼룩 시장)
□ プリンター	▶プリンターで印刷する	(＝印刷機／printer)
□ プリント(する)	▶資料をプリントする	(＝印刷／print)
□ プレゼン(する)／プレゼンテーション(する)	▶会議でプレゼンする	(＝企画や商品などを提示して説明する／presentation)
□ プロ	▶プロのサッカー選手	(professional)
□ ブログ	▶毎日ブログを書く	(blog)
□ ベテラン	▶ベテランの教師	(veteran)
□ ポイント	▶①重要なポイント ▶②ポイントをつかむ ▶③ポイントをためる	(＝①点 ②要点 ③サービスを受けるための得点／point)
□ ボランティア	▶ボランティア活動に参加する	(volunteer)
□ ボリューム	▶ボリュームのある食事 ▶ボリュームを上げる	(＝量、音量／volume)
□ マスコミ	▶マスコミ関係の仕事	(mass communication, media)
□ マスター(する)	▶使い方をマスターする	(＝知識や技術を完全に自分のものにすること、思い通りに使えるようになること)／master
□ マナー	▶食事のマナー	(＝礼儀作法／manner)
□ ミーティング	▶ミーティングを行う／開く	(＝会議／meeting)
□ ミス(する)	▶不注意によるミス	(＝失敗／mistake)
□ ムード	▶お祭りムードが高まる	(＝雰囲気、それらしい雰囲気／mood)
□ メーカー	▶家電メーカー	(＝製造者、商品を作っている会社／manufacturer)
□ メッセージ	▶メッセージを伝える	(message)
□ ユニーク(な)	▶ユニークな名前	(＝変わった／unique)
□ ライバル	▶ライバルに勝つ	(rival／对手／라이벌)

☐ ラッシュ	▶ラッシュの時間帯(じかんたい)	（＝通勤(つうきん)や通学(つうがく)の人(ひと)で駅(えき)や電車(でんしゃ)などが混(こ)むこと／ rush）
☐ リーダー	▶チームのリーダー	（leader）
☐ リサイクル（する）	▶服(ふく)をリサイクルする	（＝不要(ふよう)になったものを資源(しげん)に変(か)えて、もう一度(いちど)利用(りよう)すること）／ recycle
☐ リストラ（する）	▶企業(きぎょう)のリストラ計画(けいかく)	（＝人(ひと)を減(へ)らすなどして事業(じぎょう)や会社(かいしゃ)を建(た)て直(なお)すこと／ restructuring）
☐ リラックス（する）	▶リラックスできる場所(ばしょ)	（relax ／放松／휴식）
☐ ルール	▶ルールに反(はん)する	（＝規則(きそく)／ rule）
☐ レシート	▶レシートを受(う)け取(と)る	（receipt ／收据／영수증）
☐ レジャー	▶夏(なつ)のレジャーの計画(けいかく)	（＝自由(じゆう)な時間(じかん)、それを利用(りよう)して行(おこな)う遊(あそ)び／ leisure）
☐ レッスン（する）	▶歌(うた)のレッスンをする	（＝練習(れんしゅう)／ lesson）
☐ レベル	▶初級(しょきゅう)レベル　▶生活(せいかつ)レベル	（level）
☐ レンタル（する）	▶DVD をレンタルする	（＝料金(りょうきん)をとって商品(しょうひん)を貸(か)すこと／ rental）

擬音語・擬態語

N2レベルの「語彙」 グループ 1

□	うきうき	彼女は朝からうきうきしている。	(＝楽しいことやうれしいことがあって、心が*はずむ様子　*はずむ：bounce／弾跳／되튐)
□	うろうろ	①道に迷ってうろうろしたせいで、電車に間に合わなくなった。②休みの日に街をうろうろしていたら、友達に会った。	(＝①どうしたらいいかわからず動き回る様子　②目的なくあちこち動く様子)
□	キラキラ	日の光を浴びて、海は宝石のようにキラキラ光っていた。	(＝光り輝く様子)
□	ぐったり	毎晩、仕事が終わるとぐったりしてしまう。	(＝疲れきって力が抜ける感じ)
□	くよくよ	終わったことをくよくよ考えてもしょうがない。	(＝どうすることもできないのに、いつまでも気にする様子)
□	ぐんぐん	気温がぐんぐん上がる／ぐんぐん背が伸びる	(＝ある変化が勢いよく進行する様子)
□	こっそり	母がこっそりおこづかいをくれた。	(＝ほかの人に知られないように物事をする様子)
□	さっぱり	①シャワーを浴びたらさっぱりするよ。②夏はさっぱりしたものが食べたくなる。③彼が何を考えているのか、さっぱりわからない。	(＝①すっきりとした、さわやかな感じ　②しつこくない—味が濃かったり油が多かったりしていない　③全く〜ない)
□	しーんと	先生が怒鳴ると、教室がシーンとなった。	(＝何の音も聞こえず、非常に静かな状態)
□	ずらっと／ずらりと	あの自動車販売店には、高級車がずらっと並んでいた。	(＝間を空けずに続いて並んでいる様子)
□	せっせと	兄はバイクを買うために、せっせとアルバイトをしている。	(＝休まず一生懸命に)
□	ちらっと／ちらりと	彼女が結婚相手の写真をちらっと見せてくれた。	(＝動きの程度がわずかであること、一瞬の間、ちょっとだけ)
□	どっと	旅行から帰ったら、どっと疲れが出た。	(＝勢いや量が急に増える様子)
□	のろのろ	時間がないんだから、のろのろ歩かないで。	(＝動作が鈍い様子、ゆっくりしすぎている様子)
□	ばったり	駅でばったり昔の同僚に会った。	(＝偶然に)
□	ふわふわ	ふわふわのベッドで寝るのは気持ちがいい。	(＝非常に柔らかい様子)

□ ぼんやり	▶①画像がぼんやりしていて、何が映っているかわからない。 ▶②ぼんやり海を眺めている人がいる。	（＝①焦点がなくはっきりしない様子 ②特に意図がなく、何となくという感じ）
□ めちゃくちゃ	▶①台風のせいで、庭がめちゃくちゃになった。 ▶②このラーメンはめちゃくちゃうまい。	（＝①ひどく壊れること、ひどい状態 ②すごく、非常に）
□ わくわく	▶来月の旅行のことを考えるとわくわくする。	（＝期待や喜びで心が落ち着かない様子）

慣用句(かんようく)

N2レベルの「語彙」 グループJ

慣用句	例文	意味
□ 頭が上がらない（あたまあ）	▶昔、ずい分世話になったので、あの人には**頭が上がらない**。	（＝恩があり感謝や尊敬の対象になっているため、同じレベルで接することができない）
□ 頭が痛い（あたまいた）	▶交通渋滞は、市にとって**頭の痛い**問題だ。	（＝心配ごとや悩みで苦しい、つらい）
□ 頭が固い（あたまかた）	▶父は**頭が固い**から、なかなか考えを変えないだろう。	（＝物事を柔らかく考えることができず、態度ややり方をなかなか変えられない）
□ 頭が下がる（あたまさ）	▶一人でボランティア活動を続ける彼には、**頭が下がる**。	（＝行いや態度に感心して敬意を持つ）
□ 頭に来る（あたまく）	▶順番を守らない人には、**頭に来る**。	（＝怒りの気持ちが沸き起こる）
□ 頭を下げる（あたまさ）	▶友達に**頭を下げて**、お金を貸してもらった。	（＝謝って、わびて）
□ 頭を使う（あたまつか）	▶**頭を使えば**、いい解決方法が出てくるだろう。	（＝よく考え、知恵を働かせれば）
□ 顔を出す（かおだ）	▶その勉強会には、私もときどき**顔を出して**いる。	（＝集まりなどに出席する、現れる）
□ 目がない（め）	▶父はワインに**目がない**んです。	（＝そのこととなると、周りが見えなくなるほど好きだ）
□ 目につく（め）	▶このポスターをどこか**目につく**ところに貼ろう。	（＝目立つ、注意を引く）
□ 目を疑う（めうたが）	▶事故の映像は、**目を疑う**ようなものだった。	（＝本当かと信じられない思いがする）
□ 目を通す（めとお）	▶毎朝、新聞に**目を通して**から出掛ける。	（＝ひととおり見て、ざっと見て）
□ 目を引く（めひ）	▶彼女は背が高く、服装も派手なので、**目を引く**。	（＝人の注意を向けさせる）
□ 耳が遠い（みみとお）	▶祖母は**耳が遠い**ので、大きな音でテレビを見ている。	（＝耳がよく聞こえない）
□ 耳を疑う（みみうたが）	▶**耳を疑う**ような事件が起こった。	（＝思いもしなかったことを聞いて聞き違いかと思う）
□ 口がうまい（くち）	▶彼は**口がうまい**から、ついだまされてしまう。	（＝話が上手で、ごまかしたりだましたりするのが上手い）
□ 口に合う（くちあ）	▶**口に合う**かどうかわかりませんが、召し上がってください。	（＝食べ物や飲み物が好みに合う）

グループJ　N2レベルの「語彙」

慣用句	例文	意味
口にする	その名前を口にするのも汚らわしい。	（＝言葉にして言う、話す）
口を出す	あの人は何にでも口を出してくる。	（＝関係がないのに、他人の会話に入ってきて意見を言ったりする）
首を長くする	祖父は、孫の誕生を首を長くして待っている。	（＝まだかまだかと期待して）
肩を並べる	この国はここ10年で、先進国と肩を並べるまでに成長した。	（＝同じくらいの力や地位を得る）
腕がいい	この店の美容師は、みんな腕がいい。	（＝技術がすぐれている）
腕を磨く	彼は有名ホテルのレストランで腕を磨いた後、自分の店を出した。	（＝技術や能力を高めた）
手が空く	手が空いたら、手伝ってもらえますか。	（＝仕事がひとつ片づき、ほかのことができる状態になったら）
手がかかる	息子はわがままで、小さい頃から手のかかる子でした。	（＝手間がかかる）
手が足りない	手が足りないので、アルバイトを雇うことにした。	（＝仕事をする人の数が足りない）
手が離せない	手が離せなかったので、電話に出られなかった。	（＝やりかけのことがあって、ほかのことができなかった）
手に入れる	いつか、あの車を手に入れたい。	（＝自分の物にしたい）
手につかない	子供の病気が心配で、仕事が手につかない。	（＝そのことに集中できず、ちゃんとできない）
手を貸す	テーブルを運んでいたら、彼が手を貸してくれた。	（＝手伝って）
手をつける	来週がレポートの締め切りだけど、まだ手をつけていない。	（＝実際の作業を始めて）
手を抜く	父は、どんなに忙しくても、仕事で手を抜くことはない。	（＝必要な手間を省く・減らす）
足を伸ばす	京都出張の際、足を伸ばして大阪に寄った。	（＝ある場所に行った後、さらに別の場所に行く）
足を運ぶ	お忙しい中、足を運んでいただき、ありがとうございます。	（＝あることのために、わざわざ行って）
気が合う	彼女とはとても気が合う。	（＝考え方や感じ方が合う）
気が利く	旅館のサービスは、とても気が利いていると感心した。	（＝細かいところにまで注意が行き届いて）

101

N2レベルの「語彙」 グループ J

語彙	例文	意味
□ 気が進まない	この仕事は気が進まない。	（＝積極的にやろうとは思わない）
□ ～気がする	あの二人は結婚するような気がする。	（＝感じがする、そのように感じられる）
□ 気が散る	家族の話し声で気が散って、勉強が進まない。	（＝一つのことに集中できなくて）
□ 気が早い	彼女は気が早いから、もう来月の旅行の準備を始めている。	（＝ゆっくり待つことができず、心が先へと急ぐようになる）
□ 気が短い	父は気が短いから、すぐ怒る。	（＝がまんができず、すぐに怒ったり飽きたりする）
□ 気になる	気になる噂を聞いた。	（＝心配になる、気にかかる）
□ 甘く見る	ただの風邪だと甘く見ていたら、入院することになった。	（＝大したことがないと軽く見て）
□ 我慢強い	我慢強い子だから、そんなことでは泣かないだろう。	（＝よく我慢できる）
□ 機嫌がいい	何かいいことがあったのか、部長は朝から機嫌がいい。	（＝気分が良い様子だ、気分が明るい）
□ しかたがない	ハイキングに行きたかったけど、この雨じゃ、しかたがない。	（＝どうすることもできない、これ以上は望めない）

対義語・類義語
たいぎご・るいぎご

対義語

語	例文	訳
□ 拡大(する)かくだい	▶影響が拡大する	(influence more／影响扩大／영향이 확대되다)
□ 縮小(する)しゅくしょう	▶配達エリアを縮小する	(reduce delivery area／缩小配送区域／배달 지역을 축소하다)
□ 延長(する)えんちょう	▶試合を延長する	(send the match into extra time／延长比赛／시합을 연장하다)
□ 短縮(する)たんしゅく	▶工事の期間を短縮する	(shorten a period of construction／缩短工程时间／공사 기간을 단축하다)
□ 開始(する)かいし	▶新しいサービスを開始する	(start a new service／开始新的服务／새로운 서비스를 시작하다)
□ 終了(する)しゅうりょう	▶イベントを終了する	(finish an event／结束娱乐活动／이벤트를 종료하다)
□ 解散(する)かいさん	▶駅で解散する	(separate and leave at the station／在车站解散／역에서 해산하다)
□ 集合(する)しゅうごう	▶10時に集合する	(get together at 10 o'clock／十点集合／10시에 집합하다)
□ 許可(する)きょか	▶撮影を許可する	(allow a shooting／允许拍摄／촬영을 허가하다)
□ 禁止(する)きんし	▶撮影を禁止する	(prohibit a shooting／禁止拍摄／촬영을 금지하다)
□ 肯定(する)こうてい	▶戦争を肯定する	(positive about the war／肯定战争／전쟁을 긍정하다)
□ 否定(する)ひてい	▶戦争を否定する	(deny the war／否定战争／전쟁을 부정하다)
□ 賛成(する)さんせい	▶提案に賛成する	(agree with a proposal／赞成提案／제안에 찬성하다)
□ 反対(する)はんたい	▶増税に反対する	(oppose tax increase／反对增税／증세에 반대하다)
□ 成功(する)せいこう	▶実験に成功する	(succeed in an experiment／实验成功／실험에 성공하다)
□ 失敗(する)しっぱい	▶開発に失敗する	(fail to develop／开发失败／개발에 실패하다)
□ 用心(する)ようじん	▶用心のため、鍵をかける	(lock as a measure of precaution／很警觉, 上了锁／조심하기 위해 열쇠를 잠그다)
□ 油断(する)ゆだん	▶油断して負ける	(be negligent and lose／疏忽大意输了／방심하여서 지다)
□ 自慢(する)じまん	▶高級車を自慢する	(brag about a luxury car／炫耀豪车／고급 승용차를 자랑하다)
□ 謙遜(する)けんそん	▶褒められて謙遜する	(be praised and humble oneself／得到表扬还是谦虚／칭찬을 받아 겸손해하다)
□ 見上げるみあ	▶空を見上げる	(look up the sky／仰望天空／하늘을 올려다보다)
□ 見下ろすみお	▶屋上から見下ろす	(looked down from a roof／从屋顶向下看／옥상에서 내려보다)
□ 容易(な)ようい	▶容易な方法	(easy way／容易的方法／쉬운 방법)
□ 困難(な)こんなん	▶困難な状況	(difficult situation／困难的状况／곤란한 상황)
□ 丁寧(な)ていねい	▶丁寧に説明する	(explain carefully／认真地说明／정중하게 설명하다)
□ 乱暴(な)らんぼう	▶ドアを乱暴に閉める	(shut the door roughly／乱开门／문을 거칠게 닫다)

N2レベルの「語彙」 グループK

単純(な)	▶単純な構造の機械	(machine with a simple structure／单纯构造的机器／단순한 구조의 기계)
複雑(な)	▶この機械は複雑な仕組みでできている。	(This machine has a complicated system.／这个机器的构造很复杂。／이 기계는 복잡한 구조로 되어 있다)
正常(な)	▶正常な動作	(normal operation／正常的动作／정상적인 동작)
異常(な)	▶異常な音	(abnormal sound／异常的声音／이상한 소리)
直接(的)	▶直接本人に聞く	(directly ask to the person／直接问本人／직접 본인에게 묻다)
間接(的)	▶間接的に聞いた話	(story that one heard indirectly／间接听说的事情／간접적으로 들은 이야기)
表	▶表に木の絵が描いてある本	(book with a picture of the tree on a front cover／封面描绘着树木画的书／표에 나무 그림이 그려져 있다)
裏	▶本の裏に名前を書く	(write one's name on the back of a book／在书本的后面写名字／책 뒤에 이름을 쓰다)
全体	▶作品全体の印象	(impression of the whole work／作品整体的印象／작품 전체의 인상)
部分	▶作品の特徴的な部分	(characteristic part of a work／作品有特征的部分／작품의 특징적인 부분)
内容	▶契約書の内容	(contents of the contract／契约书的内容／계약서의 내용)
形式	▶文書の形式	(format of a document／公文的形式／문서의 형식)
原因	▶原因を調べる	(investigate a cause／调查原因／원인을 조사하다)
結果	▶結果を報告する	(report a result／报告结果／결과를 보고하다)
理想	▶理想の夫婦	(ideal couple／理想的夫妇／이상적인 부부)
現実	▶厳しい現実	(harsh reality／严峻的现实／어려운 현실)
先日	▶先日はお世話になりました。	(Thank you for your kindness.／前几天承蒙您照顾了。／지난 번에는 폐를 끼쳤습니다.)
後日	▶資料は後日、お送りいたします。	(I will send you the material at a later date.／资料过几天给您寄过去。／자료는 나중에(훗날) 보내드리겠습니다.)
前日	▶出発の前日	(The day before the departure／出发的前几天／출발 전날)
翌日	▶帰国の翌日	(The day after returning to one's country／回国的第二天／귀국 다음날)
和風	▶和風の料理	(Japanese-style cuisine／日本料理／일식 풍의 요리)
洋風	▶洋風の家	(Western-style house／西式房屋／서양식 집)
プラス	▶プラスの要素	(positive element／积极要素／플러스 요소)
マイナス	▶マイナスの要素	(negative element／消极要素／마이너스 요소)
収入	▶一年間の収入	(annual income／一年的收入／일 년간의 수입)
支出(する)	▶支出を抑える	(restrain spending／控制支出／지출을 억제하다)
円高	▶円高の影響	(influence of a strong yen／日元上涨的影响／엔고의 영향)
円安	▶円安による値上げ	(price rise with a weak yen／因为日元下跌而涨价／엔저에 의한 가격인상)

グループ K　N2レベルの「語彙」

□ 偶数（ぐうすう）	▶偶数の月（ぐうすうのつき）	(even month／偶数的月份／짝수의 달)
□ 奇数（きすう）	▶奇数のページ（きすうのページ）	(odd page／奇数的页面／홀수 페이지)
□ 高齢化（こうれいか）	▶高齢化が進む（こうれいかがすすむ）	(population ages／高齢化在继续发展／고령화가 진행되다)
□ 少子化（しょうしか）	▶少子化対策（しょうしかたいさく）	(measures against the falling birth rate／少子化政策／저출산 대책)
□ 往復（する）（おうふく）	▶往復の切符（おうふくのきっぷ）	(round-trip ticket／往返的车票／왕복 표)
□ 片道（かたみち）	▶片道2時間（かたみち2じかん）	(2 hours for one way／单程两个小时／편도 2시간)
□ 見送り（する）（みおくり）	▶空港まで友達を見送りに行く（くうこうまでともだちをみおくりにいく）	(see off a friend to the airport／去机场送朋友／공항까지 친구를 배웅하다)
□ 出迎え（でむかえ）	▶駅まで先生を出迎えに行く（えきまでせんせいをでむかえにいく）	(go greet teacher at the station／到车站接老师／역까지 선생님을 마중하러 가다)
□ 合格（する）（ごうかく）	▶試験に合格する（しけんにごうかくする）	(pass the exam／考试合格／시험에 합격하다)
□ 不合格（ふごうかく）	▶不合格の通知（ふごうかくのつうち）	(notification of failure／不合格的通知／불합격 통지)
□ 前者（ぜんしゃ）	▶二つの案を比べると、前者のほうが現実的だ。（ふたつのあんをくらべると、ぜんしゃのほうがげんじつてき だ。）	(Comparing two proposals, the former one is practical.／两种想法相比，后者更现实。／두 개의 안을 비교하면 전자 쪽이 현실적이다)
□ 後者（こうしゃ）	▶前者に比べ、後者は時間がかかる。（ぜんしゃにくらべ、こうしゃはじかんがかかる。）	(Compared to the former one, the latter one is more time consuming.／和前者相比，后者更花时间。／전자에 비해 후자는 시간이 걸린다)
□ 権利（けんり）	▶投票の権利（とうひょうのけんり）	(right to vote／投票的权利／투표권리)
□ 義務（ぎむ）	▶子供に教育を受けさせる義務（こどもにきょういくをうけさせるぎむ）	(obligation to provide children with an education／让孩子接受教育的义务／아이에게 교육을 시킬 의무)
□ 需要（じゅよう）	▶ガソリンの需要（ガソリンのじゅよう）	(demand for gasoline／汽油的需求／휘발유의 수요)
□ 供給（する）（きょうきゅう）	▶電力の供給（でんりょくのきょうきゅう）	(power supply／电力的供给／전력공급)
□ 個人（こじん）	▶個人で参加する（こじんでさんかする）	(participate on an individual basis／个人参加／개인으로 참가하다)
□ 団体（だんたい）	▶団体で参加する（だんたいでさんかする）	(participate in a group／团体参加／단체로 참가하다)
□ 敵（てき）	▶敵を倒す（てきをたおす）	(defeat an enemy／击退敌人／적을 쓰러트리다)
□ 味方（みかた）	▶妹の味方をする（いもうとのみかたをする）	(take sides with one's young sister／站在妹妹这边／여동생의 편을 들다)

類義語（るいぎご）

□ 祈る（いのる）	▶病気の回復を祈る（びょうきのかいふくをいのる）	(pray for the recovery from illness／祈祷身体康复／병의 회복을 빌다)
□ 願う（ねがう）	▶会社の発展を願う（かいしゃのはってんをねがう）	(hope a development of a company／希望公司发展／회사의 발전을 바라다)
□ 探す（さがす）	▶鍵を探す（かぎをさがす）	(look for a key／找钥匙／열쇠를 찾다)
□ 探る（さぐる）	▶新たな可能性を探る（あらたなかのうせいをさぐる）	(search for new possibilities／探寻新的可能性／새로운 가능성을 찾다)
□ 蓄える（たくわえる）	▶力／知識を蓄える（ちから／ちしきをたくわえる）	(reserve power / store knowledge／积蓄力量／积累知识／힘／지식을 쌓다)
□ 貯める（ためる）	▶水／お金を貯める（みず／おかねをためる）	(save water / money／蓄水／存钱／물／돈을 모으다)

N2レベルの「語彙」 グループ K

□ うるさい	▶工事の音がうるさい。	(Sound of a construction is noisy. ／做工程的声音很吵。／공사 소리가 시끄럽다.)
□ 騒がしい	▶この店はちょっと騒がしくて、落ち着かない。	(I feel restless as this shop is a bit noisy. ／这家店有些嘈杂，让人难以安静下来。／이 가게는 조금 시끄러워서 안정이 안 된다.)
□ やかましい	▶テレビの音がやかましい。	(Sound of a TV is noisy. ／电视的声音太吵。／텔레비전 소리가 시끄럽다.)
□ かわいそう(な)	▶親が離婚すると、子供がかわいそうだ。	(When parents got divorced, a child is poor. ／父母离婚的话，孩子就很可怜。／부모가 이혼하면 아이가 불쌍하다.)
□ 気の毒(な)	▶ばかな上司を持つと、部下が気の毒だ。	(If a subordinate has a stupid boss, it makes one feel sorry. ／有个愚蠢的上司，下属就很可怜了。／어리석은 상사를 두면 부하가 불쌍하다.)
□ いずれ	▶いずれ真実が明らかになるだろう。	(The truth will become apparent some day. ／事实终归会明朗的。／어차피 진실이 명확해질 것이다.)
□ そのうち	▶そのうち見つかるだろう。	(I will find them some time. ／总会找到的吧。／그러는 동안에 발견될 것이다.)
□ やがて	▶やがて花が咲くだろう。	(Flowers will bloom soon. ／花不久就会盛开的吧。／마침내 꽃이 필 것이다.)
□ 以前	▶以前、彼に会ったことがある。	(I met him before. ／以前遇到过他。／이전에 그와 만난 적이 있다.)
□ かつて	▶かつて、彼はスター選手だった。	(He was a star player in the past. ／他曾经是明星选手。／일찍이 그는 스타 선수였다.)
□ 一段と	▶レモン汁を入れたら、一段とおいしくなった。	(After adding lemon juice, it became more delicious. ／加入柠檬汁会更好吃。／레몬즙을 넣으니 한층 맛있어졌다.)
□ 一層	▶そんなふうに言われると、別れが一層辛くなる。	(If you say such a thing, it becomes even hard to part with you. ／被那么一说，分别会更痛苦的。／그렇게 말하면 이별이 한층 힘들어진다.)
□ さらに	▶まとめて10個買うと、さらに安くなる。	(If you buy 10 at once, you can get it even cheaper. ／买上十个会更便宜的。／합쳐서 10개를 사면 더욱 싸진다.)
□ 一切〜ない	▶私は一切関係ない。	(I am totally not related to that. ／和我完全无关。／나는 일체 관계가 없다.)
□ 全く〜ない	▶私は全く知らない。	(I do not know at all. ／我一点儿也不知道。／나는 전혀 모른다.)
□ いつの間にか	▶いつの間にか寝ていた。	(I was sleeping before I knew it. ／不知不觉地睡着了。／어느새 자고 있었다.)
□ 知らないうちに	▶知らないうちに人を傷つけている。	(We hurt somebody before we knew. ／无意伤人。／모르는 사이에 다른 사람을 상처 주고 있다.)
□ おそらく	▶おそらく今日は雨は降らないだろう。	(Probably it will not rain today. ／恐怕今天不会下雨吧。／아마 오늘은 비가 오지 않을 것이다.)
□ たぶん	▶たぶんこれは間違いだ。	(Maybe this is a mistake. ／大概这是错误的吧。／아마도 이것은 틀릴 것이다.)
□ 計算(する)	▶コンピューターで計算する	(calculate on a computer ／用电脑计算／컴퓨터로 계산하다)
□ 勘定(する)	▶お金を勘定する	(count money ／付钱／돈을 계산하다)
□ 治療(する)	▶病気の治療をする	(treat disease ／治疗疾病／병의 치료를 하다)
□ 手当(する)	▶傷の手当をする	(treat a wound ／医治伤口／상처를 조치하다)
□ 基準	▶安全基準を満たす	(satisfy safety standards ／满足安全标准／안전 기준을 채우다)
□ 標準	▶世界標準となる	(become a global standard ／成为世界标准／세계 기준이 되다)
□ 特徴	▶犯人の特徴	(feature of a criminal ／犯人的特征／범인의 특징)
□ 特長	▶この商品の3つの特長	(3 features of this product ／这种商品的三个特长／이 상품의 3가지 특징)

前に付く語と後ろに付く語

グループL　N2レベルの「語彙」

前に付く語

各〜（かく）	各大学（かくだいがく）・各店（かくてん）・各家庭（かくかてい）
現〜（げん）	現市長（げんしちょう）・現政府（げんせいふ）
高〜（こう）	高得点（こうとくてん）・高気圧（こうきあつ）
再〜（さい）	再開発（さいかいはつ）・再検討（さいけんとう）・再構築（さいこうちく）・再利用（さいりよう）
最〜（さい）	最軽量（さいけいりょう）・最重要（さいじゅうよう）・最先端（さいせんたん）
全〜（ぜん）	全社員（ぜんしゃいん）・全商品（ぜんしょうひん）・全生徒（ぜんせいと）・全席（ぜんせき）・全ページ（ぜんページ）
総〜（そう）	総売上（そううりあげ）・総人口（そうじんこう）・総費用（そうひよう）・総復習（そうふくしゅう）
非〜（ひ）	非協力的（ひきょうりょくてき）・非現実的（ひげんじつてき）・非公開（ひこうかい）・非公式（ひこうしき）・非効率的（ひこうりつてき）・非常識（ひじょうしき）
不〜（ふ）	不十分（ふじゅうぶん）・不健康（ふけんこう）・不公平（ふこうへい）・不得意（ふとくい）・不真面目（ふまじめ）・不自然（ふしぜん）・不利益（ふりえき）・不人気（ふにんき）・不定期（ふていき）・不自由（ふじゆう）
未〜（み）	未解決（みかいけつ）・未確認（みかくにん）・未完成（みかんせい）・未公開（みこうかい）・未提出（みていしゅつ）
無〜（む／ぶ）	無意識（むいしき）・無意味（むいみ）・無関心（むかんしん）・無責任（むせきにん）・無制限（むせいげん）・無作法（ぶさほう）
名〜（めい）	名演奏（めいえんそう）・名女優（めいじょゆう）・名選手（めいせんしゅ）

N2レベルの「語彙」 グループ L

後ろに付く語

- ☐ **～家(か)** ▶音楽家(おんがくか) ▶政治家(せいじか) ▶専門家(せんもんか) ▶冒険家(ぼうけんか) ▶法律家(ほうりつか)

- ☐ **～界(かい)** ▶政界(せいかい) ▶財界(ざいかい)(＝大企業の経営者らを中心とした経済に関する社会) ▶文学界(ぶんがくかい) ▶スポーツ界(かい) ▶医学界(いがくかい) ▶芸能界(げいのうかい)

- ☐ **～がい** ▶やりがい(＝やる意味、やる価値) ▶生(い)きがい ▶働(はたら)きがい

- ☐ **～観(かん)** ▶人生観(じんせいかん)(＝人生についての見方・考え方)、世界観(せかいかん) ▶価値観(かちかん) ▶教育観(きょういくかん)

- ☐ **～感(かん)** ▶不安感(ふあんかん) ▶緊張感(きんちょうかん) ▶危機感(ききかん) ▶達成感(たっせいかん) ▶満足感(まんぞくかん) ▶責任感(せきにんかん)

- ☐ **～金(きん)** ▶入学金(にゅうがくきん) ▶奨学金(しょうがくきん) ▶資本金(しほんきん) ▶寄付金(きふきん) ▶賞金(しょうきん)

- ☐ **～者(しゃ)** ▶応募者(おうぼしゃ) ▶希望者(きぼうしゃ) ▶協力者(きょうりょくしゃ) ▶経営者(けいえいしゃ) ▶研究者(けんきゅうしゃ) ▶参加者(さんかしゃ) ▶消費者(しょうひしゃ) ▶担当者(たんとうしゃ) ▶発表者(はっぴょうしゃ) ▶申込者(もうしこみしゃ)

- ☐ **～性(せい)** ▶可能性(かのうせい) ▶将来性(しょうらいせい) ▶安全性(あんぜんせい) ▶生産性(せいさんせい) ▶信頼性(しんらいせい) ▶専門性(せんもんせい)

- ☐ **～代(だい)** ▶電話代(でんわだい) ▶電気代(でんきだい) ▶水道代(すいどうだい) ▶電車代(でんしゃだい) ▶タクシー代(だい) ▶食事代(しょくじだい) ▶修理代(しゅうりだい) ▶本代(ほんだい) ▶コピー代(だい) ▶チケット代(だい)

- ☐ **～料(りょう)** ▶授業料(じゅぎょうりょう) ▶レッスン料(りょう) ▶入場料(にゅうじょうりょう) ▶使用料(しようりょう) ▶配送料(はいそうりょう) ▶出演料(しゅつえんりょう) ▶キャンセル料(りょう)

- ☐ **～手(て)** ▶聞(き)き手 ▶話(はな)し手 ▶作(つく)り手 ▶送(おく)り手

- ☐ **～点(てん)** ▶注意点(ちゅういてん) ▶問題点(もんだいてん) ▶課題点(かだいてん)

- ☐ **～費(ひ)** ▶交通費(こうつうひ) ▶生活費(せいかつひ) ▶食費(しょくひ) ▶学費(がくひ) ▶参加費(さんかひ) ▶医療費(いりょうひ) ▶建設費(けんせつひ)

- ☐ **～品(ひん)** ▶高級品(こうきゅうひん) ▶食料品(しょくりょうひん) ▶輸入品(ゆにゅうひん) ▶不良品(ふりょうひん) ▶セール品(ひん) ▶ブランド品(ひん)

- ☐ **～風(ふう)** ▶現代風(げんだいふう)(＝現代(げんだい)を感(かん)じさせる) ▶今風(いまふう) ▶日本風(にほんふう) ▶和風(わふう) ▶洋風(ようふう) ▶学生風(がくせいふう)

- ☐ **～物(もの)** ▶忘(わす)れ物 ▶落(お)とし物 ▶探(さが)し物 ▶本物(ほんもの) ▶偽物(にせもの)

- ☐ **～率(りつ)** ▶合格率(ごうかくりつ) ▶成功率(せいこうりつ)

その他のN2レベルの語彙

グループM　N2レベルの「語彙」

あ

愛（あい）	▶愛を誓う
相変わらず（あいかわらず）	▶相変わらず元気
愛情（あいじょう）	▶子どもへの愛情
アイスクリーム	(ice cream)
遭う（あう）	▶事故に遭う
あおぐ	▶うちわであおぐ
青白い（あおじろい）	▶青白い顔
明かり／灯り（あかり）	▶明かりをつける
明き／空き（あき）	▶部屋の空きがある
明らか（な）（あきらか）	▶明らかにわかる
握手（する）（あくしゅ）	▶握手を求める
アクセント	(accent) ▶アクセントをつける
悪魔（あくま）	
あくまで	▶あくまで一つの例
明くる〜（あくる）	▶明くる日
明け方（あけがた）	▶明け方に出かける
明ける（あける）	▶夜が明ける
足跡（あしあと）	▶足跡がつく
足元（あしもと）	▶足元に置く
預かる（あずかる）	
暖か／温か（あたたか）	▶暖かな部屋
暖まる／温まる（あたたまる）	▶体が温まる
辺り（あたり）	▶駅の辺り
当たり前（あたりまえ）	▶日本人なら当たり前のこと
当たる（あたる）	
あちこち	▶あちこち出かける
あちらこちら	▶あちらこちらに見られる
圧縮（する）（あっしゅく）	▶データを圧縮する
集まり（あつまり）	
当てはまる（あてはまる）	▶Aのパターンに当てはまる
当てる（あてる）	
あと〜	▶あと2つ
跡／痕（あと）	▶ケガのあと
〜跡（あと）	▶城跡
あぶる「火に〜」	▶火であぶる
余り（あまり）	▶余りのお菓子
余る（あまる）	
編み物（あみもの）	▶編み物をする
編む（あむ）	▶マフラーを編む
危うい（あやうい）	▶危うい状態
誤り（あやまり）	
あら	(感動詞)
荒い（あらい）	▶荒い海
嵐（あらし）	▶嵐が過ぎ去る
あらすじ	▶話のあらすじ
争う（あらそう）	▶優勝を争う
新た（な）（あらた）	▶新たな方法
改めて（あらためて）	▶改めて話し合う
あらゆる	▶あらゆる方法
表す／現す／著す（あらわす）	▶気持ちを表す　▶姿を表す　▶本を著す
表れ／現れ（あらわれ）	▶不満の表れ　▶日頃の努力の現れ
現れる（あらわれる）	
ある	▶ある男性
アルバム	(album)
あれこれ	▶あれこれ注文する
合わせる／併せる（あわせる）	▶色を合わせる　▶併せて確認をする
慌ただしい（あわただしい）	▶朝は慌ただしい
哀れ（な）（あわれ）	▶哀れな人生
案（あん）	▶改善案を考える
安易（な）（あんい）	▶安易な考え
案外（あんがい）	▶案外易しい
アンテナ	(antenna)
あんなに	
あんまり	▶あんまり安くない

い

〜位（い）	▶1位になる
言い出す（いいだす）	▶変なことを言い出す

N2レベルの「語彙」 グループM

- ☐ 言い付ける → 先生に言いつける
- ☐ 委員
- ☐ いえ （=いいえ）
- ☐ 意外(な) → 意外な結果
- ☐ 意義 → 意義のある取り組み
- ☐ 生き生き → 生き生きとした目
- ☐ 勢い → 勢いがある
- ☐ 生き物
- ☐ 幾〜 → 幾千万の星
- ☐ 幾分 → 幾分わかりやすい
- ☐ 生け花 → 生け花教室
- ☐ 以後 → 以後気をつける
- ☐ 以降 → 来週以降
- ☐ 勇ましい → 勇ましい男
- ☐ 意思／意志 → 強い意志
- ☐ 維持(する) → 体重を維持する
- ☐ 衣食住 → 衣食住を考える
- ☐ 泉 → 泉がわく
- ☐ 板 → 木の板の上に置く
- ☐ 偉大(な) → 偉大な人
- ☐ 抱く → 夢を抱く
- ☐ 痛む → ケガが痛む
- ☐ 至る → 結婚に至る
- ☐ 〜一 → 日本一おいしい
- ☐ 一応 → 一応やる
- ☐ 一時 → 一時中止になる
- ☐ 市場
- ☐ 一部 → 一部の反対グループ
- ☐ 一流 → 一流の歌手
- ☐ 一家 → 田中さん一家
- ☐ いつか → いつか行きたい
- ☐ 一種 → バラの一種
- ☐ 一瞬 → 一瞬の出来事
- ☐ 一生
- ☐ 一定 → 一定の大きさ
- ☐ いつでも → いつでもいい
- ☐ 一方 → 一方の意見
- ☐ いつまでも
- ☐ 移転(する) → 店を移転する
- ☐ 緯度 → 緯度と経度
- ☐ 井戸 → 井戸を掘る
- ☐ 移動(する)
- ☐ 稲 → 稲を刈る
- ☐ 威張る → 後輩に対して威張る
- ☐ 衣服 → 日本の衣服
- ☐ 以来 → あの日以来
- ☐ 依頼(する)
- ☐ 煎る → 豆を煎る
- ☐ 入れ物 → ガラスの入れ物
- ☐ インク （inkt：オランダ語）
- ☐ 印象 → 強い印象を受ける
- ☐ インタビュー （interview）
- ☐ 引用(する) → 文を引用する
- ☐ 引力 → 月の引力

う

- ☐ 植木 → 庭の植木
- ☐ 飢える → 飢えた犬
- ☐ 浮かぶ
- ☐ 浮かべる → 目に涙を浮かべる
- ☐ 承る → 注文を承る
- ☐ 受け持つ → 授業を受け持つ
- ☐ 薄める → 色を薄める
- ☐ 打ち合わせる → 予定を打ち合わせる
- ☐ 打ち消す → 発言を打ち消す
- ☐ 宇宙
- ☐ 移す → ほかの場所に移す
- ☐ 映す → 映像を映す
- ☐ 訴える → 裁判に訴える
- ☐ 写る → 写真に写る
- ☐ うどん → うどんを食べる
- ☐ 奪う → 敵から奪う
- ☐ 馬 → 馬に乗る
- ☐ 有無 → 経験の有無
- ☐ 梅 → 梅の花

グループM　N2レベルの「語彙」

- ☐ 敬う（うやま）　▶親を敬う（おや うやま）
- ☐ 裏切る（うらぎ）　▶味方を裏切る（みかた うらぎ）
- ☐ 裏口（うらぐち）　▶裏口から出る（うらぐち で）
- ☐ 占う（うらな）　▶未来を占う（みらい うらな）
- ☐ 恨み（うら）　▶あの時の恨み（とき うら）
- ☐ 恨む（うら）　▶相手を恨む（あいて うら）
- ☐ 売り上げ（う あ）
- ☐ 売れ行き（う ゆ）　▶商品の売れ行きがいい（しょうひん う ゆ）
- ☐ 売れる（う）　▶売れ残る（う のこ）
- ☐ 噂（うわさ）　▶噂を聞く（うわさ き）
- ☐ 運（うん）　▶運がいい（うん）
- ☐ 運河（うんが）　▶パナマ運河（うんが）

え

- ☐ え（っ）　（感動詞）
- ☐ 永遠（えいえん）　▶永遠に続く（えいえん つづ）
- ☐ 永久（えいきゅう）　▶永久磁石（えいきゅうじしゃく）
- ☐ 営業（えいぎょう）　▶営業を担当する（えいぎょう たんとう）
- ☐ 衛生（えいせい）　▶不衛生な場所（ふえいせい ばしょ）
- ☐ 英文（えいぶん）　▶英文で書く（えいぶん か）
- ☐ 英和（えいわ）　▶英和辞典（えいわじてん）
- ☐ ええと　（感動詞）
- ☐ 笑顔（えがお）
- ☐ 描く（えが）　▶風景を描く（ふうけい えが）
- ☐ 液体（えきたい）　▶液体洗剤（えきたいせんざい）
- ☐ 絵の具（え ぐ）　▶絵の具で描く（え ぐ えが）
- ☐ 円（えん）　▶円を描く（えん えが）
- ☐ ～園（えん）　▶動物園（どうぶつえん）
- ☐ 延期（する）（えんき）　▶試合を延期する（しあい えんき）
- ☐ 演技（する）（えんぎ）　▶女優の演技（じょゆう えんぎ）
- ☐ 園芸（えんげい）　▶園芸用品（えんげいようひん）
- ☐ 演劇（えんげき）　▶演劇の舞台（えんげき ぶたい）
- ☐ 演習（えんしゅう）　▶数学の演習（すうがく えんしゅう）
- ☐ 援助（する）（えんじょ）　▶学費の援助（がくひ えんじょ）
- ☐ 演説（する）（えんぜつ）　▶選挙演説（せんきょえんぜつ）
- ☐ 演奏（する）（えんそう）
- ☐ 遠足（えんそく）
- ☐ 煙突（えんとつ）　▶煙突から煙が出る（えんとつ けむり で）

お

- ☐ おい　▶おいとめい
- ☐ 追いかける（お）　▶スリを追いかける（お）
- ☐ おいて（於いて）　▶わが社において（しゃ）
- ☐ オイル　（oil）
- ☐ 王（おう）
- ☐ 追う（お）
- ☐ 応援（する）（おうえん）　▶仲間を応援する（なかま おうえん）
- ☐ 王様（おうさま）　▶王様にお伝えする（おうさま つた）
- ☐ 王子（おうじ）
- ☐ 王女（おうじょ）
- ☐ 応接（おうせつ）　▶応接室に案内する（おうせつしつ あんない）
- ☐ 欧米（おうべい）　▶欧米諸国（おうべいしょこく）
- ☐ 応用（する）（おうよう）　▶医療に応用する（いりょう おうよう）
- ☐ 終える（お）　▶話を終える（はなし お）
- ☐ おお　（感動詞）
- ☐ 大～（だい）
- ☐ おーい　（感動詞）
- ☐ 覆う（おお）　▶布で覆う（ぬの おお）
- ☐ オーケストラ　（orchestra）
- ☐ 大通り（おおどお）　▶大通りに出る（おおどお で）
- ☐ オートメーション　（automation）
- ☐ 大家（おおや）　▶アパートの大家（おおや）
- ☐ おおよそ　▶おおよその数（かず）
- ☐ 丘（おか）　▶丘を越える（おか こ）
- ☐ 犯す（おか）　▶犯罪を犯す（はんざい おか）
- ☐ 拝む（おが）　▶寺で拝む（てら おが）
- ☐ 沖（おき）　▶沖まで船で行く（おき ふね い）
- ☐ 補う（おぎな）　▶不足を補う（ふそく おぎな）
- ☐ 奥（おく）
- ☐ 奥様（おくさま）　▶田中さんの奥様（たなか おくさま）
- ☐ 屋上（おくじょう）　▶屋上に上る（おくじょう のぼ）
- ☐ 送り仮名（おく がな）　▶漢字に送り仮名を書く（かんじ おく がな か）
- ☐ 起こる（お）
- ☐ 押さえる/抑える（お/おさ）　▶風で飛ばないよう帽子を押さえる（かぜ と ぼうし お）　▶感情を抑える（かんじょう おさ）
- ☐ 収める/納める/治める（おさ）　▶棚に収める（たな おさ）　▶税金を納める（ぜいきん おさ）　▶国を治める（くに おさ）
- ☐ おじさん　▶近所のおじさん（きんじょ）

N2レベルの「語彙」 グループM

汚染(おせん)	川の汚染(かわのおせん)
恐れ(おそれ)	大雨の恐れ(おおあめのおそれ)
お互い(に)(おたがい)	お互いに理解する(おたがいにりかいする)
穏やか(な)(おだやか)	穏やかな性格(おだやかなせいかく)
お出かけ(おでかけ)	
お手伝いさん(おてつだいさん)	お手伝いさんを雇う(おてつだいさんをやとう)
男の人(おとこのひと)	知らない男の人(しらないおとこのひと)
落とし物(おとしもの)	落とし物を拾う(おとしものをひろう)
驚かす(おどろかす)	
鬼(おに)	鬼のような顔をする(おにのようなかおをする)
各々(おのおの)	各々の代表が集まる(おのおののだいひょうがあつまる)
おばさん	食堂のおばさん(しょくどうのおばさん)
帯(おび)	着物の帯(きもののおび)
脅かす(おどかす)	立場を脅かす(たちばをおどかす)
溺れる(おぼれる)	海で溺れる(うみでおぼれる)
お参り(する)(おまいり)	墓にお参りする(はかにおまいりする)
おまえ	おまえにこれをやろう。
おめでたい	おめでたい話(おめでたいはなし)
主な／主に(おもな／おもに)	主な材料(おもなざいりょう) ▶主に(おもに)
思いがけない(おもいがけない)	思いがけない話(おもいがけないはなし)
思い出(おもいで)	
重たい(おもたい)	荷物が重たい(にもつがおもたい)
おやつ	食後のおやつ(しょくごのおやつ)
親指(おやゆび)	
泳ぎ(およぎ)	泳ぎがうまい(およぎがうまい)
およそ	およそ10キロメートル
折(おり)	訪問した折(ほうもんしたおり)
檻(おり)	檻の中の動物(おりのなかのどうぶつ)
オリンピック	(Olympic)
オルガン	(orgão：ポルトガル語)
オレンジ	(orange)
卸す(おろす)	商品を卸す(しょうひんをおろす)
恩(おん)	恩を感じる(おんをかんじる)
音(おん)	漢字の音読み(かんじのおんよみ)
恩恵(おんけい)	恩恵を受ける(おんけいをうける)
温室(おんしつ)	温室で育てる(おんしつでそだてる)
温帯(おんたい)	温帯の気候(おんたいのきこう)
温暖(な)(おんだん)	温暖な気候(おんだんなきこう)
御中(おんちゅう)	営業部御中(えいぎょうぶおんちゅう)
温度(おんど)	
女の人(おんなのひと)	

か

～下(か)	影響下(えいきょうか)
可(か)	途中退室可(とちゅうたいしつか)
～歌(か)	流行歌(りゅうこうか)
課(か)	
蚊(か)	蚊に刺される(かにさされる)
～日(か)	
カー	(car)
カーブ	(curve)
会(かい)	
回(かい)	回を重ねる(かいをかさねる)
～海(かい)	カリブ海(カリブかい)
～界(かい)	経済界(けいざいかい)
貝(かい)	魚と貝(さかなとかい)
～外(がい)	対象外(たいしょうがい)
害(がい)	害がない(がいがない)
会員(かいいん)	
絵画(かいが)	絵画のコレクション(かいがのコレクション)
開会(する)(かいかい)	開会式(かいかいしき)
会館(かいかん)	学生会館(がくせいかいかん)
会計(する)(かいけい)	食事の会計(しょくじのかいけい)
会合(かいごう)	会合に出る(かいごうにでる)
外交(がいこう)	外交官(がいこうかん) ▶外交問題に発展する(がいこうもんだいにはってんする)
解釈(する)(かいしゃく)	作品の解釈(さくひんのかいしゃく)
外出(する)(がいしゅつ)	
海水浴(かいすいよく)	海水浴に出かける(かいすいよくにでかける)
回数(かいすう)	回数が増える(かいすうがふえる)
快晴(かいせい)	曇りから快晴になる(くもりからかいせいになる)
改正(する)(かいせい)	法律の改正(ほうりつのかいせい)
解説(する)(かいせつ)	専門家の解説(せんもんかのかいせつ)
改善(する)(かいぜん)	生活を改善する(せいかつをかいぜんする)
改造(する)(かいぞう)	車を改造する(くるまをかいぞうする)
開通(する)(かいつう)	新しい道路が開通する(あたらしいどうろがかいつうする)
快適(な)(かいてき)	快適な部屋(かいてきなへや)

グループM　N2レベルの「語彙」

	語	例
☐	回転(する)かいてん	回転ドア
☐	回答(する)かいとう／解答(する)かいとう	質問への回答　テストの解答を書く
☐	外部がいぶ	外部の人
☐	解放(する)かいほう	無事に解放される
☐	開放(する)かいほう	建物を開放する
☐	海洋かいよう	海洋調査
☐	概論がいろん	経済概論
☐	帰すかえ	人を帰す
☐	代えるか／替えるか／換えるか	電池を替える
☐	返るかえ	もとに返る
☐	家屋かおく	古い家屋
☐	香りかお	
☐	画家がか	有名な画家
☐	価格かかく	
☐	化学かがく	
☐	輝くかがや	夜空に輝く星
☐	係かかり	受付の係
☐	かかわる	国の安全にかかわる話
☐	書留かきとめ	書留で送る
☐	垣根かきね	隣の家との垣根
☐	限りかぎ	今月限りのセール
☐	限るかぎ	女性に限る
☐	嗅ぐか	においを嗅ぐ
☐	学がく	学がない
☐	架空かくう	架空の話
☐	覚悟(する)かくご	覚悟を決める
☐	各自かくじ	各自で考える
☐	確実(な)かくじつ	確実に起こる
☐	拡充(する)かくじゅう	サービスを拡充する
☐	学習(する)がくしゅう	
☐	学術がくじゅつ	学術的な価値
☐	隠すかく	
☐	各地かくち	各地で公演する
☐	拡張(する)かくちょう	機能を拡張する
☐	角度かくど	角度を測る
☐	学問がくもん	学問の道を選ぶ
☐	確率かくりつ	成功する確率
☐	学力がくりょく	学力を測る
☐	隠れるかく	壁の後ろに隠れる
☐	影／陰かげ	木の陰
☐	可決(する)かけつ	法案が可決される
☐	加減(する)かげん	量の加減が難しい
☐	下降(する)かこう	飛行機が下降する
☐	火口かこう	富士山の火口
☐	囲むかこ	
☐	火災かさい	火災が起こる
☐	重なるかさ	予定が重なる
☐	重ねるかさ	紙を重ねる
☐	飾りかざ	
☐	火山かざん	火山活動を続ける
☐	菓子かし	和菓子　菓子職人
☐	貸しか	お金の貸し借り
☐	家事かじ	家事に忙しい
☐	貸し出しかだ	
☐	過失かしつ	重大な過失
☐	果実かじつ	果実になる部分
☐	貸家かしや	貸家に住む
☐	歌手かしゅ	オペラ歌手
☐	箇所／個所かしょ	3箇所
☐	過剰(な)かじょう	過剰な反応
☐	かじる	りんごをかじる
☐	数かず	
☐	課税(する)かぜい	輸入品に課税する
☐	下線かせん	
☐	加速(する)かそく	スピードを加速する
☐	加速度かそくど	加速度をつける
☐	型かた	新しい型
☐	肩かた	肩に担ぐ
☐	方かた	初めて参加される方
☐	～方かた	行き方
☐	方々かたがた	お越しの方々
☐	刀かたな	おもちゃの刀を振り回す

113

N2レベルの「語彙」 グループ M

語	例
塊（かたまり）	▶大きな塊（おおきなかたまり）
固まる（かたまる）	▶一か所に固まる（いっしょにかたまる）
傾く（かたむく）	▶斜めに傾く（ななめにかたむく）
偏る（かたよる）	▶右に偏る（みぎにかたよる）
語る（かたる）	▶経験を語る（けいけんをかたる）
価値（かち）	▶作品の価値（さくひんのかち）
勝ち（かち）	
～がち	▶よく忘れがち（わすれがち）
学会（がっかい）	▶学会で発表する（がっかいではっぴょうする）
活気（かっき）	▶活気のある町（かっきのあるまち）
楽器（がっき）	▶楽器を弾く（がっきをひく）
学級（がっきゅう）	▶学級委員（がっきゅういいん）
担ぐ（かつぐ）	▶荷物を担ぐ（にもつをかつぐ）
かっこ［括弧］	▶かっこに言葉を入れる（ことばをいれる）
活字（かつじ）	▶活字離れの傾向（かつじばなれのけいこう）
活用（する）（かつよう）	▶データを活用する（かつようする）
活力（かつりょく）	▶生きる活力（いきるかつりょく）
仮定（する）（かてい）	▶仮定の話（かていのはなし）
課程（かてい）	▶専門課程（せんもんかてい）
過程（かてい）	▶生産過程（せいさんかてい）
仮名（かな）	▶かなで入力する（にゅうりょくする）
悲しむ（かなしむ）	
仮名遣い（かなづかい）	
鐘（かね）	▶鐘を鳴らす（かねをならす）
加熱（する）（かねつ）	▶強火で加熱する（つよびでかねつする）
兼ねる（かねる）	▶仕事と趣味を兼ねる（しごとしゅみをかねる）
可能（な）（かのう）	
過半数（かはんすう）	▶過半数を超える（かはんすうをこえる）
株（かぶ）	▶株式会社（かぶしきがいしゃ）
釜（かま）	▶釜で焼く（かまでやく）
上（かみ）	▶風上（かざかみ）
神（かみ）	▶神に祈る（かみにいのる）
紙くず（かみくず）	▶紙くずを捨てる（かみくずをすてる）
神様（かみさま）	▶神様にお願いする（かみさまにねがいする）
かみそり	▶かみそりでそる
雷（かみなり）	
ガム	(gum) ▶ガムを噛む（ガムをかむ）

語	例
（～）かもしれない	▶本当かもしれない（ほんとうかもしれない）
貨物（かもつ）	▶貨物列車（かもつれっしゃ）
歌謡（かよう）	▶歌謡番組（かようばんぐみ）
殻（から）	▶卵の殻（たまごのから）
空（から）	▶空の箱（からのはこ）
刈る（かる）	
かるた	▶かるたで遊ぶ（かるたであそぶ）
為替（かわせ）	▶外国為替（がいこくかわせ）
瓦（かわら）	▶屋根の瓦（やねのかわら）
代わる（かわる）	▶石油に代わるものを探す（せきゆにかわるものをさがす）
～刊（かん）	▶月刊（げっかん）
勘（かん）	▶勘違い（かんちがい）
～巻（かん）	▶全巻そろえる（ぜんかんそろえる）
～感（かん）	▶満足感（まんぞくかん）
缶（かん）	▶びんと缶（びんとかん）
～間（かん）	▶一年間（いちねんかん）
館（かん）	▶館内放送（かんないほうそう）
考え（かんがえ）	
感覚（かんかく）	▶指先の感覚（ゆびさきのかんかく）
間隔（かんかく）	▶短い間隔（みじかいかんかく）
換気（する）（かんき）	▶部屋の換気（へやのかんき）
観客（かんきゃく）	▶コンサートの観客（コンサートのかんきゃく）
環境（かんきょう）	
歓迎（する）（かんげい）	
感激（する）（かんげき）	▶プレゼントに感激する（かんげきする）
観光（する）（かんこう）	▶観光施設（かんこうしせつ） ▶京都を観光する（きょうとをかんこうする）
関西（かんさい）	▶関西地方（かんさいちほう）
観察（する）（かんさつ）	▶虫の観察（むしのかんさつ）
感じ（かんじ）	▶感じがいい（かんじがいい）
感情（かんじょう）	▶感情が豊か（かんじょうがゆたか）
関心（かんしん）	
関する（かんする）	▶事件に関する話（じけんにかんするはなし）
完成（する）（かんせい）	▶ビルの完成（ビルのかんせい）
完全（な）（かんぜん）	▶完全な文章（かんぜんなぶんしょう）
乾燥（する）（かんそう）	▶空気の乾燥（くうきのかんそう）
感想（かんそう）	▶映画の感想（えいがのかんそう）
観測（する）（かんそく）	▶月の観測（つきのかんそく）

グループM N2レベルの「語彙」

語	例
寒帯 (かんたい)	寒帯に属する国
勘違い(する) (かんちがい)	彼の勘違い
官庁 (かんちょう)	中央官庁
乾電池 (かんでんち)	乾電池を取り換える
関東 (かんとう)	関東地方
感動(する) (かんどう)	
監督 (かんとく)	監督の指示
観念(する) (かんねん)	時間の観念 / 善悪の観念
看病(する) (かんびょう)	
冠 (かんむり)	頭に冠をのせる
漢和 (かんわ)	漢和辞典

き

語	例
～期 (き)	初期
気圧 (きあつ)	高気圧
議員 (ぎいん)	
記憶(する) (きおく)	昔の記憶
器械 (きかい)	医療器械
議会 (ぎかい)	市議会
期間 (きかん)	
機関 (きかん)	公的な機関
機関車 (きかんしゃ)	蒸気機関車
企業 (きぎょう)	企業経営
飢饉 (ききん)	飢饉になる恐れ
器具 (きぐ)	実験器具
気候 (きこう)	日本の気候
記号 (きごう)	
岸 (きし)	岸にボートをつける
生地 (きじ)	洋服の生地
技師 (ぎし)	レントゲン技師
儀式 (ぎしき)	伝統的な儀式
起床 (きしょう)	6時起床
着せる (きせる)	服を着せる
基礎 (きそ)	
期待(する) (きたい)	日本チームへの期待
帰宅(する) (きたく)	
議長 (ぎちょう)	会議の議長
きっかけ	始めたきっかけ
気づく (きづく)	ミスに気づく
喫茶 (きっさ)	喫茶店
記念 (きねん)	
機能 (きのう)	便利な機能
基盤 (きばん)	産業基盤
基本 (きほん)	
決まり (きまり)	社内の決まり
気味 (きみ)	気味が悪い
～気味 (ぎみ)	風邪気味
奇妙(な) (きみょう)	奇妙な話
疑問 (ぎもん)	疑問に思う
客席 (きゃくせき)	客席で聴く
客間 (きゃくま)	客間に通す
キャプテン	(captain)
キャンプ	(camp)
球 (きゅう)	球技
級 (きゅう)	
旧 (きゅう)	旧校舎
休業(する) (きゅうぎょう)	店を休業する
急激(な) (きゅうげき)	急激な変化
休講 (きゅうこう)	
求婚(する) (きゅうこん)	求婚を受け入れる
吸収(する) (きゅうしゅう)	水を吸収する
休息 (きゅうそく)	休息の時間
急速(な) (きゅうそく)	急速な発展
急に (きゅうに)	急に呼ばれる
休養(する) (きゅうよう)	休養をとる
清い (きよい)	清い行い
～教 (きょう)	キリスト教
器用(な) (きよう)	器用な人
～行 (ぎょう)	2行目
教員 (きょういん)	学校の教員
強化(する) (きょうか)	防犯を強化する
境界 (きょうかい)	境界を越える
教科書 (きょうかしょ)	教科書を忘れる
競技(する) (きょうぎ)	屋内の競技

115

N2レベルの「語彙」 グループ M

- 共産～（きょうさん） ▶ 共産党（きょうさんとう）
- 行事（ぎょうじ）
- 強調（する）（きょうちょう） ▶ 強調して話す（きょうちょう　はな）
- 共通（な）（きょうつう） ▶ 共通の話題（きょうつう　わだい）
- 共同（きょうどう） ▶ 共同で使う（きょうどう　つか）
- 教養（きょうよう） ▶ 教養を身につける（きょうよう　み）
- 協力（する）（きょうりょく） ▶ 互いに協力する（たが　きょうりょく）
- 強力（な）（きょうりょく） ▶ 強力なつながり（きょうりょく）
- 漁業（ぎょぎょう） ▶ 漁業が盛んな町（ぎょぎょう　さか　まち）
- 局（きょく） ▶ 放送局（ほうそうきょく）
- 曲（きょく）
- 曲線（きょくせん） ▶ 曲線を描く（きょくせん　えが）
- 巨大（な）（きょだい） ▶ 巨大な船（きょだい　ふね）
- 距離（きょり）
- 嫌う（きらう） ▶ 人ごみを嫌う（ひと　きら）
- 気楽（な）（きらく）
- 霧（きり） ▶ 霧が出る（きり　で）
- 規律（きりつ） ▶ 規律を守る（きりつ　まも）
- ～きる ▶ 食べきる（た）
- ～切れ（きれ） ▶ 一切れのパン（ひとき）
- キロ （kilo：フランス語）
- 記録（する）（きろく）
- 議論（する）（ぎろん） ▶ 活発な議論（かっぱつ　ぎろん）
- 銀（ぎん）
- 金額（きんがく） ▶ 間違った金額を払う（まちが　きんがく　はら）
- 金魚（きんぎょ） ▶ 金魚を飼う（きんぎょ　か）
- 金庫（きんこ） ▶ 金庫にしまう（きんこ）
- 金銭（きんせん） ▶ 金銭感覚（きんせんかんかく）
- 金属（きんぞく）
- 近代（きんだい） ▶ 近代的な設備（きんだいてき　せつび）
- 筋肉（きんにく） ▶ 全身の筋肉を使う（ぜんしん　きんにく　つか）

く

- 句（く） ▶ 名詞句（めいしく）
- 区域（くいき） ▶ 危険区域（きけんくいき）
- 空～（くう） ▶ 空席（くうせき）
- 食う（くう） ▶ 飯を食う時間もない（めし　く　じかん）
- 空想（くうそう） ▶ 空想の世界（くうそう　せかい）
- 空中（くうちゅう） ▶ 空中を飛ぶ（くうちゅう　と）
- 釘（くぎ） ▶ 釘を打つ（くぎ　う）
- 区切る（くぎる） ▶ 3つに区切る（くぎ）
- 臭い（くさい） ▶ トイレが臭い（くさ）
- 鎖（くさり） ▶ 鎖でつなぐ（くさり）
- くし ▶ くしで髪をとく（かみ）
- 苦情（くじょう）
- 苦心（する）（くしん） ▶ 苦心して作る（くしん　つく）
- くず ▶ 紙くず（かみ）▶ くずかご
- 薬指（くすりゆび）
- 管（くだ） ▶ 細い管（ほそ　くだ）
- 具体（ぐたい） ▶ 具体的な案（ぐたいてき　あん）
- 砕く（くだく） ▶ 細かく砕く（こま　くだ）
- 砕ける（くだける） ▶ ガラスが砕ける（くだ）
- くたびれる ▶ 忙しくてくたびれる（いそが）
- ～口（ぐち） ▶ 駅の北口（えき　きたぐち）
- 苦痛（な）（くつう） ▶ 苦痛を感じる（くつう　かん）
- くっつく ▶ 壁にくっつく（かべ）
- 句読点（くとうてん） ▶ 句読点のつけ方（くとうてん　かた）
- 配る（くばる） ▶ プリントを配る（くば）
- 区分（くぶん） ▶ 土地の区分（とち　くぶん）
- 組（くみ） ▶ 二人一組で作業をする（ふたりひとくみ　さぎょう）
- 組合（くみあい） ▶ 労働組合（ろうどうくみあい）
- 組み合わせ（くみあわせ） ▶ 組み合わせを考える（く　あ　かんが）
- 汲む／酌む（くむ） ▶ 水を汲む（みず　く）▶ 酒を酌む（さけ　く）
- 組む（くむ）
- 位（くらい） ▶ 3つくらい
- 暮らし（くらし）
- クラシック （classic）
- 暮らす（くらす） ▶ 海外で暮らす（かいがい　く）
- グラフ （graph）
- グラム （gramme：フランス語）
- グランド （ground/grand）
- クリーム （cream）
- クリスマス （Christmas）
- 狂う（くるう） ▶ 時計が狂う（とけい　くる）▶ 気が狂いそう（き　くる）
- グループ （group）
- 苦しめる（くるしめる） ▶ 国民を苦しめる（こくみん　くる）
- 苦労（する）（くろう） ▶ 若いときの苦労（わか　くろう）

グループM　N2レベルの「語彙」

☐	くわえる	▶切符を口でくわえる	☐ 劇(げき)	▶おもしろい劇(げき)
☐	加(くわ)わる	▶メンバーに加(くわ)わる	☐ 劇場(げきじょう)	
☐	訓(くん)	▶訓読(くんよ)み	☐ 激増(げきぞう)(する)	▶被害(ひがい)が激増(げきぞう)する
☐	軍(ぐん)	▶軍隊(ぐんたい)	☐ 下水(げすい)	▶下水(げすい)の処理(しょり)
☐	郡(ぐん)	▶いくつかの郡(ぐん)に分(わ)かれる	☐ 桁(けた)	▶4桁(けた)の番号(ばんごう)
☐	軍隊(ぐんたい)	▶軍隊(ぐんたい)の訓練(くんれん)	☐ 下駄(げた)	▶下駄(げた)を履(は)く
☐	訓練(くんれん)(する)	▶訓練(くんれん)を受(う)ける	☐ 血圧(けつあつ)	▶血圧(けつあつ)が高(たか)い
け			☐ 血液(けつえき)	
☐	〜家(け)	▶田中家(たなかけ)・両家(りょうけ)	☐ 欠陥(けっかん)	▶欠陥品(けっかんひん)
☐	下(げ)	▶上巻(じょうかん)・下巻(げかん)	☐ 月給(げっきゅう)	▶月給(げっきゅう)15万円(まんえん)
☐	〜形/型(けい)	▶進行形(しんこうけい)・理想型(りそうけい)	☐ 傑作(けっさく)	▶最高傑作(さいこうけっさく)
☐	計(けい)	▶計(けい)20個(こ)	☐ 決心(けっしん)	▶決心(けっしん)がつく
☐	敬意(けいい)	▶相手(あいて)チームに敬意(けいい)を示(しめ)す	☐ 決定(けってい)(する)	
☐	契機(けいき)	▶活動(かつどう)を始(はじ)める契機(けいき)	☐ 欠点(けってん)	
☐	稽古(けいこ)(する)	▶舞台(ぶたい)の稽古(けいこ)をする	☐ 結論(けつろん)	▶結論(けつろん)が出(で)る
☐	敬語(けいご)	▶敬語(けいご)の使(つか)い方(かた)	☐ 気配(けはい)	▶気配(けはい)を感(かん)じる
☐	傾向(けいこう)	▶世(よ)の中(なか)の傾向(けいこう)	☐ 券(けん)	▶無料招待券(むりょうしょうたいけん)
☐	蛍光灯(けいこうとう)		☐ 〜権(けん)	▶投票権(とうひょうけん)
☐	警告(けいこく)(する)	▶違反者(いはんしゃ)に警告(けいこく)する	☐ 見解(けんかい)	▶個人的(こじんてき)な見解(けんかい)
☐	刑事(けいじ)	▶ドラマで刑事(けいじ)の役(やく)をする	☐ 限界(げんかい)	▶限界(げんかい)を感(かん)じる
☐	掲示(けいじ)(する)	▶掲示板(けいじばん)	☐ 謙虚(けんきょ)(な)	▶謙虚(けんきょ)な姿勢(しせい)
☐	形式(けいしき)	▶発表(はっぴょう)の形式(けいしき)	☐ 言語(げんご)	▶言語学(げんごがく)
☐	芸術(げいじゅつ)	▶芸術作品(げいじゅつさくひん)	☐ 健康(けんこう)(な)	
☐	毛糸(けいと)	▶毛糸(けいと)で編(あ)んだマフラー	☐ 原稿(げんこう)	▶原稿(げんこう)の締切(しめきり)
☐	経度(けいど)	▶緯度(いど)と経度(けいど)	☐ 原産(げんさん)	▶アジア原産(げんさん)の果物(くだもの)
☐	系統(けいとう)	▶同(おな)じ系統(けいとう)の植物(しょくぶつ)	☐ 原始(げんし)	▶原始的(げんしてき)な生活(せいかつ)
☐	芸能(げいのう)	▶芸能番組(げいのうばんぐみ)	☐ 研修(けんしゅう)	▶新人研修(しんじんけんしゅう)を受(う)ける
☐	競馬(けいば)		☐ 厳重(げんじゅう)(な)	▶厳重(げんじゅう)に管理(かんり)する
☐	警備(けいび)(する)	▶ビルの警備(けいび)	☐ 現象(げんしょう)	▶不思議(ふしぎ)な現象(げんしょう)
☐	経由(けいゆ)(する)	▶ソウル経由(けいゆ)バンコク行(い)き	☐ 現状(げんじょう)	▶現状(げんじょう)を伝(つた)える
☐	形容詞(けいようし)		☐ 建設(けんせつ)(する)	
☐	形容動詞(けいようどうし)		☐ 現代(げんだい)	▶現代(げんだい)の問題(もんだい)
☐	ケース	(case)▶専用(せんよう)のケースに入(い)れる ▶今回(こんかい)が初(はじ)めてのケース	☐ 建築(けんちく)(する)	▶和風建築(わふうけんちく)
☐	ゲーム	(game)	☐ 県庁(けんちょう)	▶県庁(けんちょう)で働(はたら)く
☐	外科(げか)	▶外科医(げかい)	☐ 限度(げんど)	▶限度(げんど)を越(こ)える
☐	毛皮(けがわ)	▶毛皮(けがわ)のコート	☐ 見当(けんとう)	▶見当(けんとう)をつける

117

N2レベルの「語彙」 グループ M

	語	例
☐	現に (げんに)	現にここにある
☐	現場 (げんば)	撮影現場
☐	顕微鏡 (けんびきょう)	顕微鏡で見る
☐	憲法 (けんぽう)	憲法を改正する
☐	懸命(な) (けんめい)	懸命に努力する
☐	原理 (げんり)	市場原理
☐	原料 (げんりょう)	コーラの原料

こ

	語	例
☐	～湖 (こ)	
☐	後 (ご)	一週間後
☐	碁 (ご)	碁を打つ
☐	語 (ご)	語と語の間
☐	小 (こ)	小型カメラ／小石／小部屋
☐	濃い (こい)	味が濃い
☐	恋しい (こいしい)	ふるさとが恋しい
☐	～校 (こう)	出身校
☐	～港 (こう)	貿易港
☐	～号 (ごう)	201号室
☐	工員 (こういん)	ベテランの工員
☐	幸運(な) (こううん)	幸運なできごと
☐	講演(する) (こうえん)	専門家の講演
☐	効果 (こうか)	薬の効果
☐	硬貨 (こうか)	100円硬貨
☐	高価(な) (こうか)	
☐	豪華(な) (ごうか)	豪華な船
☐	公害 (こうがい)	公害を防ぐ
☐	交換(する) (こうかん)	電池を交換する
☐	高級(な) (こうきゅう)	
☐	航空 (こうくう)	成田発の航空券
☐	光景 (こうけい)	不思議な光景
☐	工芸 (こうげい)	伝統工芸品
☐	攻撃(する) (こうげき)	敵を攻撃する
☐	孝行(する) (こうこう)	親孝行する
☐	広告 (こうこく)	雑誌の広告
☐	交差(する) (こうさ)	道が交差する
☐	講師 (こうし)	
☐	公式(な) (こうしき)	公式発表
☐	口実 (こうじつ)	欠席の口実
☐	校舎 (こうしゃ)	
☐	公衆 (こうしゅう)	公衆便所
☐	香水 (こうすい)	香水の香り
☐	公正(な) (こうせい)	公正な取引
☐	功績 (こうせき)	彼の功績
☐	光線 (こうせん)	レーザー光線
☐	高層 (こうそう)	高層ビル
☐	構造 (こうぞう)	機械の構造
☐	高速(な) (こうそく)	高速道路
☐	交替(する) (こうたい)	当番を交替する
☐	耕地 (こうち)	耕地に適している
☐	交通機関 (こうつうきかん)	公共交通機関で行く
☐	校庭 (こうてい)	校庭で遊ぶ
☐	高等(な) (こうとう)	高等技術
☐	行動(する) (こうどう)	一人で行動する／勝手な行動
☐	強盗 (ごうとう)	強盗に入られる
☐	合同 (ごうどう)	合同練習
☐	工場 (こうば)	町工場
☐	公表(する) (こうひょう)	売り上げを公表する
☐	鉱物 (こうぶつ)	鉱物資源
☐	公平(な) (こうへい)	公平な考え
☐	候補 (こうほ)	選挙の候補者
☐	公務 (こうむ)	公務員
☐	項目 (こうもく)	質問項目
☐	紅葉／紅葉 (こうよう／もみじ)	紅葉の季節
☐	合理的(な) (ごうりてき)	合理的な方法
☐	交流(する) (こうりゅう)	
☐	合流(する) (ごうりゅう)	二つの川が合流する
☐	コーチ	(coach)
☐	コート	(coat)
☐	コート	(court)
☐	コーラス	(chorus)
☐	語学 (ごがく)	語学が得意
☐	焦がす (こがす)	肉を焦がす
☐	故郷 (こきょう)	

グループM　N2レベルの「語彙」

□ ～国（こく）	▶関係国（かんけいこく）		□ 小指（こゆび）	
□ こぐ	▶ボートをこぐ		□ こらえる	▶言いたいことをこらえる
□ ごく	▶ごくわずか		□ 娯楽（ごらく）	
□ 国王（こくおう）	▶国王に就く（こくおう つ）		□ 転がす（ころ）	▶ボールを転がす（ころ）
□ 国籍（こくせき）	▶日本国籍（にほんこくせき）		□ 転がる（ころ）	
□ 黒板（こくばん）			□ 殺す（ころ）	
□ 国民（こくみん）	▶国民の支持（こくみん しじ）		□ 転ぶ（ころ）	▶道で転ぶ（みち ころ）
□ 穀物（こくもつ）	▶穀物の生産（こくもつ せいさん）		□ 今～（こん）	▶今学期（こんがっき）
□ 凍える（こご）	▶寒さで凍える（さむ こご）		□ 紺（こん）	▶紺色（こんいろ）
□ 心当たり（こころあ）	▶心当たりの店（こころあ みせ）		□ 今回（こんかい）	
□ 心得る（こころえ）	▶やり方は心得ている（かた こころえ）		□ コンクリート	（concrete）
□ 腰掛け（こしか）	▶腰掛けに座る（こしか すわ）		□ 今後（こんご）	▶今後の予定（こんご よてい）
□ 五十音（ごじゅうおん）	▶五十音順（ごじゅうおんじゅん）		□ 混合（こんごう）	▶男女混合のチーム（だんじょこんごう）
□ こしらえる	▶祖母がこしらえた着物（そぼ きもの）		□ 献立（こんだて）	▶夕食の献立（ゆうしょく こんだて）
□ 越す／超す（こ）	▶年を越す（とし こ）　▶時速300キロを超す（じそく こ）		□ 今度（こんど）	▶今度の会議（こんど かいぎ）
□ 越す「引っ越す」（こ ひ こ）	▶隣町に越す（となりまち こ）		□ 今日（こんにち）	▶今日の発展（こんにち はってん）
□ 固体（こたい）	▶固体と液体（こたい えきたい）		□ 婚約（こんやく）（する）	
□ 国家（こっか）	▶国家の安全（こっか あんぜん）		□ 混乱（こんらん）（する）	▶情報が混乱する（じょうほう こんらん）
□ 国会（こっかい）			**さ**	
□ 小遣い（こづか）			□ 差（さ）	▶あまり差がない（さ）
□ 国境（こっきょう）			□ サービス	（service）
□ コック	（kok：オランダ語）		□ 際（さい）	▶引っ越しの際（ひ こ さい）
□ 骨折（こっせつ）（する）			□ 在学（ざいがく）（する）	▶大学在学中（だいがくざいがくちゅう）
□ 古典（こてん）	▶古典文学（こてんぶんがく）		□ 最高（さいこう）	▶最高額（さいこうがく）　▶最高の選手（さいこう せんしゅ）
□ 琴（こと）	▶琴を弾く（こと ひ）		□ 再三（さいさん）	▶再三注意する（さいさんちゅうい）
□ ～毎（ごと）	▶3時間ごと（じかん）		□ 最終（さいしゅう）	▶最終手段（さいしゅうしゅだん）
□ 言付ける（ことづ）	▶伝言を言付ける（でんごん ことづ）		□ 催促（さいそく）（する）	▶返事を催促する（へんじ さいそく）
□ 異なる（こと）	▶それぞれ異なる（こと）		□ 最中（さいちゅう）	▶試合の最中（しあい さいちゅう）
□ 言葉遣い（ことばづか）			□ 最低（さいてい）（な）	▶最低な考え（さいてい かんが）　▶最低価格（さいていかかく）
□ ことわざ			□ 災難（さいなん）（な）	▶災難が起こる（さいなん お）
□ 粉（こな）	▶白い粉（しろ こな）　▶小麦粉（こむぎこ）		□ 才能（さいのう）	▶音楽の才能（おんがく さいのう）
□ ～込む（こ）	▶思い込む（おも こ）		□ 裁判（さいばん）（する）	
□ 込む／混む（こ）	▶道が込む（みち こ）		□ 裁縫（さいほう）（する）	
□ ゴム	（gom：オランダ語）		□ 材木（ざいもく）	▶材木を運ぶ（ざいもく はこ）
□ 小麦（こむぎ）			□ サイレン	（siren）
□ 込める（こ）	▶気持ちを込める（きも こ）		□ 幸い（さいわ）（な）	▶幸いなことに（さいわ）
□ 小屋（こや）			□ 境（さかい）	▶県境（けんざかい）

N2レベルの「語彙」 グループ M

語	例
□ 逆さま (さか)	▶上下逆さま (じょうげさか)
□ さかのぼる	▶川をさかのぼる (かわ)
□ 酒場 (さかば)	
□ 盛り (さか)	▶花の盛り (はな さか)
□ 先ほど (さき)	▶先ほどの話 (さき はなし)
□ 作業(する) (さぎょう)	▶組み立て作業 (く た さぎょう)
□ 裂く (さ)	▶布を裂く (ぬの さ)
□ 昨〜 (さく)	▶昨シーズン (さく)
□ 索引 (さくいん)	
□ 作者 (さくしゃ)	
□ 作成／作製 (さくせい／さくせい)	▶データを作成する (さくせい)
□ 作品 (さくひん)	
□ 作物 (さくもつ)	▶作物の種類を増やす (さくもつ しゅるい ふ)
□ 叫ぶ (さけ)	
□ 刺さる (さ)	▶針が刺さる (はり さ)
□ さじ	▶大さじ (おお)
□ 座敷 (ざしき)	▶座敷の部屋 (ざしき へや)
□ 差し引く (さ ひ)	▶税金を差し引く (ぜいきん さ ひ)
□ 刺身 (さしみ)	▶新鮮な魚の刺身 (しんせん さかな さしみ)
□ 刺す／差す／指す／挿す／注す／射す	▶針で刺す (はり さ) ▶指で指す (ゆび さ) ▶光が射す (ひかり さ)
□ さすが	▶さすがに上手だ (じょうず)
□ 雑音 (ざつおん)	▶雑音が入る (ざつおん はい)
□ 作家 (さっか)	
□ 作曲 (さっきょく)	
□ さっさと	▶さっさと終わらせる (お)
□ 早速 (さっそく)	▶早速始める (さっそく はじ)
□ 砂漠 (さばく)	
□ さび	▶自転車のさび (じてんしゃ)
□ 座布団 (ざぶとん)	▶座布団を敷く (ざぶとん し)
□ 差別(する) (さべつ)	▶差別をなくす (さべつ)
□ 作法 (さほう)	▶礼儀作法 (れいぎさほう)
□ 覚ます (さ)	▶目を覚ます (め さ)
□ 妨げる (さまた)	▶通行を妨げる (つうこう さまた)
□ 覚める (さ)	▶目が覚める (め さ)
□ 左右 (さゆう)	▶左右対称 (さゆうたいしょう)
□ 猿 (さる)	
□ 去る (さ)	▶この場から去る (ば さ)
□ 〜山 (さん)	▶富士山 (ふじさん)
□ 〜産 (さん)	▶アメリカ産 (さん)
□ 三角 (さんかく)	▶三角形 (さんかっけい)
□ 参考 (さんこう)	▶参考にする (さんこう)
□ 酸性 (さんせい)	▶酸性の洗剤 (さんせい せんざい)
□ 酸素 (さんそ)	▶酸素不足 (さんそぶそく)
□ 産地 (さんち)	▶野菜の産地 (やさい さんち)
□ 山林 (さんりん)	▶山林の木を切る (さんりん き き)

し

□ 〜史 (し)	▶日本史 (にほんし)
□ 氏 (し)	
□ 〜紙 (し)	▶新聞紙 (しんぶんし)
□ 詩 (し)	
□ 〜寺 (じ)	▶東大寺 (とうだいじ)
□ 幸せ (しあわ)	
□ シーツ	
□ 寺院 (じいん)	
□ 自衛 (じえい)	▶自衛隊 (じえいたい)
□ ジェット機 (き)	(jet)
□ 司会 (しかい)	
□ 四角 (しかく)	
□ 四角い／四角な (しかく／しかく)	▶四角いテーブル (しかく)
□ 直に (じか)	▶直に伝える (じか つた)
□ 四季 (しき)	
□ 式 (しき)	
□ 時期 (じき)	
□ じき	▶じきによくなる
□ 敷地 (しきち)	▶学校の敷地内 (がっこう しきちない)
□ しきりに	▶しきりに話す (はな)
□ 刺激 (しげき)	▶強い刺激 (つよ しげき)
□ 事件 (じけん)	▶事件を解決する (じけん かいけつ)
□ 自殺(する) (じさつ)	
□ 磁石 (じしゃく)	
□ 四捨五入 (ししゃごにゅう)	
□ 始終 (しじゅう)	▶始終文句を言う (しじゅうもんく い)
□ 事情 (じじょう)	▶事情を話す (じじょう はな)

グループ M　N2レベルの「語彙」

□ 詩人（しじん）	
□ 自信（じしん）	▶自信がない
□ 自身（じしん）	▶自分自身
□ 自然(に)（しぜん）	▶自然によくなる
□ 自然科学（しぜんかがく）	
□ 思想（しそう）	
□ 子孫（しそん）	▶子孫
□ 舌（した）	
□ 死体（したい）	
□ 事態（じたい）	▶困った事態
□ 自宅（じたく）	
□ 下町（したまち）	
□ 自治（じち）	▶地方自治　▶自治会
□ ～室（しつ）	▶会議室
□ 質（しつ）	▶質が高い
□ ～日（じつ）	▶平日
□ 室～（しつ）	▶室内
□ 実感(する)（じっかん）	▶実感がわく
□ 湿気（しっけ）	▶湿気が多い
□ 実験(する)（じっけん）	
□ 実現(する)（じつげん）	▶夢が実現する
□ 実際（じっさい）	▶実際のできごと
□ 実習(する)（じっしゅう）	▶教育実習
□ 実績（じっせき）	▶実績を積む
□ 湿度（しつど）	
□ 実は（じつは）	
□ 執筆(する)（しっぴつ）	▶小説を執筆する
□ 実物（じつぶつ）	▶実物を使う
□ 失望(する)（しつぼう）	▶現実に失望する
□ 実用（じつよう）	▶実用性が低い
□ 実力（じつりょく）	▶実力をつける
□ 実例（じつれい）	▶実例で説明する
□ 失恋(する)（しつれん）	
□ 指導(する)（しどう）	▶学生を指導する
□ 自動（じどう）	▶自動で動く
□ 品（しな）	▶品数が豊富
□ 支配(する)（しはい）	▶国を支配する
□ 芝居(する)（しばい）	▶芝居を見る
□ しばしば	▶しばしば起こる
□ 芝生（しばふ）	
□ 縛る（しばる）	▶ひもで縛る
□ 地盤（じばん）	▶固い地盤
□ 死亡（しぼう）	
□ しぼむ	▶風船がしぼむ
□ しまい「終わり」	▶今日はこれでおしまいです。
□ しまった	▶しまった。帽子を忘れた。
□ 氏名（しめい）	▶氏名を書く
□ しめた。	▶しめた。今のうちに帰ろう。
□ 地面（じめん）	▶地面に置く
□ 下（しも）	▶風下（かざしも）
□ 霜（しも）	
□ ～社（しゃ）	▶約30社が参加
□ ～車（しゃ）	▶輸入車
□ ジャーナリスト	(journalist)
□ 社会科学（しゃかいかがく）	
□ しゃがむ	▶道にしゃがむ
□ 弱点（じゃくてん）	▶自分の弱点
□ 車庫（しゃこ）	▶車庫に入れる
□ 写生（しゃせい）	
□ 社説（しゃせつ）	▶新聞の社説
□ シャッター	(shutter)
□ 車道（しゃどう）	
□ しゃぶる	▶指をしゃぶる
□ しゃべる	
□ 車輪（しゃりん）	▶自転車の車輪
□ 洒落（しゃれ）	▶おしゃれをする
□ じゃんけん	
□ ～手（しゅ）	▶運転手
□ ～酒（しゅ）	▶日本酒
□ 州（しゅう）	▶フロリダ州
□ ～集（しゅう）	▶詩集
□ 重～（じゅう）	▶重工業
□ ～重（じゅう）	▶二重のチェック
□ 銃（じゅう）	

121

N2レベルの「語彙」 グループM

～中（じゅう）	日本中（にほんじゅう）		主役（しゅやく）	劇の主役（げきのしゅやく）
周囲（しゅうい）	周囲を見る（しゅういをみる）		主要（な）（しゅよう）	主要な人物（しゅようなじんぶつ）
集会（しゅうかい）			種類（しゅるい）	
住居（じゅうきょ）	住居の跡（じゅうきょのあと）		受話器（じゅわき）	
宗教（しゅうきょう）			順（じゅん）	順に並ぶ（じゅんにならぶ）
集金（する）（しゅうきん）			瞬間（しゅんかん）	勝利の瞬間（しょうりのしゅんかん）
習字（しゅうじ）	習字を習う（しゅうじをならう）		循環（じゅんかん）	血液の循環（けつえきのじゅんかん）
修正（する）（しゅうせい）	内容を修正する（ないようをしゅうせいする）		巡査（じゅんさ）	
修繕（する）（しゅうぜん）	家を修繕する（いえをしゅうぜんする）		順々（じゅんじゅん）	順々に回る（じゅんじゅんにまわる）
渋滞（する）（じゅうたい）			順序（じゅんじょ）	順序よく並ぶ（じゅんじょよくならぶ）
重体（じゅうたい）	事故で女性が重体になる（じこでじょせいがじゅうたいになる）		純情（な）（じゅんじょう）	純情な若者（じゅんじょうなわかもの）
重大（な）（じゅうだい）	重大な発表（じゅうだいなはっぴょう）		順調（な）（じゅんちょう）	順調に進む（じゅんちょうにすすむ）
住宅（じゅうたく）	住宅地域（じゅうたくちいき）		順番（じゅんばん）	順番がくる（じゅんばんがくる）
集団（しゅうだん）	若者の集団（わかもののしゅうだん）		助～（じょ）	助監督（じょかんとく）
集中（する）（しゅうちゅう）	勉強に集中する（べんきょうにしゅうちゅうする）		～女（じょ）	長女（ちょうじょ）・次女（じじょ）・三女（さんじょ）
重点（じゅうてん）	重点的に学ぶ（じゅうてんてきにまなぶ）		初～（しょ）	初回（しょかい）
就任（する）（しゅうにん）	社長に就任する（しゃちょうにしゅうにんする）		諸～（しょ）	諸国（しょこく）
周辺（しゅうへん）	学校周辺（がっこうしゅうへん）		女～（じょ）	女王（じょおう）
住民（じゅうみん）			～所（じょ）	休憩所（きゅうけいじょ）
重役（じゅうやく）	重役会議（じゅうやくかいぎ）		～勝（しょう）	3勝1敗（さんしょういっぱい）
重要（な）（じゅうよう）	重要な会議（じゅうようなかいぎ）		～商（しょう）	宝石商（ほうせきしょう）
修理（する）（しゅうり）			小（しょう）	大小（だいしょう）
重量（じゅうりょう）	重量を量る（じゅうりょうをはかる）		省～（しょう）	省電力（しょうでんりょく）
重力（じゅうりょく）			～省（しょう）	文部科学省（もんぶかがくしょう）
主義（しゅぎ）	民主主義（みんしゅしゅぎ）		章（しょう）	第一章（だいいっしょう）
熟語（じゅくご）			賞（しょう）	
主語（しゅご）			上（じょう）	上下（じょうげ）
首相（しゅしょう）			～場（じょう）	運動場（うんどうじょう）
主人（しゅじん）			～状（じょう）	招待状（しょうたいじょう）
手段（しゅだん）			～畳（じょう）	6畳の部屋（ろくじょうのへや）
主張（する）（しゅちょう）	主張を述べる（しゅちょうをのべる）		障害（しょうがい）	通信障害（つうしんしょうがい）
出勤（する）（しゅっきん）	出勤時間を早める（しゅっきんじかんをはやめる）		しょうがない	文句を言ってもしょうがない（もんくをいってもしょうがない）
述語（じゅつご）			将棋（しょうぎ）	
出張（する）（しゅっちょう）			蒸気（じょうき）	
首都（しゅと）			乗客（じょうきゃく）	
寿命（じゅみょう）			上級（じょうきゅう）	上級の日本語（じょうきゅうのにほんご）
			商業（しょうぎょう）	商業的に成功する（しょうぎょうてきにせいこうする）

グループM　N2レベルの「語彙」

上京（する） じょうきょう	▶18歳で上京した 　　さい　じょうきょう
状況 じょうきょう	▶状況の変化 　じょうきょう　へんか
賞金 しょうきん	
上下 じょうげ	▶上下を逆にする 　じょうげ　ぎゃく
正午 しょうご	
障子 しょうじ	▶障子を閉める 　しょうじ　し
常識 じょうしき	
商社 しょうしゃ	▶商社に勤める 　しょうしゃ　つと
乗車（する） じょうしゃ	▶あの電車に乗車する 　　でんしゃ　じょうしゃ
小数 しょうすう	
状態 じょうたい	▶けがの状態 　　　じょうたい
商店 しょうてん	▶商店街 　しょうてんがい
焦点 しょうてん	▶焦点が合わない 　しょうてん　あ
上等（な） じょうとう	▶上等な服 　じょうとう　ふく
消毒（する） しょうどく	
商人 しょうにん	
承認（する） しょうにん	▶資格を承認する 　しかく　しょうにん
勝敗 しょうはい	▶勝敗を予想する 　しょうはい　よそう
蒸発（する） じょうはつ	▶水が蒸発する 　みず　じょうはつ
賞品 しょうひん	
勝負（する） しょうぶ	▶勝負をつける 　しょうぶ
小便 しょうべん	
消防 しょうぼう	▶消防自動車 　しょうぼうじどうしゃ
消防署 しょうぼうしょ	
正味 しょうみ	▶正味5時間 　しょうみ　じかん
消耗（する） しょうもう	▶体力を消耗する 　たいりょく　しょうもう
省略（する） しょうりゃく	▶説明を省略する 　せつめい　しょうりゃく
女王 じょおう	
職 しょく	▶職に就く 　しょく　つ
～色 しょく	
食塩 しょくえん	▶普通の食塩 　ふつう　しょくえん
職業 しょくぎょう	
食卓 しょくたく	▶食卓を囲む 　しょくたく　かこ
職人 しょくにん	▶時計職人 　とけいしょくにん
食物 しょくもつ	
食欲 しょくよく	
食料／食糧 しょくりょう　しょくりょう	▶食料を援助する 　しょくりょう　えんじょ
書斎 しょさい	
女子 じょし	
助手 じょしゅ	▶助手を雇う 　じょしゅ　やと
書籍 しょせき	
ショップ	(shop)
書店 しょてん	
書道 しょどう	▶書道を習う 　しょどう　なら
初歩 しょほ	▶初歩的なミス 　しょほてき
書物 しょもつ	▶古い書物 　ふる　しょもつ
女優 じょゆう	
書類 しょるい	
知らせ し	▶いい知らせ 　　　し
汁 しる	
印 しるし	
城 しろ	
素人 しろうと	▶素人の作品 　しろうと　さくひん
芯 しん	▶シャーペンの芯 　　　　　　しん
真空 しんくう	▶真空パック 　しんくう
神経 しんけい	▶神経を使う 　しんけい　つか
真剣（な） しんけん	▶真剣に取り組む 　しんけん　と　く
信仰（する） しんこう	
深刻（な） しんこく	▶深刻な話 　しんこく　はなし
人事 じんじ	▶会社の人事 　かいしゃ　じんじ
人種 じんしゅ	
心身 しんしん	▶心身ともに健康 　しんしん　　　けんこう
新鮮（な） しんせん	▶新鮮な魚 　しんせん　さかな
心臓 しんぞう	
人造 じんぞう	▶人造のダイヤ 　じんぞう
身体 しんたい	
診断（する） しんだん	▶健康診断 　けんこうしんだん
身長 しんちょう	▶身長を計る 　しんちょう　はか
侵入（する） しんにゅう	▶侵入を防ぐ 　しんにゅう　ふせ
審判 しんぱん	
人物 じんぶつ	▶人物を描く 　じんぶつ　えが
人文科学 じんぶんかがく	
人命 じんめい	▶人命救助 　じんめいきゅうじょ
深夜 しんや	

N2レベルの「語彙」 グループM

- 心理（しんり） ▶人間の心理（にんげん しんり）
- 森林（しんりん）
- 人類（じんるい）
- 針路（しんろ） ▶南に針路をとる（みなみ しんろ）
- 神話（しんわ） ▶ギリシャ神話（しんわ）

す

- 酢（す）
- 巣（す） ▶鳥の巣（とり す）
- 図（ず）
- 水産（すいさん） ▶水産業（すいさんぎょう）
- 炊事（すいじ） ▶炊事・洗濯（すいじ せんたく）
- 水準（すいじゅん） ▶教育水準（きょういくすいじゅん）
- 水蒸気（すいじょうき）
- 水素（すいそ）
- 垂直（な）（すいちょく） ▶垂直に立てる（すいちょく た）
- 推定（する）（すいてい） ▶推定の数（すいてい かず）
- 水滴（すいてき） ▶グラスの水滴（すいてき）
- 水筒（すいとう）
- 随筆（ずいひつ） ▶随筆を書く（ずいひつ か）
- 水分（すいぶん） ▶水分をとる（すいぶん）
- 水平（な）（すいへい）
- 水平線（すいへいせん）
- 水面（すいめん） ▶水面に浮かぶ（すいめん う）
- 末（すえ） ▶末の妹（すえ いもうと） ▶考えた末（かんが すえ）
- スカーフ
- 姿（すがた） ▶後ろ姿（うし すがた）
- 図鑑（ずかん）
- 隙（すき） ▶隙がある（すき）
- 杉（すぎ） ▶杉の木（すぎ き）
- 好き嫌い（すききら） ▶食べ物の好き嫌い（た もの すききら）
- 好き好き（すきず） ▶好き好きがある（すきず）
- 透き通る（すきとお） ▶透き通った水（すきとお みず）
- 隙間（すきま） ▶壁と棚の隙間（かべ たな すきま）
- 救う（すく）
- 少なくとも（すく） ▶少なくとも5個（すく こ）
- 優れる（すぐ） ▶優れた選手（すぐ せんしゅ）
- 図形（ずけい）
- スケート（skate）
- 少しも（すこ）
- 過ごす（す） ▶時間を過ごす（じかん す）
- 筋（すじ） ▶首筋（くびすじ）
- 鈴（すず） ▶鈴が鳴る（すず な）
- 涼む（すず） ▶部屋で涼む（へや すず）
- 勧める（すす） ▶進学を勧める（しんがく すす）
- 進める（すす） ▶話を進める（はなし すす）
- スター（star）
- スタート（start）
- スタンド（stand） ▶観客スタンド（かんきゃくスタンド） ▶電気スタンド（でんき）
- すっと ▶すっと立つ（た）
- 既に（すで） ▶既に終える（すで お）
- ストッキング（stocking）
- ストップ（stop）
- 頭脳（ずのう）
- スピーカー（speaker）
- スピーチ（speach）
- 図表（ずひょう）
- すまない ▶本当にすまないと思う（ほんとう おも）
- 墨（すみ） ▶墨でかく（すみ）
- ～済み（ず） ▶予約済み（よやくず）
- 澄む／清む（す） ▶澄んだ水（す みず）
- 相撲（すもう）
- スライド（slide）
- 寸法（すんぽう） ▶寸法を測る（すんぽう はか）

せ

- せい ▶彼のせいで失敗した（かれ しっぱい）
- 姓（せい）
- ～性（せい） ▶可能性（かのうせい）
- 正（せい） ▶正社員（せいしゃいん）
- 生（せい） ▶生と死（せい し）
- 税（ぜい） ▶税を納める（ぜい おさ）
- 性格（せいかく）
- 税関（ぜいかん）
- 税金（ぜいきん）
- 清潔（な）（せいけつ） ▶清潔な部屋（せいけつ へや）
- 製作／制作（せいさく） ▶部品の製作（ぶひん せいさく） ▶アニメの制作（せいさく）

グループM　N2レベルの「語彙」

□ 正式(な)　せいしき	▶正式に認める　せいしき みと	□ 迫る　せま	▶締切が迫る　しめきり せま
□ 性質　せいしつ	▶燃えやすい性質　も せいしつ	□ 攻める　せ	
□ 清書(する)　せいしょ	▶書類を清書する　しょるい せいしょ	□ セメント	(cement)
□ 青少年　せいしょうねん		□ 台詞　せりふ	▶劇のせりふ　げき
□ 精神　せいしん	▶精神と肉体　せいしん にくたい	□ ～戦　せん	▶決勝戦　けっしょうせん
□ 成人　せいじん		□ 栓　せん	▶栓を抜く　せん ぬ
□ 整数　せいすう		□ ～船　せん	▶漁船　ぎょせん
□ 清掃(する)　せいそう	▶清掃作業　せいそう さぎょう	□ ～前　ぜん	▶使用前　しようぜん
□ 生存(する)　せいぞん	▶生存者　せいぞんしゃ	□ 善　ぜん	▶善と悪　ぜん あく
□ 制度　せいど	▶税制度　ぜいせいど	□ 全員　ぜんいん	
□ 政党　せいとう		□ 選挙(する)　せんきょ	▶市長を選ぶ選挙　しちょう えら せんきょ
□ 青年　せいねん		□ 前後　ぜんご	▶お祭りの前後　まつ ぜんご
□ 生年月日　せいねんがっぴ		□ 全国　ぜんこく	▶日本全国を旅する　にほんぜんこく たび
□ 整備(する)　せいび	▶車の整備　くるま せいび	□ 選手　せんしゅ	▶サッカー選手　せんしゅ
□ 政府　せいふ		□ 全集　ぜんしゅう	▶日本文学全集　にほんぶんがくぜんしゅう
□ 生物　せいぶつ		□ 前進　ぜんしん	▶プロジェクトが前進する　ぜんしん
□ 成分　せいぶん	▶食品の成分　しょくひん せいぶん	□ 全身　ぜんしん	▶全身で感じる　ぜんしん かん
□ 性別　せいべつ		□ 扇子　せんす	
□ 正方形　せいほうけい		□ 専制　せんせい	▶専制政治　せんせいせいじ
□ 正門　せいもん		□ 先祖　せんぞ	▶先祖にお祈りする　せんぞ いの
□ 成立(する)　せいりつ	▶取り引きが成立する　と ひ せいりつ	□ センター	(center)
□ 西暦　せいれき	▶西暦2014年　せいれき ねん	□ 先端　せんたん	▶先端技術　せんたんぎじゅつ
□ 背負う　せお	▶リュックを背負う　せお	□ 先頭　せんとう	▶先頭を走る　せんとう はし
□ 咳　せき		□ 全般　ぜんぱん	▶社会全般の傾向　しゃかいぜんぱん けいこう
□ ～隻　せき	▶3隻の船　せき ふね	□ 扇風機　せんぷうき	
□ 石炭　せきたん		□ 洗面　せんめん	▶洗面所　せんめんじょ
□ 赤道　せきどう		□ 全力　ぜんりょく	▶全力で助ける　ぜんりょく たす
□ 責任　せきにん	▶失敗の責任をとる　しっぱい せきにん	**そ**	
□ 石油　せきゆ		□ ～沿い　ぞい	▶川沿いの公園　かわぞい こうえん
□ 世間　せけん	▶世間の反応　せけん はんのう	□ そう	▶そう思う　おも
□ 説　せつ	▶新たな説　あら せつ	□ 沿う／添う　そ	▶希望に沿う部屋　きぼう そ へや
□ 接近(する)　せっきん	▶台風が接近する　たいふう せっきん	□ ～艘　そう	▶一艘の船　いっそう ふね
□ 接する　せっ	▶壁に接する　かべ せっ	□ 象　ぞう	
□ 絶対(に)　ぜったい	▶絶対に勝つ　ぜったい か	□ 像　ぞう	▶像を映す　ぞう うつ
□ セット	(set)	□ 相違　そうい	▶相違がみられる　そうい
□ 設備　せつび	▶マンションの設備　せつび	□ 騒音　そうおん	
□ 絶滅　ぜつめつ	▶絶滅のおそれ　ぜつめつ	□ 増減　ぞうげん	

N2レベルの「語彙」 グループM

- 倉庫（そうこ）
- 相互（そうご） ▶相互に協力し合う
- 葬式（そうしき）
- 造船（ぞうせん）
- 想像（そうぞう）
- 相続(する)（そうぞく） ▶土地を相続する
- 増大(する)（ぞうだい） ▶不満が増大する
- 装置（そうち） ▶安全装置を取り付ける
- 送別（そうべつ）
- 草履（ぞうり） ▶草履をはく
- 総理大臣（そうりだいじん）
- ～足（そく） ▶靴を2足買う
- 続々（ぞくぞく） ▶続々と現れる
- 速度（そくど）
- 測量（そくりょう）
- 底（そこ）
- 素質（そしつ） ▶画家の素質がある
- 祖先（そせん） ▶人間の祖先
- 率直(な)（そっちょく） ▶率直な意見
- 備える（そなえる） ▶災害に備える
- その頃（そのころ）
- そのため
- そのほか
- そのまま
- 粗末（そまつ） ▶粗末な食事
- 夫々／其々（それぞれ）
- それなら
- それる ▶ボールがそれる
- そろばん ▶そろばんを習う
- 損害（そんがい） ▶損害を受ける
- 存在（そんざい）
- 存じる／存ずる（ぞんじる／ぞんずる）
- 損得（そんとく）

た
- 他（た） ▶その他の注意点
- 田／田んぼ（た） ▶田植え
- 対（たい） ▶日本対カナダの試合
- 台（だい） ▶物を置く台
- 大（だい）
- 題（だい） ▶作文の題(名)
- 第～（だい）
- 体温（たいおん）
- 大会（たいかい）
- 大学院（だいがくいん）
- 大気（たいき） ▶大気の状態
- 大工（だいく）
- 退屈(な)（たいくつ） ▶退屈な話
- 体系（たいけい） ▶法律の体系
- 太鼓（たいこ） ▶和太鼓
- 滞在(する)（たいざい） ▶ホテルに滞在する
- 対策(する)（たいさく） ▶かぜの予防対策
- 大使（たいし）
- 大小（だいしょう） ▶大小さまざま
- 大臣（だいじん）
- 対する（たいする） ▶日本に対する見方
- 体制（たいせい） ▶社会体制
- 体積（たいせき）
- 大戦（たいせん） ▶第二次世界大戦
- 体操(する)（たいそう）
- 大層（たいそう） ▶大層喜んでいた
- 大統領（だいとうりょう）
- 大部分（だいぶぶん）
- 大分（だいぶ） ▶大分よくなった
- 逮捕(する)（たいほ）
- 大木（たいぼく）
- 題名（だいめい）
- 代名詞（だいめいし）
- ダイヤ (diagram/diamond)
- ダイヤモンド (diamond)
- ダイヤル (dial)
- 平ら(な)（たいら） ▶平らな道
- 代理（だいり） ▶社長の代理
- 大陸（たいりく） ▶アメリカ大陸
- 田植え（たうえ）
- 絶えず（たえず） ▶絶えず不満を言う

グループM N2レベルの「語彙」

- ☐ 楕円(だえん)
- ☐ 高める(たかめる)
- ☐ 耕す(たがやす) ▶田を耕す(たをたがやす)
- ☐ 宝(たから)
- ☐ 滝(たき)
- ☐ 炊く(たく) ▶ご飯を炊く(ごはんをたく)
- ☐ 宅(たく) ▶お宅のご住所(おたくのごじゅうしょ)
- ☐ 竹(たけ)
- ☐ 確か(な)(たしか) ▶確かな情報(たしかなじょうほう)
- ☐ 助かる(たすかる)
- ☐ 助ける(たすける)
- ☐ ただ ▶ただ残念だ(ただざんねんだ)
- ☐ 戦い(たたかい)
- ☐ 戦う(たたかう)
- ☐ 直ちに(ただちに) ▶直ちに連絡する(ただちにれんらくする)
- ☐ 立場(たちば) ▶利用者の立場(りようしゃのたちば)
- ☐ 経つ(たつ) ▶時間が経つ(じかんがたつ)
- ☐ 建つ(たつ)
- ☐ 発つ(たつ) ▶朝5時に発つ(あさ5じにたつ)
- ☐ 脱する(だっする) ▶危機を脱する(ききをだっする)
- ☐ 脱線(する)(だっせん)
- ☐ たった ▶たった3個(たった3こ)
- ☐ 妥当(な)(だとう) ▶妥当なやり方(だとうなやりかた)
- ☐ 例え(たとえ)
- ☐ 例える(たとえる) ▶動物に例える(どうぶつにたとえる)
- ☐ 谷(たに)
- ☐ 種(たね) ▶種を植える(たねをうえる)
- ☐ 頼もしい(たのもしい) ▶頼もしい後輩(たのもしいこうはい)
- ☐ 束(たば) ▶花束(はなたば) ▶札束(さつたば)
- ☐ 足袋(たび) ▶足袋をはく(たびをはく)
- ☐ 度(たび) ▶会う度(あうたび)
- ☐ 旅(たび) ▶旅の出会い(たびのであい)
- ☐ 度々(たびたび) ▶度々起こる(たびたびおこる)
- ☐ ダブル (double)
- ☐ 玉/弾/球(たま) ▶ガラス玉(ガラスだま) ▶鉄砲の弾(てっぽうのたま) ▶速い球(はやいたま)
- ☐ 偶(たまたま) ▶偶に会う(たまたまにあう)
- ☐ たまらない ▶たまらないおいしさ

- ☐ ダム (dam)
- ☐ 試し(ためし) ▶試しに飲んでみる(ためしにのんでみる)
- ☐ 便り(たより) ▶ずっと便りがない(ずっとたよりがない)
- ☐ 頼る(たよる) ▶親に頼る(おやにたよる)
- ☐ ～だらけ ▶ほこりだらけの部屋(ほこりだらけのへや)
- ☐ 足る(たる) ▶信じるに足る(しんじるにたる)
- ☐ 段(だん) ▶上の段に置く(うえのだんにおく)
- ☐ 短～(たん) ▶短時間(たんじかん)
- ☐ 段階(だんかい) ▶初期の段階(しょきのだんかい)
- ☐ 短期(たんき)
- ☐ 炭鉱(たんこう) ▶炭鉱の町(たんこうのまち)
- ☐ 男子(だんし) ▶男子学生(だんしがくせい)
- ☐ 短所(たんしょ) ▶短所を直す(たんしょをなおす)
- ☐ たんす
- ☐ ダンス (dance)
- ☐ 淡水(たんすい) ▶淡水魚(たんすいぎょ)
- ☐ 断水(する)(だんすい) ▶停電や断水(ていでんやだんすい)
- ☐ 単数(たんすう) ▶名詞の単数形(めいしのたんすうけい)
- ☐ 団地(だんち) ▶郊外の団地(こうがいのだんち)
- ☐ 断定(する)(だんてい) ▶犯人と断定する(はんにんとだんていする)
- ☐ 単なる(たんなる) ▶単なるうわさ(たんなるうわさ)
- ☐ 単に(たんに) ▶単に知りたかっただけ(たんにしりたかっただけ)
- ☐ 短編(たんぺん) ▶短編小説(たんぺんしょうせつ)

ち
- ☐ 地(ち) ▶建設予定地(けんせつよていち)
- ☐ 地位(ちい) ▶高い地位を得る(たかいちいをえる)
- ☐ 地域(ちいき) ▶地域社会(ちいきしゃかい)
- ☐ チーム (team)
- ☐ 知恵(ちえ) ▶知恵を与える(ちえをあたえる)
- ☐ 違い(ちがい)
- ☐ 違いない(ちがいない)
- ☐ 誓う(ちかう) ▶永遠の愛を誓う(えいえんのあいをちかう)
- ☐ 近頃(ちかごろ) ▶近頃の若者(ちかごろのわかもの)
- ☐ 地下水(ちかすい)
- ☐ 近々(ちかぢか) ▶近々結婚する(ちかぢかけっこんする)
- ☐ 近付く(ちかづく) ▶危険な場所に近づく(きけんなばしょにちかづく)
- ☐ 近付ける(ちかづける)

N2レベルの「語彙」 グループ M

- 近寄る（ちかよる）
- 力強い（ちからづよい）
- 地球（ちきゅう）
- ちぎる ▶小さくちぎって食べる
- 地区（ちく） ▶4つの地区に分ける
- 知事（ちじ）
- 知識（ちしき）
- 地質（ちしつ） ▶地質を調査する
- 知人（ちじん） ▶友人・知人
- 地帯（ちたい） ▶工業地帯
- 父親（ちちおや）
- 縮める（ちぢめる） ▶期間を縮める
- 縮れる（ちぢれる） ▶ちぢれた髪の毛
- チップ （chip/tip）
- 地点（ちてん） ▶出発地点
- 知能（ちのう） ▶高度な知能
- 地平線（ちへいせん）
- 地方（ちほう） ▶地方の言葉や文化
- 地名（ちめい） ▶変わった地名
- 〜着（ちゃく） ▶スーツ1着
- 〜着「着く」（ちゃく） ▶大阪着の特急
- 注（ちゅう） ▶注を付ける
- 中央（ちゅうおう）
- 中間（ちゅうかん） ▶中間地点
- 抽象（ちゅうしょう） ▶抽象的な表現
- 中心（ちゅうしん）
- 中世（ちゅうせい） ▶中世の建物
- 中性（ちゅうせい） ▶酸性・中性 ▶中性的な顔
- 中途（ちゅうと） ▶中途でやめる
- 中年（ちゅうねん） ▶中年の夫婦
- 〜帳（ちょう） ▶メモ帳
- 〜庁（ちょう） ▶金融庁
- 〜長（ちょう） ▶工場長
- 長〜（ちょう） ▶長期間
- 超過（ちょうか） ▶輸入が超過する
- 朝刊（ちょうかん）
- 長期（ちょうき）

- 彫刻（ちょうこく）
- 長所（ちょうしょ） ▶長所を伸ばす
- 頂上（ちょうじょう） ▶山の頂上
- 調節（する）（ちょうせつ） ▶温度を調節する
- 頂戴（する）（ちょうだい） ▶賞を頂戴する
- 長短（ちょうたん）
- 頂点（ちょうてん） ▶頂点に達する
- 長方形（ちょうほうけい）
- 〜丁目（ちょうめ） ▶港町3丁目
- 直後（ちょくご） ▶帰宅直後
- 直線（ちょくせん） ▶直線を引く
- 直通（ちょくつう）
- 著者（ちょしゃ） ▶その本の著者
- 貯蔵（ちょぞう） ▶ワインの貯蔵庫
- 直角（ちょっかく） ▶直角に曲がる
- 散らす（ちらす） ▶花びらを散らす

つ

- ついで ▶ついでに本屋に寄る
- 通（つう） ▶1通のはがき
- 通貨（つうか） ▶この国の通貨
- 通過（する）（つうか） ▶A駅を通過する
- 通じる／通ずる（つうじる／つうずる） ▶スペイン語が通じる国
- 通信（する）（つうしん）
- 通用（する）（つうよう） ▶世界に通用する
- 〜遣い（づかい） ▶言葉遣い
- つかむ ▶チャンスをつかむ
- 疲れ（つかれ）
- 〜付き（つき） ▶デザート付き
- 突き当たる（つきあたる） ▶壁に突き当たる
- 次々／次々に（つぎつぎ／つぎつぎに） ▶次々に電話が来る
- 月日（つきひ）
- 突く（つく） ▶指で突く ▶ボールを突く
- 次ぐ（つぐ） ▶金賞に次ぐ賞
- 造る（つくる）
- 伝わる（つたわる）
- 土（つち）
- 続き（つづき）

グループ M N2レベルの「語彙」

□ 突っ込む	▶ポケットに突っ込む		□ 適度(な)	▶適度な運動
□ 包み	▶包みを開ける		□ 適用(する)	▶ルールを適用する
□ 勤め／務め			□ できる「発生」	
□ 勤める／務める／努める	▶司会を務める ▶改善に努める		□ できれば	▶できれば今週中に
□ 綱	▶綱を引く		□ 手首	
□ つながり[繋がり]	▶メンバー同士のつながり		□ 凸凹	
□ つなげる[繋げる]	▶結果につなげる		□ 弟子	
□ 常に			□ 手品	
□ 粒			□ でたらめ(な)	▶でたらめな数字
□ 詰まり			□ 哲学	
□ 罪			□ 鉄橋	
□ つや[艶]	▶つやのある肌		□ 手伝い	
□ 梅雨			□ 手続き	▶入会の手続き
□ 強気(な)	▶強気の姿勢		□ 徹底(する)	▶注意を徹底する
□ ～づらい	▶話しづらい人		□ 鉄道	
□ 釣り合う	▶ちょうど釣り合う		□ 鉄砲	
□ 吊る	▶吊り革を持つ		□ テニスコート	(tennis court)
□ 連れ	▶家族連れの客		□ 手ぬぐい	
て			□ では	
□ で			□ 手間	▶手間になる
□ 手洗い			□ デモ	(demonstration)
□ 低～	▶低予算		□ 照らす	▶机の上を照らす
□ 提案(する)			□ 照る	
□ 定員	▶募集定員		□ ～店	
□ 低下(する)	▶人気の低下		□ 展開	▶物語が展開する
□ 定価			□ 伝記	
□ 定期	▶定期コンサート		□ 電球	▶電球を交換する
□ 定休日			□ 典型	▶典型的な例
□ 停止(する)	▶停止ボタンを押す		□ 天候	▶天候に恵まれる
□ 程度	▶被害の程度		□ 電子	▶電子辞書
□ 出入り	▶客の出入り		□ 点数	
□ 出入口			□ 伝染(する)	▶伝染病
□ 手入れ(する)	▶庭の手入れ		□ 電線	
□ デート	(date)		□ 電卓	
□ 的確(な)	▶的確な助言		□ 電池	
□ 出来事			□ 電柱	
			□ 転々	▶各地を転々とする
			□ 点々	▶点々と灯がついている

129

N2レベルの「語彙」 グループM

- テント (tent)
- 伝統 (でんとう)
- 天皇 (てんのう)
- 電波 (でんぱ) ▶電波が届く
- テンポ (tempo:イタリア語)
- 電流 (でんりゅう)
- 電力 (でんりょく) ▶電力の供給

と

- 度 (ど) ▶気温が35度を超える
- 党 (とう) ▶党の方針
- 塔 (とう) ▶テレビ塔
- ～島 (とう) ▶バリ島
- ～等 (とう) ▶電気、ガス、水道等の公共料金
- ～頭 (とう) ▶50頭の牛
- 問う (とう)
- ～道 (どう) ▶国道
- 銅 (どう) ▶金・銀・銅
- 同～ (どう) ▶同教授
- 答案 (とうあん)
- どういたしまして。
- 統一(する) (とういつ) ▶デザインを統一する
- 同一 (どういつ) ▶同一のカメラ
- 同格 (どうかく) ▶同格に扱う
- 峠 (とうげ) ▶峠を越える
- 統計 (とうけい) ▶国の統計調査
- 動作(する) (どうさ) ▶同じ動作を続ける
- 東西 (とうざい)
- 当時 (とうじ)
- 動詞 (どうし)
- 同時 (どうじ)
- 当日 (とうじつ)
- どうしても
- 投書 (とうしょ) ▶新聞に投書する
- 登場(する) (とうじょう) ▶舞台に登場する
- 灯台 (とうだい)
- 到着(する) (とうちゃく)
- 道徳 (どうとく) ▶学校で道徳を教える
- 盗難 (とうなん) ▶盗難事件
- どうにか ▶どうにか完成する
- 当番 (とうばん) ▶掃除当番
- 等分 (とうぶん) ▶3人で等分に分ける
- 透明(な) (とうめい)
- 東洋 (とうよう)
- 同様(な) (どうよう)
- 童謡 (どうよう)
- 童話 (どうわ)
- 通す (とおす) ▶電気を通す
- ～通り (とおり) ▶思った通り ▶今まで通り
- 都会 (とかい)
- 溶かす (とかす) ▶砂糖を溶かす
- 尖る (とがる) ▶尖った鉛筆
- 時 (とき)
- 解く (とく) ▶問題を解く
- 溶く (とく) ▶水で溶く
- 毒 (どく)
- 特殊(な) (とくしゅ) ▶特殊な素材
- 特色 (とくしょく) ▶この地域の特色
- 独身 (どくしん) ▶独身男性
- 溶け込む (とけこむ) ▶組織に溶け込む
- 溶ける／解ける (とける)
- どこか
- 床の間 (とこま)
- ～所 (ところ) ▶映画の見どころ
- 所々 (ところどころ) ▶ところどころ間違っている
- 登山 (とざん)
- 都市 (とし)
- 年月 (としつき) ▶年月を重ねる
- 図書 (としょ)
- 都心 (としん)
- 戸棚 (とだな) ▶台所の戸棚
- 土地 (とち)
- とっくに ▶とっくに提出した
- トップ (top)
- 整う (ととのう) ▶準備が整う

グループM　N2レベルの「語彙」

□ ～殿（どの）	▶田中殿（たなかどの）	
□ 飛ばす（と）	▶ボールを飛ばす（と）	
□ 友（とも）		
□ 伴う（ともな）	▶引っ越しに伴う諸手続き（ひっこ　ともな　しょてつづ）	
□ 共に（とも）		
□ 虎（とら）		
□ 捕らえる（と）	▶ヘビを捕らえる（と）	
□ ドラマ	(drama)	
□ トランプ	(trump)	
□ 取り上げる（と　あ）	▶議題を取り上げる（ぎだい　と　あ）	
□ 取り入れる（と　い）	▶意見を取り入れる（いけん　と　い）	
□ ドレス	▶パーティー用のドレス（よう）	
□ 泥（どろ）		
□ トン	(ton)	
□ どんなに		
□ トンネル	(tunnel)	
□ 丼（どんぶり）		

な

□ 名（な）	▶名もない歌（な　うた）	
□ ～内（ない）	▶大学内（だいがくない） ▶グループ内（ない） ▶1時間内（じかんない）	
□ 内科（ないか）		
□ 内線（ないせん）	▶内線をかける（ないせん）	
□ ナイロン	(nylon)	
□ 治す（なお）		
□ ～直す（なお）	▶電話をかけ直す（でんわ　なお）	
□ 長～（なが）	▶長電話（ながでんわ）	
□ 半ば（なか）	▶来週半ば（らいしゅうなか）	
□ 長引く（ながび）	▶会議が長引く（かいぎ　ながび）	
□ 中身／中味（なかみ／なかみ）	▶びんの中身（なかみ）	
□ 眺め（なが）		
□ 眺める（なが）		
□ 中指（なかゆび）		
□ 流れ（なが）	▶川の流れ（かわ　なが） ▶時代の流れ（じだい　なが）	
□ 殴る（なぐ）	▶人を殴る（ひと　なぐ）	
□ 無し（な）		
□ 為す（な）	▶いま何を為すべきか（なに　な）	
□ なぜなら(ば)		
□ 謎（なぞ）		

□ なぞなぞ		
□ 何しろ（なに）	▶何しろ忙しい（なに　いそが）	
□ 何分（なにぶん）	▶なにぶん初めてなので（はじ）	
□ 何も（なに）		
□ 生（せい）		
□ 波（なみ）		
□ 並木（なみき）	▶並木道（なみきみち）	
□ 成る（な）	▶実が成る（み　な）	
□ 縄（なわ）		
□ 南極（なんきょく）		
□ 何で（なん）	▶何でだめなのか（なん）	
□ 何でも（なん）	▶何でもいい（なん）	
□ 何とか（なん）	▶何とか間に合う（なん　ま　あ）	
□ 何となく（なん）	▶何となくさびしい（なん）	
□ 何とも（なん）	▶何ともいえない味（なん　あじ）	
□ ナンバー	(number)	
□ 南米（なんべい）		
□ 南北（なんぼく）		

に

□ 煮える（に）		
□ 逃がす（に）		
□ 憎む（にく）	▶人を憎む（ひと　にく）	
□ 濁る（にご）	▶水が濁る（みず　にご）	
□ 虹（にじ）		
□ 日時（にちじ）		
□ 日常（にちじょう）	▶日常生活（にちじょうせいかつ）	
□ 日用品（にちようひん）		
□ 日課（にっか）	▶日課のジョギング（にっか）	
□ 日光（にっこう）	▶日光が当たる（にっこう　あ）	
□ 日中（にっちゅう）	▶日中の最高気温（にっちゅう　さいこうきおん）	
□ 入社（にゅうしゃ）(する)		
□ 入場（にゅうじょう)(する)		
□ 女房（にょうぼう）		
□ にわか	▶にわか雨（あめ）	

ぬ

□ 縫う（ぬ）	▶服の破れた部分を縫う（ふく　やぶ　ぶぶん　ぬ）	
□ 抜く（ぬ）	▶歯を抜く（は　ぬ）	

N2レベルの「語彙」 グループ M

- □ 布(ぬの)

ね
- □ 根(ね)
- □ 値(ね) ▶値上げ(ねあ)
- □ ね(え) (呼びかけ)
- □ 願い(ねが)
- □ ねじ
- □ ねずみ
- □ 熱帯(ねったい)
- □ 寝間着(ねまき) ▶寝間着を着る(ねまきをきる)
- □ 狙い(ねらい) ▶このコースの狙い(ねらい)
- □ 年間(ねんかん) ▶年間の合計金額(ねんかんのごうけいきんがく)
- □ 年月(ねんげつ) ▶長い年月(ながいねんげつ)
- □ 年中(ねんじゅう) ▶年中無休(ねんじゅうむきゅう)
- □ 年代(ねんだい) ▶古い年代の建物(ふるいねんだいのたてもの)
- □ 年度(ねんど) ▶年度別の統計データ(ねんどべつのとうけい)
- □ 年齢(ねんれい)

の
- □ 野(の) ▶野に咲く花(のにさくはな)
- □ 能(のう) ▶能の舞台を見る(のうのぶたいをみる)
- □ 農家(のうか) ▶農家になる(のうかになる)
- □ 農産物(のうさんぶつ)
- □ 農村(のうそん) ▶農村地帯(のうそんちたい)
- □ 濃度(のうど) ▶アルコールの濃度(のうど)
- □ 農民(のうみん) ▶農民で組織される(のうみんでそしきされる)
- □ 農薬(のうやく)
- □ 能力(のうりょく) ▶計算能力(けいさんのうりょく)
- □ のこぎり
- □ 残らず(のこらず) ▶残らず使う(のこらずつかう)
- □ 残り(のこり)
- □ 載せる(のせる) ▶記事を載せる(きじをのせる)
- □ のぞく ▶中を覗く(なかをのぞく)
- □ 望む(のぞむ) ▶成功を望む(せいこうをのぞむ) ▶街を望む(まちをのぞむ)
- □ 後(のち) ▶晴れ後曇り(はれのちくもり)
- □ ノック (knock)
- □ 延びる(のびる) ▶会議が延びる(かいぎがのびる)
- □ 述べる(のべる)
- □ のり[糊]

- □ 載る(のる) ▶新聞に載る(しんぶんにのる)
- □ のんびり

は
- □ 場(ば) ▶話し合いの場(はなしあいのば)
- □ はあ (感動詞(かんどうし))
- □ 灰(はい) ▶灰になる(はいになる)
- □ 倍(ばい) ▶倍に増える(ばいにふえる)
- □ 灰色(はいいろ) ▶灰となる(はいとなる)
- □ 梅雨(ばいう)
- □ バイオリン (violin)
- □ ハイキング (hiking)
- □ 俳句(はいく)
- □ 拝見(する)(はいけん) ▶手紙を拝見する(てがみをはいけんする)
- □ 配達(する)(はいたつ)
- □ バイバイ (bye-bye)
- □ 売買(する)(ばいばい) ▶土地の売買(とちのばいばい)
- □ パイプ (pipe)
- □ 俳優(はいゆう)
- □ パイロット (pilot)
- □ はう ▶地面を這う(じめんをはう)
- □ 墓(はか)
- □ ばか[馬鹿] ▶人をばかにする(ひとをばかにする)
- □ 博士(はかせ)
- □ 掃く(はく) ▶家の前を掃く(いえのまえをはく)
- □ ～泊(はく) ▶ホテルで1泊する(ホテルで1ぱくする)
- □ 拍手(はくしゅ)
- □ 莫大(な)(ばくだい) ▶莫大な財産(ばくだいなざいさん)
- □ 爆発(する)(ばくはつ)
- □ 博物館(はくぶつかん)
- □ 歯車(はぐるま) ▶歯車がかみ合わない(はぐるまがかみあわない)
- □ 激しい(はげしい) ▶激しい雨(はげしいあめ)
- □ 挟まる(はさまる) ▶ドアに服が挟まる(ドアにふくがはさまる)
- □ はさみ
- □ 破産(する)(はさん)
- □ はしご
- □ 始まり(はじまり)
- □ 柱(はしら) ▶柱を立てる(はしらをたてる)
- □ はす ▶はす向かい(はすむかい)
- □ パス (pass)

グループM　N2レベルの「語彙」

外れる（はず）	ボタンが外れる
旗（はた）	
裸（はだか）	
畑（はたけ）	
果たして（は）	果たして成功するか
働き（はたら）	脳の働き
鉢（はち）	植木鉢
〜発（はつ）	東京発長野行きの特急
ばつ	ばつが悪い
発揮(する)（はっき）	力を発揮する
バッグ／ハンドバッグ	(bag/hand bag)
発射(する)（はっしゃ）	ロケットを発射する
罰する（ばっ）	違反者を罰する
発想（はっそう）	ユニークな発想
発達(する)（はったつ）	脳の発達
発電(する)（はつでん）	風力発電
発表(する)（はっぴょう）	
離す／放す（はな）	子供の手を離す／壁から離す／放し飼い
花火（はなび）	
花嫁（はなよめ）	
離れる（はな）	
羽／羽根（はね）	
ばね	ばねで動く
跳ねる（は）	ウサギが跳ねる
破片（はへん）	ガラスの破片
歯磨き(する)（はみが）	
場面（ばめん）	会話をする場面
早口（はやくち）	早口で言う
原／原っぱ（はら）	
払い込む（はら こ）	ATMでお金を払い込む
針（はり）	
針金（はりがね）	
張り切る（は き）	張り切って料理を作る
張る／貼る（は）	胸を張る／切手を貼る
反〜（はん）	反原発の立場
番（ばん）	私の番が来た

範囲（はんい）	試験の範囲
反映(する)（はんえい）	住民の意見を反映する
半径（はんけい）	
反抗(する)（はんこう）	親に反抗する
万歳(する)（ばんざい）	みんなで万歳する
判事（はんじ）	裁判所の判事
反省(する)（はんせい）	
番地（ばんち）	番地を調べる
半島（はんとう）	
ハンドバッグ	(handbag)
犯人（はんにん）	犯人を捕まえる
〜番目（ばんめ）	

ひ

比較的（ひかくてき）	比較的安い
卑怯(な)（ひきょう）	卑怯なやり方
引き分け（ひ わ）	0対0の引き分け
ピクニック	(picnic)
悲劇（ひげき）	
飛行（ひこう）	飛行訓練
膝（ひざ）	
日差し／陽射し（ひざ）	夏の強い日差し
ひじ	テーブルにひじをつく
非常（ひじょう）	非常階段
ピストル	(pistol)
ぴたり	音楽がぴたりと止まる
ひっかかる	服が枝にひっかかる
ひっかける	相手の選手の足をひっかける
筆記（ひっき）	筆記試験
ひっくり返る（かえ）	虫がひっくり返る／世の中がひっくり返る
日付（ひづけ）	日付を入れる
引っ込む（ひ こ）	穴に引っ込む
必死（ひっし）	必死で勉強する
筆者（ひっしゃ）	筆者の考え
必需品（ひつじゅひん）	生活必需品
ぴったり	サイズがぴったり合う
引っ張る（ひ ぱ）	ひもを引っ張る
ビデオ	(video)

133

N2レベルの「語彙」 グループM

□ 一〜 (ひと)	▶一仕事する (ひとしごと)		□ 広々 (ひろびろ)	
□ 一言 (ひとこと)	▶一言感想を言う (ひとことかんそう い)		□ 広める (ひろ)	
□ 人込み／人混み (ひとご／ひとご)	▶駅の人込み (えき ひとご)		□ 瓶 (びん)	▶ガラスの瓶 (びん)
□ 人差し指 (ひとさ ゆび)			□ 便 (びん)	▶羽田発の便 (はねだはつ びん)
□ 等しい (ひと)	▶面積の等しい三角形 (めんせき ひと さんかっけい)		□ ピン	(pin)
□ 一通り (ひととお)	▶一通り読む (ひととお よ)		□ ピンク	(pink)
□ 瞳 (ひとみ)			□ 便せん (びん)	
□ 一休み (ひとやす)	▶途中で一休みする (とちゅう ひとやす)		□ 瓶詰め (びんづ)	▶びん詰めのジャム (づ)
□ 独り (ひと)			**ふ**	
□ 独り言 (ひとごと)			□ 部 (ぶ)	▶部のメンバー (ぶ)
□ 独りでに (ひと)	▶独りでにドアが閉まる (ひと し)		□ 〜部 (ぶ)	▶営業部 (えいぎょうぶ)
□ 一人一人 (ひとりひとり)	▶一人一人の顔を覚える (ひとりひとり かお おぼ)		□ 不／無〜 (ふ／む)	▶不真面目な性格 (ふまじめ せいかく) ▶無遠慮な態度 (ぶえんりょ たいど)
□ ビニール	(vinyl)		□ ファスナー	(fastener)
□ 皮肉 (ひにく)	▶皮肉を言う (ひにく い)		□ 不安(な) (ふあん)	
□ 日の入り (ひ い)			□ 風景 (ふうけい)	
□ 日の出 (ひ で)			□ 風船 (ふうせん)	
□ 響き (ひび)			□ 不運(な) (ふうん)	▶不運な結果 (ふうん けっか)
□ 響く (ひび)	▶床が響く (ゆか ひび)		□ 笛 (ふえ)	
□ 皮膚 (ひふ)			□ 不可 (ふか)	▶使用不可 (しようふか)
□ 秘密 (ひみつ)			□ 深まる (ふか)	▶謎が深まる (なぞ ふか)
□ 百科辞典／百科事典 (ひゃっかじてん／ひゃっかじてん)			□ 武器 (ぶき)	
□ 表 (ひょう)			□ 不規則(な) (ふきそく)	▶不規則な食生活 (ふきそく しょくせいかつ)
□ 〜病 (びょう)	▶伝染病 (でんせんびょう)		□ 普及(する) (ふきゅう)	▶スマホの普及 (ふきゅう)
□ 秒 (びょう)			□ 副詞 (ふくし)	
□ 美容 (びよう)	▶美容にいい食べ物 (びよう た もの)		□ 複写(する) (ふくしゃ)	▶資料を複写する (しりょう ふくしゃ)
□ 表現(する) (ひょうげん)			□ 複数 (ふくすう)	
□ 表紙 (ひょうし)			□ 服装 (ふくそう)	
□ 標識 (ひょうしき)	▶道路標識 (どうろひょうしき)		□ 含める (ふく)	▶消費税を含める (しょうひぜい ふく)
□ 表情 (ひょうじょう)			□ 膨らむ (ふく)	▶お腹が膨らむ (なか ふく) ▶期待が膨らむ (きたい ふく)
□ 平等 (びょうどう)	▶平等に接する (びょうどう せっ)		□ 袋 (ふくろ)	
□ 標本 (ひょうほん)	▶虫の標本 (むし ひょうほん)		□ 不潔(な) (ふけつ)	▶不潔な手 (ふけつ て)
□ 表面 (ひょうめん)			□ 更ける (ふ)	▶夜が更ける (よる ふ)
□ 評論 (ひょうろん)	▶政治評論家 (せいじひょうろんか)		□ 符号 (ふごう)	▶符号で表す (ふごう あらわ)
□ 昼寝 (ひるね)			□ 夫妻 (ふさい)	▶田中夫妻の席 (たなかふさい せき)
□ 広がる (ひろ)			□ 塞がる (ふさ)	▶穴が塞がる (あな ふさ)
□ 広げる (ひろ)			□ ふざける	
□ 広さ (ひろ)			□ (ご)無沙汰 (ぶさた)	▶ご無沙汰になる (ぶさた)

グループ M　N2レベルの「語彙」

□ 武士 ぶし		□ プログラム	(program)
□ 無事(な) ぶじ	▶無事に帰る ぶじ かえ	□ 分 ぶん	▶弟の分 おとうと ぶん
□ 不思議(な) ふしぎ	▶不思議に思う ふしぎ おも	□ 文 ぶん	
□ 夫人 ふじん	▶社長夫人 しゃちょうふじん	□ 噴火(する) ふんか	
□ 婦人 ふじん	▶婦人服 ふじんふく	□ 文芸 ぶんげい	▶文芸作品 ぶんげいさくひん
□ ふすま	▶ふすまを開ける あ	□ 文献 ぶんけん	▶文献を読む ぶんけん よ
□ 不正(な) ふせい	▶不正な取引 ふせい とりひき	□ 噴水 ふんすい	
□ 防ぐ ふせ	▶災害を防ぐ さいがい ふせ	□ 分数 ぶんすう	▶分数の計算 ぶんすう けいさん
□ 不足(する) ふそく	▶数が不足する かず ふそく	□ 文体 ぶんたい	▶丁寧な文体 ていねい ぶんたい
□ 付属 ふぞく	▶付属の部品 ふぞく ぶひん	□ 分布(する) ぶんぷ	▶広い地域に分布する ひろ ちいき ぶんぷ
□ 舞台 ぶたい		□ 文房具 ぶんぼうぐ	
□ 双子 ふたご		□ 文脈 ぶんみゃく	▶文脈から判断する ぶんみゃく はんだん
□ 再び ふたた	▶再び来る ふたた く	□ 文明 ぶんめい	
□ 負担(する) ふたん	▶負担に思う ふたん おも　▶金銭を負担する きんせん ふたん	□ 分野 ぶんや	▶専門分野 せんもんぶんや
□ 縁 ふち	▶カップの縁 ふち	□ 分量 ぶんりょう	▶分量を量る ぶんりょう はか
□ ぶつ	▶息子をぶつ むすこ	**へ**	
□ 〜物 ぶつ	▶対象物 たいしょうぶつ	□ 塀 へい	▶塀の向こう へい む
□ 不通 ふつう	▶電話が不通になる でんわ ふつう	□ 閉会(する) へいかい	
□ 物価 ぶっか	▶物価が高い ぶっか たか	□ 平気(な) へいき	▶平気な顔をする へいき かお
□ 物質 ぶっしつ		□ 平行 へいこう	
□ 物騒(な) ぶっそう	▶物騒な地域 ぶっそう ちいき	□ 兵隊 へいたい	
□ 物理 ぶつり		□ 平凡(な) へいぼん	▶平凡な生活 へいぼん せいかつ
□ 筆 ふで		□ 平野 へいや	
□ 船便 ふなびん		□ 平和(な) へいわ	▶平和な世界 へいわ せかい
□ 部品 ぶひん		□ 凹む へこ	▶失敗に凹む しっぱい へこ
□ 吹雪 ふぶき	▶吹雪の中を歩く ふぶき なか ある	□ へそ	
□ 不平 ふへい	▶不平を言う ふへい い	□ 隔てる へだ	▶壁を隔てる かべ へだ
□ ふもと	▶山のふもと やま	□ 別荘 べっそう	
□ ブラウス	(blouse)	□ ヘリコプター	(helicopter)
□ 不利(な) ふり	▶不利な試合 ふり しあい	□ ベル	(bell)
□ 〜ぶり	▶一年ぶり いちねん	□ 便 べん	▶交通の便 こうつう べん
□ フリー	(free)	□ ペンキ	(pek：オランダ語)
□ 振り仮名 ふ がな	▶振り仮名をつける ふ がな	□ 便所 べんじょ	
□ 古〜 ふる	▶古新聞 ふるしんぶん	□ ベンチ	(bench)
□ 故郷 ふるさと		□ ペンチ	(pinchers)
□ ふるまう	▶食べ物をふるまう た もの　▶上手にふるまう じょうず	**ほ**	
□ 触れる ふ	▶手で触れる て ふ	□ 〜ぽい	▶子どもっぽい
		□ 方 ほう	▶こっちの方 ほう

135

N2レベルの「語彙」 グループ M

- □ 法(ほう)
- □ 棒(ぼう)
- □ 望遠鏡(ぼうえんきょう)
- □ 方角(ほうがく) ▶北の方角(きた ほうがく)
- □ 方言(ほうげん) ▶方言を話す(ほうげん はな)
- □ 冒険(ぼうけん) ▶冒険の旅(ぼうけん たび)
- □ 方向(ほうこう) ▶あちらの方向(ほうこう)
- □ 坊さん(ぼう) ▶お寺の坊さん(てら ぼう)
- □ 方針(ほうしん) ▶家庭の方針(かてい ほうしん)
- □ 宝石(ほうせき)
- □ 包装(する)(ほうそう) ▶プレゼントの包装(ほうそう)
- □ 放送(する)(ほうそう) ▶テレビ放送(ほうそう)
- □ 法則(ほうそく)
- □ 包帯(ほうたい) ▶包帯を巻く(ほうたい ま)
- □ 方程式(ほうていしき)
- □ 方々(ほうぼう) ▶方々を歩く(ほうぼう ある)
- □ 方面(ほうめん) ▶東京方面(とうきょうほうめん)
- □ 訪問(する)(ほうもん)
- □ 坊や(ぼう) ▶かわいい坊や(ぼう)
- □ 放る(ほう) ▶ボールを放る(ほう)
- □ ボート (boat)
- □ 他(ほか) ▶他の方法を探す(ほか ほうほう さが)
- □ 朗らか(な)(ほが) ▶朗らかな性格(ほが せいかく)
- □ 牧場(ぼくじょう) ▶牧場の牛(ぼくじょう うし)
- □ 牧畜(ぼくちく)
- □ 保健(ほけん) ▶保健室(ほけんしつ)
- □ 誇り(ほこ) ▶プロの誇り(ほこ)
- □ ポスター (poster)
- □ 北極(ほっきょく)
- □ 坊ちゃん(ぼっ) ▶田中さんちの坊っちゃん(たなか ぼっ)
- □ 歩道(ほどう)
- □ 仏(ほとけ) ▶仏の教え(ほとけ おし)
- □ 骨(ほね)
- □ 炎(ほのお)
- □ ほぼ ▶ほぼ一万円(いちまんえん) ▶ほぼ完成した(かんせい)
- □ 頬(ほほ)
- □ 堀(ほり)
- □ 掘る(ほ) ▶穴を掘る(あな ほ)
- □ 彫る(ほ)
- □ ぼろ ▶ぼろを着る(き)
- □ 盆(ぼん) ▶お盆の上にのせる(ぼん うえ)
- □ 本〜(ほん)
- □ 盆地(ぼんち)
- □ 本人(ほんにん)
- □ ほんの〜 ▶ほんの少し(すこ)
- □ 本部(ほんぶ) ▶本部の指示を待つ(ほんぶ しじ ま)
- □ 本物(ほんもの)
- □ 本来(ほんらい) ▶本来の姿(ほんらい すがた)

ま

- □ 間(ま) ▶少し間が空く(すこ ま あ)
- □ まあ (感動詞)(かんどうし) ▶まあ、すてき。
- □ マーケット (market)
- □ 毎〜(まい)
- □ マイク (microphone)
- □ 枚数(まいすう) ▶プリントの枚数(まいすう)
- □ 毎度(まいど)
- □ まく ▶種をまく(たね)
- □ 幕(まく)
- □ 枕(まくら)
- □ 負け(ま)
- □ まごまご ▶困ってまごまごする(こま)
- □ まさか ▶まさかの展開(てんかい)
- □ 摩擦(まさつ)
- □ まさに
- □ 増す(ま) ▶重さが増す(おも ま)
- □ マスク (mask)
- □ またぐ ▶溝をまたぐ(みぞ)
- □ 街(まち)
- □ 待合室(まちあいしつ)
- □ 間違い(まちが) ▶間違いを見つける(まちが み)
- □ 街角(まちかど)
- □ 松(まつ)
- □ 真っ赤(な)(まか) ▶真っ赤な口紅(まか くちべに)
- □ 真っ暗(な)(まくら) ▶真っ暗な部屋(まくら へや)
- □ 真っ青(な)(まさお) ▶顔が真っ青(かお まさお)

グループM N2レベルの「語彙」

- 真っ先(まっさき) ▶真っ先に入る(まっさきにはいる)
- 真っ白い(まっしろい)
- 祭(まつり)
- まとまる ▶考えがまとまる(かんがえがまとまる)
- 学ぶ(まなぶ)
- 真似(まね)(する)
- 豆(まめ)
- まもなく ▶まもなく始まる(まもなくはじまる)
- 迷う(まよう) ▶答えを迷う(こたえをまよう)
- マラソン (marathon)
- 丸(まる) ▶丸を付ける(まるをつける)
- まるで ▶まるで
- まれ(な) ▶まれに間違う(まれにまちがう)
- 回す(まわす)
- 回り/周り(まわり) ▶遠回り(とおまわり) ▶右回り(みぎまわり) ▶家の周り(いえのまわり)
- 万(が)一(まんがいち) ▶万が一に備える(まんがいちにそなえる)
- マンション (mansion)
- 満点(まんてん)

み

- ～み ▶赤み(あかみ)
- 実(み) ▶実がなる(みがなる)
- 身(み) ▶身の危険を感じる(みのきけんをかんじる)
- 見かけ(みかけ) ▶見かけで判断する(みかけではんだんする)
- 見方(みかた)
- 三日月(みかづき)
- 岬(みさき)
- 湖(みずうみ)
- 自ら(みずから) ▶自ら発言する(みずからはつげんする)
- 水着(みずぎ)
- みそ
- ～みたい ▶子どもみたいな人(こどもみたいなひと)
- 見出し(みだし) ▶小説の見出し(しょうせつのみだし)
- 道順(みちじゅん)
- 満ちる(みちる) ▶月が満ちる(つきがみちる)
- みっともない ▶みっともない服装(みっともないふくそう)
- 認める(みとめる) ▶相手の考えを認める(あいてのかんがえをみとめる)
- 身分(みぶん)
- 見本(みほん)
- 見舞い(みまい) ▶病院にお見舞いに行く(びょういんにおみまいにいく)
- 見舞う(みまう) ▶友人を見舞う(ゆうじんをみまう)
- 未満(みまん) ▶1メートル未満(1メートルみまん)
- 土産(みやげ) ▶お土産を買う(おみやげをかう)
- 都(みやこ)
- 妙(な)(みょう) ▶妙な考え(みょうなかんがえ)
- 明後日(みょうごにち)
- 名字(みょうじ)
- 未来(みらい)
- ミリ(メートル) (millimètre:フランス語)
- 魅力(みりょく) ▶女性としての魅力(じょせいとしてのみりょく)
- 診る(みる) ▶患者を診る(かんじゃをみる)
- ミルク (milk)
- 民間(みんかん) ▶民間企業(みんかんきぎょう)
- 民主～(みんしゅ) ▶民主主義(みんしゅしゅぎ)
- 民謡(みんよう)

む

- 向き(むき) ▶女性向き(じょせいむき)
- ～向け(むけ) ▶子ども向け(こどもむけ)
- 向ける(むける)
- 無限(むげん) ▶無限に増える(むげんにふえる)
- 無数(むすう) ▶無数の星(むすうのほし)
- 胸(むね)
- 紫(むらさき)
- 群れ(むれ) ▶子羊の群れ(こひつじのむれ)

め

- 芽(め) ▶芽が出る(めがでる)
- 明確(な)(めいかく) ▶明確な判断(めいかくなはんだん)
- 名作(めいさく)
- 名刺(めいし)
- 名詞(めいし)
- 名所(めいしょ) ▶観光名所(かんこうめいしょ)
- 命じる/命ずる(めいじる/めいずる) ▶作業を命じる(さぎょうをめいじる)
- 迷信(めいしん)
- 名人(めいじん)
- 名物(めいぶつ) ▶地元の名物(じもとのめいぶつ)
- めいめい ▶めいめいの判断(めいめいのはんだん)

N2レベルの「語彙」 グループ M

□ 目上（めうえ）	▶目上の人		□ 物音（ものおと）	▶物音がする	
□ メーター	(meter)		□ 物語（ものがたり）	▶物語を読む	
□ 巡る（めぐる）	▶観光地を巡る		□ 物語る（ものがたる）	▶全てを物語る	
□ 目覚まし（めざまし）	▶目覚まし時計		□ 物事（ものごと）		
□ 飯（めし）			□ モノレール	(monorail)	
□ 目下（めした）	▶目下の人		□ 紅葉（もみじ）	▶紅葉の季節	
□ 目印（めじるし）	▶わかりやすい目印		□ もむ	▶肩をもむ	
□ めったに	▶めったに行かない		□ 燃やす（もやす）	▶紙を燃やす	
□ 目安（めやす）	▶だいたいの目安		□ 催し（もよおし）	▶来月の催し	
□ 綿（めん）			□ 盛る（もる）	▶器に盛る	
□ 面（めん）	▶表面		□ ～問（もん）	▶5問	
□ 免許（めんきょ）	▶免許をとる		□ 文句（もんく）	▶文句を言う	
□ 免税（めんぜい）	▶免税店		□ 問答（もんどう）		
□ 面積（めんせき）			**や**		
□ 面倒臭い（めんどうくさい）			□ 夜間（やかん）	▶夜間営業	
□ メンバー	(member)		□ やかん	▶やかんで沸かす	
も			□ 役（やく）	▶役に立つ	
□ 毛布（もうふ）			□ 約（やく）	▶約5センチ	
□ モーター	(motor)		□ 訳（やく）		
□ 木材（もくざい）			□ 役者（やくしゃ）	▶劇の役者	
□ 目次（もくじ）			□ 訳す／訳する（やくす／やくする）		
□ 目的（もくてき）	▶ここへ来た目的		□ 役立つ（やくだつ）	▶生活に役立つ	
□ 目標（もくひょう）	▶一年の目標		□ 役人（やくにん）		
□ 潜る（もぐる）	▶海に潜る		□ 薬品（やくひん）		
□ 文字（もじ）	▶写真に文字を入れる		□ 役目（やくめ）	▶彼の役目	
□ もしかしたら	▶もしかしたら行くかもしれない		□ 役割（やくわり）	▶部長の役割	
□ もしかすると	▶もしかすると明日かもしれない		□ 夜行（やこう）	▶夜行バス	
□ もしも	▶もしも晴れたら		□ 矢印（やじるし）		
□ もたれる	▶壁にもたれる		□ 薬局（やっきょく）		
□ ～持ち（もち）	▶力持ち		□ やっつける	▶敵をやっつける	
□ 餅（もち）			□ 宿（やど）		
□ 持ち上げる（もちあげる）			□ 家主（やぬし）	▶家主の田中さん	
□ 用いる（もちいる）	▶道具を用いる		□ 屋根（やね）		
□ 最も（もっとも）	▶最も高い		□ 破く（やぶく）	▶写真を破く	
□ もっとも	▶もっとも、まだわからない		□ 破れる／敗れる（やぶれる）	▶紙が破れる	▶勝負に敗れる
□ モデル			□ やむを得ない（やむをえない）	▶失敗もやむを得ない	
□ 戻す（もどす）	▶もとの場所に戻す				
□ 者（もの）					

グループ M　N2レベルの「語彙」

ゆ

- 唯一（ゆいいつ）　▶唯一の男性（ゆいいつ だんせい）
- 遊園地（ゆうえんち）
- 夕刊（ゆうかん）
- 友好（ゆうこう）　▶友好的な関係（ゆうこうてき かんけい）
- 優勝（する）（ゆうしょう）　▶大会で優勝する（たいかい ゆうしょう）
- 友情（ゆうじょう）
- 郵送（する）（ゆうそう）　▶荷物を郵送する（にもつ ゆうそう）
- 夕立（ゆうだち）　▶夕立がくる（ゆうだち）
- 夕日（ゆうひ）　▶夕日が沈む（ゆうひ しず）
- 悠々（ゆうゆう）　▶悠々と現れる（ゆうゆう あらわ）
- 有利（ゆうり）　▶有利な立場（ゆうり たちば）
- 有料（ゆうりょう）　▶有料席（ゆうりょうせき）
- 愉快（な）（ゆかい）　▶愉快な内容（ゆかい ないよう）
- 浴衣（ゆかた）　▶浴衣を着る（ゆかた き）
- 行方（ゆくえ）　▶行方がわからない（ゆくえ）
- 湯気（ゆげ）
- 輸血（する）（ゆけつ）
- 輸送（する）（ゆそう）　▶トラックで輸送する（ゆそう）

よ

- 夜（よ）　▶夜が明ける（よ あ）
- 夜明け（よあ）
- 溶岩（ようがん）
- 容器（ようき）　▶容器に入れる（ようき い）
- 陽気（な）（ようき）　▶陽気な性格（ようき せいかく）
- 要求（する）（ようきゅう）
- 用語（ようご）　▶専門用語（せんもんようご）
- 用紙（ようし）
- 要旨（ようし）　▶文章の要旨（ぶんしょう ようし）
- 様子（ようす）
- 要するに（よう）
- 容積（ようせき）
- 要素（ようそ）　▶成功する要素（せいこう ようそ）
- 幼稚（な）（ようち）　▶幼稚な生活（ようち せいかつ）
- 幼稚園（ようちえん）
- 要点（ようてん）　▶要点をまとめる（ようてん）
- 用途（ようと）　▶使用用途（しよう ようと）
- 洋品店（ようひんてん）
- 養分（ようぶん）
- ようやく　▶ようやく完成する（かんせい）
- 要領（ようりょう）　▶要領がいい（ようりょう）
- ヨーロッパ　（Europa：ポルトガル語）
- 予期（よき）　▶予期せず終える（よき お）
- 遣す（よこす）
- 予算（よさん）
- 止す（よす）
- 寄せる（よ）　▶隅に寄せる（すみ よ）
- 余所（よそ）　▶よその家（いえ）
- ヨット　（yacht）
- 夜中（よなか）
- 世の中（よ なか）
- 予備（よび）　▶予備のペン（よび）
- 呼び出す（よ だ）　▶親を呼び出す（おや よ だ）
- 予報（よほう）　▶天気予報（てんき よほう）
- 予防（する）（よぼう）
- 読み（よ）　▶読みが当たる（よ あ）
- 嫁（よめ）　▶息子の嫁（むすこ よめ）
- より　▶より一層頑張る（いっそう がんば）
- よる　▶データによる結果（けっか）
- 喜び（よろこ）　▶喜びを伝える（よろこ つた）
- 喜ぶ（よろこ）　▶成功を喜ぶ（せいこう よろこ）

ら

- ～等（ら）　▶彼ら（かれ）　▶若者ら（わかもの）
- 来～（らい）
- ライター　（lighter）
- 来日（らいにち）
- 楽（らく）
- 落第（する）（らくだい）
- ラケット　（racket）
- ラッシュアワー　（rush hour）
- 欄（らん）　▶記入欄（きにゅうらん）
- ランニング　（running）

り

- 利益（りえき）
- 理解（する）（りかい）　▶内容を理解する（ないよう りかい）

139

N2レベルの「語彙」 グループ M

☐ 利害（りがい）	▶利害が一致する（りがい いっち）	
☐ 陸（りく）		
☐ 離婚（する）（りこん）		
☐ リズム	(rhythm)	
☐ 理想（りそう）	▶理想と現実（りそう げんじつ）	
☐ ～率（りつ）	▶成功率（せいこうりつ）	
☐ リボン	(ribbon)	
☐ 略す／略する（りゃく）	▶短く略す（みじか りゃく）	
☐ ～流（りゅう）	▶自分流のやり方（じぶんりゅう かた）	
☐ 流域（りゅういき）	▶川の流域（かわ りゅういき）	
☐ 寮（りょう）		
☐ 量（りょう）		
☐ ～領（りょう）	▶A国領（こくりょう）	
☐ 両～（りょう）		
☐ 両側（りょうがわ）		
☐ 漁師（りょうし）		
☐ 臨時（りんじ）	▶臨時収入（りんじ しゅうにゅう）	

る

☐ 留守番（する）（るすばん）	▶一人で留守番する（ひとり るすばん）	

れ

☐ 礼（れい）	▶礼を言う（れい い）	
☐ 例外（れいがい）	▶例外を認める（れいがい みと）	
☐ 冷静（な）（れいせい）	▶冷静な判断（れいせい はんだん）	
☐ 0点（れいてん）	▶テストで0点をとる（れいてん）	
☐ レインコート	(rain coat)	
☐ レクリエーション	(recreation)	
☐ 列島（れっとう）	▶日本列島（にほんれっとう）	
☐ 連合（れんごう）	▶国際連合（こくさいれんごう）	
☐ レンズ	(lens：オランダ語)	
☐ 連想（する）（れんそう）		
☐ 連続（する）（れんぞく）		

ろ

☐ ろうそく		
☐ 労働（する）（ろうどう）	▶労働時間（ろうどうじかん）	
☐ 録音（する）（ろくおん）	▶声を録音する（こえ ろくおん）	
☐ ロケット	(rocket)	
☐ ロッカー	(locker)	
☐ ロビー	(lobby)	

☐ ～論（ろん）	▶幸福論（こうふくろん）	
☐ 論じる／論ずる（ろん）	▶哲学を論じる（てつがく ろん）	
☐ 論争（ろんそう）		
☐ 論文（ろんぶん）	▶卒業論文（そつぎょうろんぶん）	

わ

☐ ～羽（わ）	▶一羽（いちわ）	
☐ 輪（わ）		
☐ 和～（わ）	▶和風（わふう）	
☐ ワイン	(wine)	
☐ 我が～（わ）	▶我が社（わ しゃ）	
☐ 別れ／分かれ（わか）	▶別れ道（わか みち）	
☐ 分かれる（わ）	▶2つに分かれる（わ）	
☐ 若々しい（わかわか）	▶若々しい女性（わかわか じょせい）	
☐ 脇（わき）	▶本を脇に抱える（ほん わき かか）	
☐ 湧く（わ）	▶水が湧く（みず わ）	
☐ 分ける（わ）		
☐ わずか（な）	▶残りわずか（のこ）	
☐ 綿（めん）		
☐ 話題（わだい）	▶天気の話題（てんき わだい）	
☐ 和服（わふく）		
☐ 笑い（わら）		
☐ 悪口（わるぐち）	▶悪口を言う（わるぐち い）	
☐ 我々（われわれ）		
☐ 湾（わん）		
☐ 碗（わん）	▶茶碗（ちゃわん）	
☐ ワンピース	▶ワンピースを着る（き）	

N2レベルの「文型」

判断や意志 / 原因・理由、結果 / 条件や方法 / 時間や場所 / 物事の様子や性質 / 評価 / 感情や気持ち / 比較・例示や話題・対象 / いろいろな機能

N2レベルの「文型」 グループA

判断や意志など

□ 〜あげく 　〜あげくに ▸Vた＋あげく(に) ▸N＋の＋あげく(に)	「いろいろあった後、その結果〜」／残念な気持ちを表す。 ①店で1時間も悩んだあげく、結局買わずに帰った。 ②あの夫婦は大げんかをしたあげくに、離婚してしまった。 ③長時間の会議のあげく、この計画は中止になった。
□ 〜うえは ▸Vる／た＋うえは	「〜からには／以上は」 ①みんなに期待されてチームのキャプテンになるうえは、必ず勝たなければならない。 ②留学すると決めたうえは、どんなに大変でもやり遂げてみせる。
□ 〜(よ)うか〜まいか ▸Vう＋かV＋まいか	「〜しようか、〜するのをやめようか」 ①留学しようかするまいか悩んだが、チャンスなので留学することにした。 ②彼のケータイを見ようか見まいか迷ったけど、彼を信じて見なかった。
□ 〜得る 　う／え ▸Vます＋得る	「起こる可能性がある」 ①これまでの状況から予想し得る結果だった。 ②彼はよく勉強していたから、N2に合格することも十分あり得ます。
□ 〜おそれがある ▸Vる＋おそれがある ▸N＋の＋おそれがある	「〜する心配がある」／望ましくない出来事が起こる可能性があるという意味を表す ①このまま雨が降り続くと、洪水になるおそれがある。 ②重い病気のおそれもありますので、大きい病院で再検査をしてください。
□ 〜かねない ▸Vます＋かねない	「〜かもしれない／〜おそれがある」／悪い結果になる可能性があるときに使う表現 ①携帯電話を見ながら車を運転すると、事故を起こしかねない。 ②昨日の首相の発言は、国際問題になりかねない。
□ 〜かねる ▸Vます＋かねる	「〜できない」 ①明日のパーティーに参加するかどうか、まだ決めかねている。 ②すみません…個人情報に関することなので、お答えしかねます。

グループA　N２レベルの「文型」

文型	意味・例文
□ 〜からいうと 〜からいえば 〜からいって ▶N＋からいうと／からいえば／からいって	「〜の点で見れば」 ① 彼の成績からいうと、A大学に合格することは間違いない。 ② 学校の立場からいえば、許可することはできません。
□ 〜からして ▶N＋からして	「〜から判断して」／判断の理由を表す ① あの表情からして、部長は怒っているようだ。 ② 部屋の状態からして、どろぼうに入られたようだ。
□ 〜からすると 〜からすれば ▶N＋からすると／からすれば	「〜の観点から考えると」 ① あの人の服装からすると、まじめに働いているんじゃないかと思う。 ② 彼女の日本語力からすれば、今日の試験は簡単だろう。
□ 〜からでないと 〜からでなければ ▶Vて＋からでないと／からでなければ	「〜したあとでないと（〜できない）／〜しない場合は（〜という事態になる）」 ① 先生の許可をもらってからでないと、学校内で楽器の演奏をすることはできない。 ② きちんと調べてからでないと、道に迷うよ。
□ 〜からといって ▶[ふつう]＋からといって	「〜だけの理由で」 ① お金がたくさんあるからといって、幸せとはいえない。 ② 親だからといって、子供の日記を勝手に見てはいけない。
□ 〜からには 〜からは ▶V／A＋からには／からは ▶Na／N＋である＋からには／からは	「〜のだから当然」 ① 一度決めたからには、最後までがんばらなければならない。 ② 学生であるからには、勉強を第一に考えるべきだ。
□ 〜から見ると 〜から見れば 〜から見て 〜から見ても ▶N＋から見ると／から見れば／から見て／から見ても	「〜（の立場）から判断すると」 ① 外国人から見ると、日本には変な習慣がある。 ② 彼の態度から見て、早く帰りたがっているようだ。

判断や意志

原因・理由、結果 ｜ 条件や方法 ｜ 時間や場所 ｜ 物事の様子や性質 ｜ 評価 ｜ 感情や気持ち ｜ 比較・例示や話題・対象 ｜ いろいろな機能

N2レベルの「文型」 グループA

文型	説明・例文
□ ～ことだ ▶(1) Vる／ない＋ことだ ▶(2) A／Na＋ことだ	(1)「～のがいちばんだ」「～ほうがいい」／忠告や命令、助言を表す。 (2)「実に～だ」／感心する気持ちなどを表す。 ① 日本語が上手になりたければ、毎日勉強することだ。 ② 犯罪にあいたくなければ、危ない場所に行かないことだ。 ③ 山田さんの娘さんは頭もよくて美人で、うらやましいことです。
□ ～ことだから ▶N＋の＋ことだから	「～だから」／話題になっているものについて、「当然～だろう」と推測されることを表す。 ① 成績のいい山田君のことだから、今日のテストもいい点を取るだろう。 ② いつも遅れて来る彼女のことだから、少しぐらい遅くても心配ない。
□ ～ことはない ▶Vる＋ことはない	「～する必要はない」 ① 何かあれば連絡してくるはずだから、心配することはないよ。 ② 一度しか使わないものだから、わざわざ買うことはない。
□ ～ざるを得ない ▶V~~ない~~＋ざるを得ない	「～なければならない」／「本当はそうしたくないけど、事情があってしかたなく」という意味を表す。 ① 昨日から熱が下がらないので、今日は学校を休まざるを得ない。 ② 家が貧しいので、進学をあきらめざるを得なかった。
□ ～しかない ▶Vる＋しかない	「～ほかに方法がない」 ① 自転車がこわれたから、歩いて行くしかない。 ② 彼女が作った料理だから、まずくても食べるしかない。
□ たとえ(たとい)～ても ▶たとえ＋Vて／Aく／Naで／Nで＋も	「もし～ても」 ① たとえお金がなくても、家族がいれば幸せです。 ② たとえ難しくても、最後までこの仕事をがんばります。
□ ～っこない ▶V~~ます~~＋っこない	「絶対～ない」 ① こんな重い荷物、一人で持てっこないよ。 ② 彼は毎日遊んでばかりなので、試験に合格できっこない。

グループA　N2レベルの「文型」

文型	説明・例文
□ **〜てこそ** ▶ Vて＋こそ	「〜して初めて」／「何かをすること（何かがあること）で、あることが成り立つ」ことを表す。 ① 自分でやってみてこそ、学べることが多くあります。 ② 親の助けがあってこそ、今の自分があると思います。
□ **〜というものだ** ▶ [ふつう]＋というものだ	「本当に〜だ」／感想を強調する表現。 ① 悪いことは悪いと教えるのが教育というものだ。 ② 5分遅れてきただけで教室に入れてもらえないなんて、厳しすぎるというものだ。
□ **〜というものでもない** **〜というものではない** ▶ [ふつう]＋というものでもない	「ある主張や意見がいつも正しいとはいえない」という意味を表す ① お金があれば幸せというものでもない。 ② ただ授業を聞けばいいというものではない。いろいろな問題について、自分でよく考えてみることが大切だ。
□ **〜というものは** ▶ N＋というものは	ある事柄について、その変わらない性質を述べる表現。 ① 人生というものは、自分の思いどおりにはいかないものです。 ② 子供の笑顔というものは、人の気持ちを穏やかにしてくれるものです。
□ **〜としたら** **〜とすれば** ▶ [ふつう]＋としたら／とすれば	「〜なら」／「それが事実であれば」という意味を表す。 ① 車を買うとしたら、ドイツの車がいい。 ② 時刻表どおりだとすれば、バスはもうすぐ来るはずだ。
□ **〜とはいうものの** ▶ [ふつう]＋とはいうものの	「〜だが、やはり」 ① 梅雨に入ったとはいうものの、あまり雨が降らない。 ② 出身大学は関係ないとはいうものの、実際に採用される人は有名大学出身の人ばかりだ。
□ **〜ない限り** ▶ Vない＋ないかぎり	「〜なければ、（…は実現しない）」 ① たばこをやめないかぎり、病気は治らないよ。 ② この試験に合格しないかぎり、卒業できない。
□ **〜ないことには** ▶ Vない＋ないことには	「〜なければ」／「Aが成立しなければ、Bが成立しない」ことを表す ① 社長が来ないことには、会議が始められない。 ② できるかどうか、やってみないことにはわからない。

145

N2レベルの「文型」 グループA

文型	意味・例文
□ 〜ないことはない / 〜ないこともない ▶ V＋ない＋ないことはない ▶ Aく＋ないことはない ▶ Na／N＋で＋ないことはない	「〜という可能性があるかもしれない」／消極的に肯定する表現。 ① 本当は行きたくないけど、田中さんが行くなら、私も行かないこともない。 ② これも買えないことはないが、もっと安いのがあれば、そっちのほうがいい。
□ 〜ないではいられない / 〜ずにはいられない ▶ Vない＋ないではいられない	「〜ないでいることはできない」 ① 大好きなバンドが初めて来日するので、コンサートに行かないではいられない。 ② あの映画のラストは本当に悲しくて、泣かないではいられなかった。
□ 〜にかかわらず / 〜にかかわりなく / 〜にはかかわりなく ▶ N＋にかかわらず ▶ Vる＋Vない＋にかかわらず ▶ A＋Aない＋かかわらず	「〜に関係なく」 ① 今日の試合の結果にかかわらず、彼は世界大会の代表に選ばれる。 ② 参加するしないにかかわらず、明日までに連絡をください。
□ 〜に限って / 〜に限り / 〜に限らず ▶ N＋に限って／に限り／に限らず	「〜の場合は必ず…」「〜だけでなく…も」 ① 急いでいるときに限って、電話がかかってくる。 ② このアニメは子供に限らず、大人にも人気がある。
□ 〜に決まっている ▶ V／A＋に決まっている ▶ Na／N＋に決まっている	「きっと〜だ」「当然〜と思う」 ① 彼はよくうそをつくから、この話もうそに決まっている。 ② 全然練習していないから、明日の試合は負けるに決まっている。
□ 〜に越したことはない ▶ Vる＋に越したことはない ▶ A＋に越したことはない ▶ Na／N＋（である）＋に越したことはない	「（普通に考えて）〜のほうがいい」 ① お金がすべてではないが、あるに越したことはない。 ② 料理は上手であるに越したことはない。

グループ A　N2レベルの「文型」

文型	意味・例文
□ **〜にしたところで** ▶ N+にしたところで	「〜の立場でも、〜の場合でも」／「結果は変わらない」ということを表す。 ① 社長にしたところで、これが成功するかどうかはわからない。 ② 私にしたところで、賛成はできない。
□ **〜にすぎない** ▶ V／A+にすぎない ▶ Na+である+にすぎない ▶ N+(である)+にすぎない	「ただ〜だけだ」 ① 私はアルバイトにすぎないので、店の経営のことはよくわかりません。 ② 英語が話せるといっても、簡単な日常会話ができるにすぎない。
□ **〜に相違ない** ▶ [ふつう]+に相違ない ※書き言葉	「〜に違いない」 ① ここに書かれていることは、事実に相違ありません。 ② 連絡もしないで休むなんて、何かあったに相違ない。
□ **〜に違いない** ▶ V／A+に違いない ▶ Na／N+(である)+に違いない	「きっと〜と思う」 ① 彼女はとてもうれしそうな顔をしていたので、何かいいことがあったに違いない。 ② この状況から考えると、彼が犯人に違いない。
□ **〜には及ばない** ▶ Vる／N+には及ばない	「〜までしなくても大丈夫だ」 ① 大した病気ではないので、入院するには及びません。 ② こんな簡単なことは、改めて説明するには及ばない。
□ **〜にほかならない** ▶ N+にほかならない	「絶対に〜だ」「絶対に〜以外のものではない」 ① このプロジェクトの成功は、みんなの努力の結果にほかならない。 ② 何も言わないということは、認めるということにほかならない。
□ **〜のだ** ▶ [ふつう]+のだ ※Naな／N+な+のだ	自分の意見を強く言いたいときに使う表現。また、納得した気持ちを表す ① あきらめないでがんばってきたからこそ、成功できたのです。 ② A：田中さん、彼とけんかしたんだって。 　B：ああ…。だから彼女、今日は元気がないんだ。

N2レベルの「文型」 グループA

☐	〜ばかりか 〜ばかりでなく ▶V／A＋ばかりか ▶Naな／である＋ばかりか ▶N＋(である)＋ばかりか	「〜だけでなく、その上〜も」 ① スポーツは健康にいいばかりでなく、ストレス解消にもなる。 ② 彼は家族や友達ばかりか、会社の上司からもお金を借りている。
☐	〜べき 〜べきだ 〜べきではない ▶Vる＋べき ▶Aく＋ある＋べき ▶Na＋である＋べき	「当然〜したほうがいい／〜してはいけない」 ① 引き受けた仕事は最後までやるべきだ。 ② 先生に対して、そんなことを言うべきではない。
☐	〜ほかない 〜よりほかない 〜ほかはない 〜よりほかはない 〜ほかしかたがない ▶Vる＋ほかない	「〜しか方法がない」 ① 父が入院したので、国へ帰るよりほかない。 ② やれることはすべてやった。あとは祈るほかしかたがない。
☐	〜まい 〜まいか ▶Vる＋まい ※Ⅱグループは「食べまい」の形もある。	「〜するようなことはしない」／強い否定を表す。 ① こんなにサービスの悪い店は二度と来るまい。 ② 結局、自分の力が足りなかったのだから、言い訳は言うまい。
☐	〜向きだ 〜向きに 〜向きの ▶N＋向きだ	「〜にちょうどいい／〜に向いている」 ① この店は、肉料理が中心で量も多いので、若い男の人向きだ。 ② 子供向きの映画ですが、大人も見て楽しめます。
☐	〜向けだ 〜向けに 〜向けの ▶N＋向けだ	「〜を対象とした」 ① このマンションはエレベーターの数も多く、高齢者向けに作られている。 ② このパンフレットは英語で書かれているので、外国人向けだ。

文型	意味・例文
□ ～ものだ 　～ものではない 　▶V／A／Na＋ものだ	(1)自然の性質を表す表現（説明） (2)行動のルールを表す表現（注意・忠告） (3)過去のことを思い出して言う表現 ① 人は緊張すると汗をかくものだ。 ② 男は人前で泣くものではない。 ③ 子供のころは、よく川で遊んだものだ。
□ ～ようがない 　▶Vます＋ようがない	「～する方法がない」 ① 携帯電話を忘れたので、連絡しようがない。 ② ここまで壊れてしまっては、直しようがない。
□ ～をぬきに 　～をぬきにして 　～をぬきにしては 　▶N＋をぬきに／をぬきにして／ 　をぬきにしては	「～なしで／～なしに」 ① 環境問題をぬきに、今後の世界を考えることはできない。 ② 調子はよくないが、彼をぬきにして、明日の試合には勝てない。
□ ～わけがない 　～わけはない 　▶V／A＋わけがない 　▶Naな＋わけがない	「～はずがない／絶対に～ない」 ① そんなに食べて、やせられるわけがない。 ② 私が知っているくらいなのに、先生が知らないわけがない。
□ ～わけだ 　▶V／A＋わけだ 　▶Naな＋わけだ	「～のは当然だ」 ① 寒いわけだ。窓が開いているよ。 ② 彼は日本に10年住んでいるので、日本語が上手なわけだ。
□ ～わけではない 　～わけでもない 　▶V／A＋わけではない 　▶Naな＋わけではない	「必ずしも～ではない」 ① 買えないわけではないが、あまり無理はしたくない。 ② 彼の気持ちはわからないわけでもないが、賛成はできません。
□ ～わけにはいかない 　▶Vる／ない＋わけにはいかない	「～できない」「～しなければならない」 ① 今日は大切な試験があるので、休むわけにはいかない。 ② 家族のために、働かないわけにはいかない。

N2レベルの「文型」 グループB

原因・理由、結果など

□ **〜あまり** ▸Vる/た＋あまり ▸Naな＋あまり ▸N＋の＋あまり	「非常に〜ので」／程度が過ぎて、普通ではない結果になったことを表す。 ①子どもの将来を心配する**あまり**、厳しいことを言ってしまった。 ②緊張の**あまり**、スピーチの内容を全部忘れてしまった。	
□ **〜おかげで** **〜おかげだ** ▸Vた＋おかげで ▸A＋おかげで ▸Na＋おかげで ▸N＋の＋おかげで	「〜ために」 ※それが原因でいい結果になったことを表す。 ①友達が手伝ってくれた**おかげで**、仕事が早く終わった。 ②今年の夏は涼しかった**おかげで**、冷房をほとんど使わなくてもよかった。	
□ **〜ことから** ▸V／A＋ことから ▸Na＋(である)＋ことから ▸N＋である＋ことから	「〜ので」／後の文の根拠を表す表現。 ①窓が割られている**ことから**、泥棒は窓から入ったと考えられる。 ②この山は、形が富士山に似ている**ことから**、さぬき富士と呼ばれている。	
□ **〜末** ▸Vた＋末 ▸N＋の＋末	「いろいろ〜した後で(こういう結果になった)」 ①3日間悩んだ**末**、その服を買うことにした。 ②長時間の会議の**末**、やっと新しい商品の名前が決まった。	
□ **〜ずじまい** ▸Vない＋ずじまい	「〜しないまま終わった」 ①せっかくの連休だったのに、雨でどこへも行け**ずじまい**だった。 ②ふるさとへ帰ったのに、友達となかなか連絡が取れず、結局会わ**ずじまい**だった。	
□ **〜せいだ** **〜せいで** **〜せいか** ▸V／A＋せいだ ▸Naな＋せいだ ▸N＋の＋せいだ	「〜ために」／それが原因で悪い結果になったことを表す。 ①目覚まし時計が壊れていた**せいで**、遅刻してしまった。 ②暑い**せいか**、なんだかやる気が出ない。	
□ **〜だけあって** ▸[ふつう]＋だけあって	「〜だから当然」 ①有名な店**だけあって**、いつもたくさんの人が並んでいる。 ②アメリカに留学していた**だけあって**、彼は英語が上手だ。	

グループB　N2レベルの「文型」

□ **〜たところ** ▶Vた＋ところ	「〜たら」／前の動作をきっかけに、わかったことや結果を表す ① ホテルに電話したところ、その日はもう満室だと言われた。 ② 新しいパソコンを使ってみたところ、とても使いやすかった。	
□ **〜たとたん** **〜たとたんに** ▶Vた＋とたん／とたんに	「〜するとすぐに」 ① ドアが開いたとたん、中から犬が飛び出してきた。 ② 電話を切ったとたんに、また電話が鳴ったので、びっくりした。	
□ **〜にこたえて** **〜にこたえ** **〜にこたえる** ▶N＋にこたえて／にこたえ／にこたえる	「〜に沿うように」 ① 親の期待にこたえて、国立大学に進学した。 ② お客様の要望にこたえ、営業時間を長くしました。	
□ **〜にしたがって** **〜にしたがい** ▶Vる＋にしたがって／にしたがい ▶N＋にしたがって／にしたがい	「〜が進むのにともなって」／ある変化に応じて、別のある変化が起こることを表す。 ① 山に登っていくにしたがって、寒くなってきた。 ② インターネットの普及にしたがい、世界が近くなった。	
□ **〜につれて** **〜につれ** ▶Vる／N＋につれて	「〜といっしょに」／一方の変化とともに、もう一方も変化することを表す。 ① 町の発展につれて、交通渋滞が問題になってきた。 ② 年をとるにつれて、耳が聞こえにくくなってくる。	
□ **〜に伴って** **〜に伴い** **〜に伴う** ▶Vる／た＋の＋に伴って ▶N＋に伴って	「〜といっしょに」／同時に起こること、または、一緒に変化することを表す。 ① 台風が近づくのに伴って、雨が強くなる可能性があります。 ② この町は人口の増加に伴い、マンションがどんどん建っている。	
□ **〜の末** **〜の末に** **〜た末** **〜た末に** **〜た末** ▶Vた＋末 ▶N＋の＋末	「長い間〜した後で」 ① よく考えた末に、大学をやめることを決めました。 ② 議論の末、やっとみんなが納得する結論が出た。	

判断や意志／原因・理由、結果／条件や方法／時間や場所／物事の様子や性質／評価／感情や気持ち／比較・例示や話題・対象／いろいろな機能

N２レベルの「文型」 グループB

□ ～ばかりに ▶V／A＋ばかりに ▶Nな／である＋ばかりに ▶N＋である＋ばかりに	「～だけの原因で」／悪い結果になったことを表す。 ①５分遅れたばかりに、試験が受けられなかった。 ②近道があったのに、知らなかったばかりに、随分と遠回りをしてしまった。
□ ～ものだから ～もんだから ▶V／A＋ものだから ▶Na／N＋な＋ものだから	「～ので」 ①とてもおいしかったものだから、食べすぎてしまいました。 ②遅くなってごめん。道が混んでいたもんだから。
□ ～をきっかけに ～をきっかけとして ～をきっかけにして ▶N＋をきっかけに	「～の機会に／その時から」 ①クラス替えをきっかけに、山田君と仲良くなった。 ②大学入学をきっかけに、一人暮らしを始めた。
□ ～を契機に ～を契機として ～を契機にして ▶N＋を契機に	「～の機会に／その時から」 ①この事故を契機に、法律を改正しようという動きが活発になった。 ②この商品の開発を契機として、会社が大きく発展した。
□ ～以上 ～以上は ▶[ふつう]＋以上／以上は ※Naである、Nである	「～のような状況であるから必ず／当然～」 ①約束した以上、明日は必ず来てくださいね。 ②この学校の学生である以上は、学校のルールを守らなければならない。
□ ～上 ～上で ～上の ～上での ▶Vた／Nの＋上	「まず～をしてから」 ①進路については、よく考えた上で決めてください。 ②書類に間違いがないか、十分お確かめの上、申し込んでください。
□ ～かぎり ～かぎりは ～かぎりでは ～ないかぎり ▶[ふつう]＋かぎり ▶Vる／た／N＋かぎりでは	「～である間は」「～の範囲では」 ①親と一緒に住んでいるかぎり、経済的に自立することはできない。 ②お酒をやめないかぎり、あなたの病気はよくなりませんよ。 ③私の知るかぎりでは、このクラスで彼が一番よく勉強している。

条件や方法など

グループC　N2レベルの「文型」

□ **〜かわりに**	「〜の代理で／代用で」「〜と反対に」	
▶ V／A＋かわりに	① 部長のかわりに会議に出席します。	
▶ Naな＋かわりに	② この仕事は、給料がいいかわりに、とても忙しい。	
▶ N＋のかわりに		
□ **〜こととなると**	ある話題についてはいつもと違う態度になることを表す	
▶ N＋の＋こととなると	① 彼はいつも友達にいいアドバイスをするのに、自分のこととなると何も決められない。	
	② 父は釣りのこととなると、急におしゃべりになる。	
□ **〜さえ〜ば**	「Aがあれば／Aがなければ、Bが成立する」という意味を表す	
▶ Vます＋さえ＋すれば／しなければ	① 店の電話番号さえわかれば、インターネットで場所を調べられます。	
▶ Aく＋さえ＋あれば／なければ	② 道が込みさえしなければ、駅まで5分です。	
▶ Na／N＋で＋さえ＋あれば／なければ		
▶ N＋さえ＋V／A＋ば		
▶ N＋さえ＋Na／N＋なら		
□ **〜次第**	「〜したらすぐに」	
▶ Vます／N＋次第	① 参加人数が決まり次第、お知らせします。	
	② 全員が集まり次第、出発します。	
□ **〜次第だ** **〜次第で** **〜次第では**	「〜によっていろいろ変わる」	
	① 試験に合格するかどうかは、あなたの努力次第だ。	
	② この計算はやり方次第で、もっと簡単になるよ。	
▶ N＋次第だ	③ 試験の成績次第では、卒業できないかもしれない。	
□ **〜として** **〜としては** **〜としても**	立場、資格などを表す表現。	
	① 最初は、留学生として日本へ来ました。	
	② アルバイトの私としては、店のやり方に従うだけです。	
▶ N＋として	③ 兄としても、弟の成績がずっと下がっていることは心配だ。	

153

N2レベルの「文型」 グループC

文型	意味・例文
□ ～となると ▶[ふつう]＋となると	「～なら…という結論、結果になる」 ①先生が入院されたとなると、来週の講演は中止だね。 ②医学部に進学するとなると、学費がとてもかかるだろう。
□ ～に応じて ～に応じ ～に応じた ▶N＋に応じて／に応じ／に応じた	「～に合わせて」／程度や種類が変われば、それに合わせて変わるという意味を表す ①料金に応じて、受けられるサービスが変わります。 ②まず、この3つのコースの中から、自分のレベルに応じたクラスを選んでいただきます。
□ ～にかわって ～にかわり ▶N＋にかわって	「～の代理で／今までの～ではなく」 ①部長にかわって、A社との会議に出席します。 ②男の子の間では、これまで人気があった野球にかわり、最近はサッカーが人気がある。
□ ～にしたら ～にすれば ～にしても ▶N＋にしたら／にすれば／にしても	「～の立場に立てば」「～の立場でも」 ①誕生日はめでたいものですが、30歳になるのは、女性にしたら嫌なものです。 ②試合に負けて悔しいのは、監督にしても同じだろう。
□ ～に沿って ▶N＋に沿って	「～から離れない／～に合うように」 ①この案内に沿って、手続きを進めてください。 ②この道に沿って、桜の木が植えられている。
□ ～にとって ～にとっては ～にとっても ～にとっての ▶N＋にとって	「～の立場からみると」 ①私にとって、この手紙はとても大切なものです。 ②日本では普通のことでも、外国人にとっては不思議なことが多い。
□ ～に基づいて ～に基づき ～に基づく ～に基づいた ▶N＋に基づいて	「～を基本／根拠／基礎にして」 ①この小説は事実に基づいて書かれている。 ②国の方針に基づく道路建設が進められている。

グループ C　N2レベルの「文型」

文型	説明・例文
□ 〜によって 　〜により 　〜によっては 　〜による 　〜によると 　〜によれば 　▶N+によって	(1)「〜で」／原因・理由／手段・方法を表す。 (2)「〜に応じて」／それぞれ違うことを表す。 (3)「〜によると」「〜によれば」は伝聞の根拠を表す。 ① 事故により、高速道路が通行止めになっている。 ② 国際問題は戦争ではなく、話し合いによって解決するべきだ。 ③ 国によって、習慣が違う。 ④ 今朝の新聞によると、首相はヨーロッパ訪問を延期したそうだ。
□ 〜抜きで 　▶N+抜きで	「〜なしで」 ① 今朝は寝坊したので、朝食抜きで学校へ来た。 ② この話は彼抜きで進めるわけにはいかない。
□ 〜の上（で） 　▶N+の上で	「〜てから」 ① 電話番号をお確かめの上、もう一度おかけ直しください。 ② 留学は、両親と相談の上で決めたことです。
□ 〜のもとで 　〜のもとに 　▶N+のもとで／のもとに	「〜のところで」「〜の影響を受けながら」 ① 彼は、中村先生のもとで10年研究を続けている。 ② 彼女は優しい両親のもとで、大切に育てられた。
□ 〜ば〜ほど 　▶Vば+Vる+ほど 　▶Aければ+Aい+ほど 　▶Naなら／であれば+Naな／である+ほど 　▶N+なら／であれば+N+である+ほど	「Aの程度が高くなると、Bの程度も高くなる」という意味を表す。 ① 日本語は、勉強すればするほどおもしろくなる。 ② お金がないので、家賃は安ければ安いほどいい。
□ 〜ように 　▶Vる／ない+ように 　▶N+のように	例を表す。また、目標を表す ① 案内書に書いてあるように、この学校の学費は1年間に80万円です。 ② だれでも読めるように、漢字には読み方を書いています。
□ 〜をこめて 　▶N+をこめて	「〜を入れて／〜といっしょに」 ① もっと気持ちをこめて歌ってください。 ② 愛をこめて、彼女にプレゼントを贈った。

N2レベルの「文型」 グループ C

□ ～を～として 　～を～とする 　～を～とした ▶N+を+N+として	「～を～と決めて／～が～である」 ① この会議は国際問題の解決を目的として行われます。 ② この映画は、家族の愛をテーマとした内容です。	
□ ～を問わず 　～は問わず ▶N+を問わず	「～に関係なく」 ① この会社では学歴を問わず、やる気のある人を採用しています。 ② この病院では時間を問わず、患者を受け入れます。	
□ ～をもとに 　～をもとにして ▶N+をもとに	「～を判断の基準、材料などにして」 ① この映画は事実をもとにして作られています。 ② 試験の結果をもとに、クラスを分けました。	

時間や場所など

グループD　N2レベルの「文型」

□ **〜うちに** 　**〜ないうちに** 　▶Vる／ている／ない＋うちに 　▶A／Na＋うちに 　▶N＋の＋うちに	「〜の状況が続く間に」「〜ている間に」 ①母が元気なうちに、海外旅行に連れて行きたい。 ②暗くならないうちに、早く帰ったほうがいい。 ③この小説は、初めはちょっと退屈だったけど、読んでいるうちに面白くなってきた。	
□ **〜折に** 　▶[ふつう]＋折に 　※Nは「Nの折に」になる	「〜の機会に」 ①以前、先生のお宅に伺った折に辞書をいただきました。 ②この議題については、次回の会議の折に話しましょう。	
□ **〜かと思うと** 　**〜かと思ったら** 　**〜と思うと** 　**〜と思ったら** 　▶Vた＋(か)と思うと／思ったら	「〜たらすぐ〜」／短い時間に、次の事柄が起こることを表す。 ①この子はまだ子供だから、笑っていたかと思うと、急に泣き出す。いつものことです。 ②息子は、帰ってきたかと思ったら、すぐまた出かけて行った。 ③かぜが治ったと思ったら、今度はインフルエンザになってしまった。	
□ **〜か〜ないかのうちに** 　▶Vる／た＋か＋Vない＋かのうちに	「〜とほぼ同時に」／「一つのことが終わったかどうかはっきりしない時に、次のことが始まる」ことを表す。 ①司会の話が終わるか終わらないかのうちに、演奏が始まった。 ②チャイムが鳴ったか鳴らないかのうちに、学生は教室を飛び出した。	
□ **〜から〜にかけて** 　▶N＋から＋N＋にかけて	「〜から〜までの間に」／時間や場所のだいたいの範囲を表す。 ①今夜から明日の朝にかけて、雨が降るでしょう。 ②北海道から東北にかけての地域は、漁業が盛んだ。	
□ **〜きり** 　**〜きりだ** 　▶Vた＋きり	〜したのが最後で、そのあと何も変化がないことを表す。 ①彼はアメリカへ行ったきり、帰ってこない。 ②彼女とは3年前に偶然駅で会ったきりで、それから一度も会っていない。	

N2レベルの「文型」 グループD

文型	意味・例文
□ ～際 　～際に 　～際は ▶Vる/た+際/際に/際は ▶N+際/際に/際は	「～時」 ① 先日京都へ行った際、友人に教えてもらったお寺を見に行った。 ② 近くへいらっしゃった際は、ぜひ家へお寄りください。
□ ～最中に 　～最中は ▶Vている+最中に/最中は ▶N+の+最中に/最中は	「～しているちょうどその時」 ① 会議の最中に携帯電話が鳴って困った。 ② 勉強している最中は、話しかけないでください。
□ ～たび 　～たびに ▶Vる+たびに ▶N+の+たびに	「～するときはいつも」 ① この曲を聞くたびに、学生時代を思い出す。 ② よし子ちゃんは、会うたびに大きくなるね。
□ ～ついでに ▶Vる+ついでに ▶N+の+ついでに	「その機会を利用して別のことをする」ということを表す。 ① 自分の部屋を掃除するついでに、廊下も掃除しておいた。 ② 散歩のついでに、スーパーに寄ってパンを買った。
□ ～て以来 ▶Vて+以来	「～てからずっと」 ① 日本へ来て以来、一度も国へ帰っていない。 ② 先月風邪をひいて以来、なんだかずっと体調が悪い。
□ ～ては ▶Vて+は	「～したらいつも」 ① 母は最近、しわが増えたみたいで、鏡を見てはため息をついている。 ② 彼女は、彼からもらった指輪を見てはうれしそうな顔をしている。

グループD　N2レベルの「文型」

□ ～ところに 　～ところへ ▶Vている／る／た＋ところへ／ところに	「～しているときに／～したときに」 ①出かけようとしたところに、友達が遊びに来た。 ②会議で意見がまとまったところへ社長が入ってきて、反対意見を言った。	
□ ～にあたって 　～にあたり ▶Vる／N＋にあたって	「～をするときに」 ①この会を開くにあたり、多くの方に協力していただきました。 ②卒業にあたって、先生への感謝の気持ちを手紙に書いた。	
□ ～において 　～においては 　～においても 　～における ▶N＋において／においては／においても／における	「～で」／場所や時間を表す。 ①第一会議室において、会社説明会が行われます。 ②山田先生は、19世紀における産業の発展について研究しています。	
□ ～に際して(は) 　～に際し 　～に際しての ▶N＋に際して／に際し／に際しての	「～をするときに」 ①引っ越しに際しては、必ずガスや電気の会社に連絡してください。 ②申し込みに際しての注意をよく読んでから、この用紙に記入してください。	
□ ～に先立って 　～に先立ち 　～に先立つ ▶Vる＋(の)＋に先立って ▶N＋に先立って	「～の前に」 ①試験に先立って、注意事項を説明します。 ②実験を行うに先立ち、機械をしっかりとチェックした。	

判断や意志　原因・理由、結果　条件や方法　時間や場所　物事の様子や性質　評価　感情や気持ち　比較・例示や話題・対象　いろいろな機能

N2レベルの「文型」 グループ E

物事の様子や性質など

文型	説明・例文
□ ～一方 　～一方で 　～一方では ▶[ふつう]＋一方(で)	(1)「その傾向がますます進む」、(2)「ある面では～、他の面では～」などの意味を表す。 ① せっかく単語を覚えても、使わないと忘れる一方だ。…(1) ② 日本は工業製品を輸出する一方で、原料や食糧などを輸入している。…(2)
□ ～一方だ ▶Vる＋一方だ ※悪い状況になることが多い。	その傾向がますます進むことを表す。 ① 入院しても、父の病気は悪くなる一方だ。 ② 英語を6年も勉強したのに、使わないから忘れる一方だ。
□ ～上／～上に ▶V／A＋上 ▶Naな＋上 ▶N＋の／である＋上 ※読み方は「うえ」	「～だけでなく、さらに」 ① 彼はオリンピックで金メダルを取った上、世界新記録も出した。 ② 彼女は頭がいい上に、スポーツもできる。
□ ～かけの 　～かけだ 　～かける ▶Vます＋かけの／かけだ／かける	～する過程の途中の状態を表す。 ① 食べかけのケーキが冷蔵庫に入れてある。 ② 彼は何か言いかけて、途中でやめてしまった。
□ ～がちだ 　～がちの ▶Vる／N＋がちだ／がちの	「～することが多い／～しやすい」 ① 彼女に電話すると、話が長くなりがちだ。 ② 最近、曇りがちの天気が多くて、すっきりしない。
□ ～かのようだ ▶[ふつう]＋かのようだ	「(本当はそうではないが)まるで～のようだ」 ① 彼は何でも知っているかのように話している。 ② 彼の悲しみ方は、まるで世界が終わったかのようだ。
□ ～気味 ▶Vます／N＋気味	「少し～の感じがする」 ① 今日は風邪気味なので、早く帰って寝ます。 ② 最近、夫は仕事が大変なようで、疲れ気味だ。

グループ E　N2レベルの「文型」

文型	説明・例文
□ ～きる 　～きれる 　～きれない ▶ Vます＋きる／きれる／きれない	「最後まで～する／～し終える」「完全に～できない」「十分に～できない」 ① アルバイトの給料をもらった日に、全部使いきってしまった。 ② 本日の新聞は午前中で売りきれました。 ③ 母は久しぶりに会った私のために食べきれないほどの料理を作ってくれた。
□ ～げ ▶ A＋げ	「～のような様子」 ① 老人がさびしげにベンチに一人で座っている。 ② となりの部屋から楽しげな音楽が聞こえる。
□ ～ことなく ▶ Vる＋ことなく	「～しないで、そのまま」 ① 難しい課題でしたが、最後まであきらめることなくがんばりました。 ② 友達が地図を書いてくれていたので、迷うことなく着くことができた。
□ ～だらけ ▶ N＋だらけ	「～がたくさんある」「～がたくさんついている」／マイナスの評価を表す。 ① 子供は泥だらけの靴下で、部屋の中に入ってきた。 ② このかばんは10年間も使ったので、傷だらけだ。
□ ～つつ 　～つつも ▶ Vます＋つつ（も）	「～ているがそれでも」 ① 体によくないと知りつつも、つい食べ過ぎてしまう。 ② 勉強しようと思いつつ、疲れていて眠ってしまった。
□ ～つつある ▶ Vます＋つつある	「～ている」／物事が進行中であることを表す。 ① 日本へ来る留学生は増えつつある。 ② 最近、地球の温度が上がりつつある。
□ ～っぽい ▶ Vます＋っぽい ▶ A-い＋っぽい ▶ N＋っぽい	「～の傾向が強い」 ① 年をとったせいか、最近忘れっぽい。 ② 昨日髪を切ったんだけど、子供っぽくない？

N2レベルの「文型」 グループ E

文型	意味・例文
□ 〜とおり 〜とおりに 〜どおり 〜どおりに ▶ Vる／た＋とおり ▶ N＋の＋とおり ▶ N＋どおり	「〜と同じように」 ① 想像していたとおり、山田さんの奥さんはきれいな人でした。 ② このトンネルの工事は、計画どおりに進んでいます。
□ 〜とともに ▶ Vる／N＋とともに	「〜といっしょに」 ① 転勤になって、妻とともに大阪に引っ越した。 ② インターネットが普及するとともに、ネット犯罪も増えてきた。
□ 〜に加えて 〜に加え ▶ N＋に加えて	「〜の上にさらに」 ① 台風が近づいていて、風に加えて雨も強くなってきた。 ② 今年は消費税に加え、保険料も上がる。
□ 〜に反して 〜に反し 〜に反する 〜に反した ▶ N＋に反して	「〜とは反対に」 ① 親の期待に反して、彼は大学をやめてしまった。 ② 専門家の予想に反し、今年の夏は、去年より暑くなった。
□ 〜にわたって 〜にわたり 〜にわたる 〜にわたった ▶ N＋にわたって	「〜の間ずっと」「〜の範囲全部」／時間、場所の範囲全体に広がっていることを表す。 ① 関東地方は広い範囲にわたって、大雨が降るでしょう。 ② 10時間にわたる手術が成功し、祖父の命が助かった。
□ 〜ぬく 〜ぬいて ▶ Vます＋ぬく／ぬいて	「難しいことを最後まで〜する」 ① みなさんの応援があったので、最後まで走り抜くことができました。 ② これが一晩考え抜いて出した答えです。

グループ E　N2レベルの「文型」

文型	説明・例文
□ ～ほどだ 　～ほど 　～ほどの ▸ Vる／ない＋ほどだ ▸ A＋ほどだ ▸ Naな＋ほどだ ▸ N＋ほどだ	「～くらい」／具体的に例を示して、程度を表す。 ① 先月入院した父は、一人で歩けるほど回復した。 ② 台風で雨が激しく降っていて、前が見えないほどだ。
□ ～もかまわず ▸ N＋もかまわず ▸ V／A／Na＋の＋もかまわず	「～は普通は問題があるが、全く気にしないで」 ① 彼女は服が汚れるのもかまわず、雨の中を走って帰った。 ② 彼は、周りの迷惑もかまわず、大きな音で音楽を聞いている。
□ ～もしない ▸ Vます＋もしない ▸ N＋もしない	「全く～ない」 ① よく考えもしないで、適当に答えを書くのはやめてください。 ② 勉強もしないでゲームばかりしていると、成績が下がるよ。
□ ～も～ば～も 　～も～なら～も ▸ N＋も＋Vば ▸ Aければ／Naなら＋N＋も	「～も～し、～も」／似ている事柄を並べて強調する表現。 ① 山田さんは一人暮らしなので、料理もすれば洗濯もする。 ② この店は、味もよければ値段も安いので、人気がある。
□ ～を中心に 　～を中心として 　～を中心にして ▸ N＋を中心に	「～を真ん中にして」「～を一番重要なものとして」 ① この町は、駅を中心にたくさんの店が集まっている。 ② この問題については、A国を中心に議論が進められている。
□ ～をめぐって 　～をめぐる ▸ N＋をめぐって／をめぐる	ある物事について、多くの議論や対立があることを表す。 ① この事件の犯人をめぐって、いろいろな報道がされている。 ② 今、国会では、増税をめぐる議論が中心になっている。

N2レベルの「文型」 グループF

評価など

□ **〜得(え)ない** ▶ Vます＋得(え)ない	「〜することができない、〜する可能性(かのうせい)がない」 ① 先生(せんせい)がそんな間違(まちが)いをするなんて、あり得(え)ない。 ② その美(うつく)しさは、言葉(ことば)では表現(ひょうげん)し得(え)ない。	
□ **〜かい(が)あって** ▶ Vた／Nの＋かい(が)あって	「〜が望(のぞ)ましい結果(けっか)につながって」 ① がんばって勉強(べんきょう)したかいがあって、N2に合格(ごうかく)した。 ② 厳(きび)しい練習(れんしゅう)のかいあって、大会(たいかい)で優勝(ゆうしょう)できた。	
□ **〜だけに** ▶ [ふつう]＋だけに ※Na＋(な／である)＋だけに、 　N＋(である)＋だけに	「〜だからもっと」 ① 1年(ねん)かけて書(か)いてきただけに、この論文(ろんぶん)が完成(かんせい)したときは本当(ほんとう)にうれしかった。 ② 今度(こんど)の試験(しけん)が最後(さいご)のチャンスだけに、彼(かれ)はとてもよく勉強(べんきょう)している。	
□ **〜だけのことはある** ▶ [ふつう]＋だけのことはある ※Naな／である＋だけのことはある、N＋(である)＋だけのことはある	「〜にふさわしい」 ① 高(たか)いだけのことはあって、この店(みせ)の料理(りょうり)は本当(ほんとう)においしい。 ② 留学(りゅうがく)していただけのことはあるね。高橋(たかはし)さんは英語(えいご)がとても上手(じょうず)だ。	
□ **〜ながら** ▶ A＋ながら ▶ Na＋(であり)＋ながら ▶ N＋(であり)＋ながら	「〜だが」 ① このカメラは、小型(こがた)ながら性能(せいのう)がいい。 ② 狭(せま)いながら、花(はな)が植(う)えられるくらいの庭(にわ)がある。	
□ **〜にかけては** ▶ N＋にかけては	「〜について言(い)えば」／プラスの評価(ひょうか)を表(あらわ)す。 ① 彼(かれ)は数学(すうがく)にかけては、クラスでいつも一番(いちばん)だ。 ② 私(わたし)は歌(うた)うことにかけては、だれにも負(ま)けません。	
□ **〜にしては** ▶ N＋にしては	「前(まえ)から持(も)っていたイメージと実際(じっさい)が違(ちが)う」ことを表(あらわ)す。 ① 今回(こんかい)のテスト、80点(てん)なの？　山田君(やまだくん)にしては、あんまりよくないね。 ② 彼(かれ)は日本(にほん)に住(す)んで10年(ねん)にしては、日本語(にほんご)が下手(へた)だ。	
□ **〜のみならず** ▶ Vる／A＋のみならず ▶ Na／N＋(である)＋のみならず	「〜だけでなく」 ① 彼(かれ)の作品(さくひん)は、日本(にほん)のみならず、海外(かいがい)でも評価(ひょうか)が高(たか)い。 ② 彼女(かのじょ)は美(うつく)しいのみならず、頭(あたま)もいい。	

グループ F　N2レベルの「文型」

☐ ～反面 　　～半面 　▶ V／A＋反面 　▶ Naな／である＋反面 　▶ N＋である＋反面	「～のと反対に／～が」 ① 携帯電話は便利な**反面**、お金がかかる。 ② この薬はよくきく**半面**、眠くなる。	
☐ ～もの 　　～もん 　▶ [ふつう]＋(んだ)＋もの	「～から」／理由や言い訳を表す。 ① 買い物に行くのは明日にしない？　今日は大雨だ**もの**。 ②「野菜、食べないの？」「だって、おいしくないん**だもん**」	

165

N2レベルの「文型」 グループG

感情や気持ちなど

文型	意味・例文
□ **～がたい** ▶ Vます＋がたい	「～しようとしても、～するのが難しい」 ① そこでみんなと過ごした時間は、忘れがたい思い出です。 ② 彼がN2に合格したなんて、信じがたい。
□ **～くせに** ▶ [ふつう]＋くせに ※ Naな、Nの	「～なのに、それにふさわしくない」／不満を表す。 ① 彼は学生のくせに遊んでばかりいる。 ② 本当は知らないくせに、いつも知っているような顔をしている。
□ **～こそ** ▶ N＋こそ	強調を表す表現。 ① 今年こそ、N2に合格したい。 ② 学生は自由だけど、学生の時こそ時間を大切にしなければならない。
□ **～ことか** ▶ [疑問詞]＋V／A＋ことか ▶ [疑問詞]＋Naな＋ことか	「なんと～でしょう」／程度が高いことに驚いたことを表す。 ① 海外で一人暮らしをするのがどんなに大変なことか。 ② 親にとって、子供を失うことが、どれほど悲しいことか。
□ **～ことに** **～ことには** ▶ Vた／A／Na＋ことに／ことには	感情や気持ちを先に述べて、強調するときに使う表現。 ① 驚いたことに、彼女は二度も離婚しているそうだ。 ② 残念なことには、先生は今回は出席できないそうだ。
□ **～ずに(は)いられない** ▶ Vない＋ずにはいられない ※ する→せず	「どうしても～してしまう」 ① 彼の努力している姿を見ると、応援せずにはいられない。 ② 昨日の彼の失敗を思い出すと、笑わずにはいられない。
□ **～だけまし** ▶ [ふつう]＋だけまし ※ Naな／である＋だけまし、N＋である＋だけまし	「不満はあるが、（状況や内容は）まだいいほうだ」という意味を表す。 ① 不景気だから、金額が少なくてもボーナスが出るだけましだ。 ② 事故で車が壊れたけど、けがをしなかっただけましだ。
□ **～てしょうがない** ▶ Vて／Aくて／Naで＋しょうがない	「非常に～」／ある気持ちが抑えられない様子を表す。 ① 留学するチャンスがなくなって、残念でしょうがない。 ② 連絡がとれなくなった友達のことが気になってしょうがない。

グループ G N2レベルの「文型」

□ **〜てたまらない** ▶ Aて／Naで＋たまらない	「非常に〜」「〜てしかたがない」 ① 大学に合格して、うれしくてたまらない。 ② 新しいパソコンが欲しくてたまらない。
□ **〜てでも** ▶ Vて＋でも	「〜ということをしたとしても」／強い決意を表す。 ① ここのラーメンは最高においしいから、並んででも食べたい。 ② 子供はいやがるだろうけど、引っぱってでも歯医者へ連れて行く。
□ **〜てはかなわない** ▶ Vうけみ＋てはかなわない	「〜のはいやだ、困る」 ① 彼の不注意なのに、私のミスのように言われてはかなわない。 ② 子供に大切な皿を割られてはかなわないので、棚の奥にしまっておこう。
□ **〜ではないか** ▶ [ふつう]＋ではないか	自分の意見、判断、疑問、提案を相手に伝える表現。 ① こんなお願いをするなんて、相手に対して、あまりにも失礼ではないか。 ② 今回のレポート、よくできているじゃないか。
□ **〜てほしいものだ** ▶ Vて／ないで＋ほしいものだ	「だれかに対して変化や動きを強く望む気持ち」を表す ① 息子ももう35歳なんだから、そろそろ自分の家庭を持ってほしいものだ。 ② 景気もよくないし、これ以上税金を上げないでほしいものだ。
□ **〜てまで(は)** ▶ Vて＋まで	普通と違うレベルを示して「そのようなことまでして(〜したくない)」という気持ちを表す。 ① 欲しいとは思うが、高いお金を払ってまで買おうとは思わない。 ② 日本の食べ物が一番好きだけど、外国に来てまで食べようとは思わない。
□ **〜ないものか** ▶ Vない＋ないものか	実現するのが難しい状況で、「それでも実現を強く願う気持ち」を表す。 ① 朝の満員電車は、何とかできないものか。 ② 太郎のあの髪型、もう少しなんとかならないものか。

N2レベルの「文型」 グループG

文型	説明・例文
□ ～など ～なんか ～なんて ▶[ふつう]＋など／なんか／なんて	(1) 軽く例をあげるときの表現。 (2) 「そんなことは考えられない」と言いたいときの表現。ある物事に対する否定的な見方や低く見る気持ちを表す。 ① これなんか、いんじゃない？ その服にも合ってるよ。…(1) ② 政治家になることなど、考えたこともなかった。…(2) ③ こんな難しい問題、私なんかにわかるはずがない。…(2) ④ 試験の前の日に寝ないでゲームをするなんて、信じられない。…(2)
□ ～にしろ ～にせよ ▶V／A＋にしろ／にせよ ▶Na／N＋(である)＋にしろ／にせよ	「たとえ～ても」／「～にしろ、～にしろ」の形で、「～の場合も、～の場合も」という意味を表す。 ① 事情を知らなかったにせよ、あんなことを言ってはいけない。 ② 飛行機にしろ、新幹線にしろ、大阪まで行くのはお金がかかる。
□ ～につけ ～につけて(は) ～につけても ▶Vる＋につけ／につけては／につけても ※「何かにつけ」の形もよく使われる。	「～するといつも」 ① あの時のことを思い出すにつけ、悔しい気持ちになる。 ② 彼は、何かにつけて私に文句を言ってくる。
□ ～にもかかわらず ▶[ふつう]＋にもかかわらず	「～のに」 予想と違った結果に対する意外な気持ちを表す。 ① 彼は、忙しいにもかかわらず、私の仕事を手伝ってくれた。 ② あの歌手のコンサートには、雨にもかかわらず、大勢の人が集まった。
□ ～までして ▶N＋までして	程度の高い例を示して「そんなことまでして」という意味を表す。 ① 借金までして車を買う必要はない。 ② 徹夜までしてがんばったのに、いい点数が取れなかった。
□ ～ものか ～もんか ▶Vる／Aい／Naな＋ものか ▶N＋な＋ものか	「決して～ない」 ① あんなサービスが悪い店、二度と行くものか。 ② 「店長さん、優しそうな人だね」「優しいもんか。毎日怒鳴られてるよ」

グループG　N2レベルの「文型」

□ **〜ものがある**
- Vる／ない＋ものがある
- A／Na＋ものがある

「〜ように感じられる」／自分が感じたことを再確認するように述べる表現。
① 彼の作品は、人を引きつけるものがある。
② 初めて家族と離れて一人暮らしをするのは、さびしいものがある。

□ **〜ものなら**
- V可能＋ものなら

実現が難しいことや不可能なことについて、「もし〜できるなら」という意味を表す。
① できるものなら、もう一度学生時代に戻りたい。
② 行けるものなら行きたいが、どうしてもアルバイトを休めない。

□ **〜んだった**
- Vる＋んだった

「〜ばよかった」／うっかりしていたという気持ちが含まれる表現。
① こんなに慌てることになるなら、もっと早く家を出るんだった。
② あーあ、学生の頃にもっと勉強しておくんだった。そうしたら、もっといい会社に行けたのに。

N２レベルの「文型」 グループH
比較・例示や話題・対象など

□ ～（よ）うものなら ▶Vう＋ものなら	「～したら（好ましくない結果になる）」 ①２歳の息子は、私が少し離れようものなら、泣きながら追いかけてくる。 ②田中先生は厳しい先生で、授業中に携帯電話を使おうものなら、教室から追い出される。
□ ～くらい 　～ぐらい 　～くらいだ 　～ぐらいだ ▶Vる／た＋くらい ▶Naな＋くらい ▶N＋くらい	例をあげて程度を表す。また、程度が軽いことを表す。 ①顔から火が出るくらい恥ずかしかった。 ②忙しいといっても、電話くらいできたでしょう。
□ ～さえ 　～でさえ ▶N＋さえ／でさえ	「～も…ない」「～でも…ない」／最も可能性が低いもの（A）を取り上げて、「Aも…ない」という驚きを表す。「もちろん、ほかもそうだ」という意味を含む。 ①この町は田舎で、バスさえ通っていない。 ②先生でさえわからないのに、私たちにわかるはずがない。
□ ～ということは ▶［ふつう］＋ということだ	ある事柄を取り上げて、それについて思うことや感じることを述べる表現。 ①自立するということは、お金の面だけでなく、気持ちの面でも人に頼らないということだ。 ②中村さんが行かないということは、このセミナーに参加する女性は私一人ということだ。
□ ～というより ▶［ふつう］＋というより	「～と言えるが、それより（～と言ったほうが適切だ）」 ①最近の携帯電話は、電話というよりパソコンだ。 ②田中先生の教え方は、教えているというより一緒に考えている、という感じだ。

グループ H　N2レベルの「文型」

文型	説明・例文
□ **〜といえば** ▶ N+といえば	ある話や思い出したことを話題にするときの表現。 ① 富士山といえば、最近また、登山客が増えているそうですね。 ② 夏の食べ物といえば、やっぱりスイカですね。
□ **〜といった** ▶ N+といった	「〜などの」／代表的な例を表す。 ① 日本には、相撲や柔道、空手といった伝統的なスポーツがある。 ② 子供のころ、ピアノや水泳、英会話といった習い事をたくさんやっていた。
□ **〜といっても** ▶ [ふつう]+といっても	「〜が」／「実際は相手が持つ（一般の）イメージと違う、そんなに大したものではない」ことを言いたいときの表現。 ① 車を買ったといっても、中古の安い車です。 ② 忙しいといっても、先週ほどではありません。
□ **〜どころか** ▶ [ふつう]+どころか	「結果や事実が予想や期待と正反対である」ことを強調する表現。 ① 手伝ってあげたのに、お礼を言われるどころか、逆に文句を言われた。 ② もう9月なのに、涼しくなるどころか、まだまだ暑い日が続く。
□ **〜どころではない** **〜どころではなく** ▶ Vる／N+どころではない	「そのようなことができる状況ではない」 ① 昨日は花火大会だったが、忙しくてそれどころではなかった。 ② 入院している母が心配で、食事に行くどころではない。
□ **〜ところをみると** ▶ [ふつう]+ところをみると	「〜という事実、様子から判断すると」 ① 急いで帰っているところをみると、彼は今日大切な用事があるようだ。 ② 大勢の人が並んでいるところをみると、この店はおいしいに違いない。
□ **〜に関して** **〜に関しては** **〜に関しても** **〜に関する** ▶ N+に関して	「〜について」／話したり考えたりするテーマを示す。 ① 試験の日程や内容に関しては、まだ発表されていません。 ② 田中先生は、国際経済に関する本を数多く書かれています。

N2レベルの「文型」 グループH

□	〜に比べて 〜に比べ ▶V+の+に比べて ▶N+に比べて	「〜より」／〜を基準にして程度の違いなどを表す ①アジアのほかの国に比べて、日本は食べ物の値段が高い。 ②手で書くのに比べ、パソコンを使うほうが速く書ける。
□	〜に対して 〜に対し 〜に対しては 〜に対しても 〜に対する ▶V／A+のに対して ▶Naな+のに対して ▶N+のに対して	「〜に向けて／〜と反対に」 ①お客様に対しては、常に丁寧に対応してください。 ②あの姉妹は、姉がおとなしいのに対して、妹は活発だ。
□	〜について 〜につき 〜については 〜についても 〜についての ▶N+について	「〜に関して」／話したり考えたりするテーマを示す。 ①事故原因については、現在調査中です。 ②この新製品の使い方について、説明させていただきます。
□	〜はさておき ▶N+はさておき	「〜は脇に置いて(今は取り上げないで)」という意味を表す。 ①このレストランは、店の雰囲気はさておき、味はいい。 ②冗談はさておき、さっそく、会議を始めましょう。
□	〜はというと ▶N+はというと	「一方、〜は」／「Aは…。一方、Bは…」という意味で、「先に取り上げたAとの比較を強調して、Bについて述べる」ときの表現。 ①彼は数学はよくできるが、英語はというと、そうでもない。 ②妹が入学試験を受けている間、私はというと、近くのデパートのバーゲンに行っていた。
□	〜はともかく 〜はともかくとして ▶N+はともかく／はともかくとして	「〜より大事なこととして」 ①勝ち負けはともかくとして、一生懸命がんばることが大切だ。 ②うちの母の料理は、見た目はともかく、味はいい。

グループ H　N2レベルの「文型」

□ ～はもちろん 　～はもとより ▶N+はもちろん／はもとより	「～は当然（～も）」 ① 合格通知が届いて、本人はもちろん、家族も皆、すごく喜んだ。 ② 祖父母が住むところは田舎で、電車はもとよりバスもない。	
□ ～ものの ▶V／A+ものの ▶Naな／である+ものの ▶N+である+ものの	「～だが」 ① 給料は安いものの、仕事の内容はとてもおもしろい。 ② 本を買ったものの、忙しくてまだ全然読んでいない。	
□ ～やら～やら ▶V／A／N+やら～やら	複数の例をあげて、いろいろあることを表す。 ① みんなの前でほめられて、うれしいやら恥ずかしいやらで、顔が赤くなった。 ② 今年は、引っ越しやら資格試験の受験やらで、忙しかった。	
□ ～わりに 　～わりには ▶[ふつう]+わりに(は)	「～にふさわしくなく、意外に」 ① あのレストランは値段のわりにおいしい。 ② 今日のテストは、勉強したわりにはあまり書けなかった。	
□ ～をはじめ 　～をはじめとして 　～をはじめとする ▶N+をはじめ／をはじめとして／をはじめとする	代表的な例をあげる表現。 ① この国際会議には、日本をはじめ、多くのアジアの国々が参加している。 ② 日本にいる間は、先生をはじめとして、多くの方々にお世話になりました。	

N2レベルの「文型」 グループ1

いろいろな機能

文型	説明・例文
□ ～う(意向形)ではないか(じゃないか) ▶Vう+ではないか	「～しましょう／～しませんか」／強く呼びかける表現。 ① みんなでボランティア活動に参加しようではないか。 ② この件については、もう少し議論しようじゃないか。
～ことになっている ▶Vる／ない+ことになっている ▶A+ことになっている	予定、規則などを表す。 ① 今週末は家族で京都へ行くことになっている。 ② この寮は、12時に玄関が閉まることになっている。
～っけ ▶Vた+っけ ▶Aかった+っけ ▶Na／Nだ+(った)+っけ ▶[ふつう]+んだ+っけ	はっきり覚えていないことを確認するときに使う表現。 ① 明日の試験は9時からだっけ。 ② 今度のパーティーには何人参加するんだっけ。
～というか ▶[ふつう]+というか	話題の物事について説明するときに、印象や判断をはさむときに使う表現 ① 貯金を全部寄付するなんて、人がいいというか、びっくりさせられた。 ② 彼の行動は、勇気があるというか、他の人にはなかなかできないことだ。
～ということだ ▶[ふつう]+ということだ	「～ということを聞いた」「～という意味だ」 ① ニュースによると、大雨で新幹線が止まっているということだ。 ②「昨日はとても忙しかったんです」「じゃあ、宿題ができなかったということですか」
～とか ▶[ふつう]+とか	「～そうだが」「～と聞いたが」 ① 山田先生が新しい本を出されるとか。ぜひ読みたいです。 ② 田中さんは最近忙しいとか言っていたから、今日のパーティーは来ないかもしれない。
～を通じて ～を通して ▶N+を通じて／を通して	(1)「その期間の初めから終わりまでずっと」、(2)「直接ではなく、何かを間に入れて」という意味を表す。 ① この国は、一年を通じて気温が30度以上になる。 ② 彼女とは、インターネットを通して知り合いました。

問題のパターンと解答のポイント

言語知識

問題1　漢字の正しい読みを選ぶ

_____の言葉の読み方として最もよいものを、1・2・3・4から一つ選びなさい。

教授は、この理論がただしいことを証明した。

1　しょめい　　　2　しょうめい　　　3　せいめい　　　4　せつめい

ポイント
- 伸ばす音か伸ばさない音か。詰まる音か詰まらない音か。
- 「か～」などの音か「が～」などの音か。「は～」などの音か「ぱ～」などの音か。
- 訓読みの難しいものや読み方の多い漢字に注意。

問題2　ひらがなの部分の正しい漢字を選ぶ

_____の言葉を漢字で書くとき、最もよいものを1・2・3・4から一つ選びなさい。

自然のほうそくに逆らうことはできない。

1　方則　　　2　方測　　　3　法則　　　4　法測

ポイント
- 漢字の意味を考える。
- その漢字を含む別の言葉を思い出してみる。

問題3　語と語の結び付きの正しい漢字を選ぶ

(　　)に入れるのに最もよいものを、1・2・3・4から一つ選びなさい。

政治に(　　)関心な若者が増えている。

1　無　　　2　非常　　　3　不　　　4　未

ポイント
- この本の「前に付く語・後ろに付く語」で基本的なものをチェックする。

＜答え＞問題1-2、問題2-3、問題3-1

問題4　文に合う語を選ぶ

（　　）に入れるのに最もよいものを、1・2・3・4から一つ選びなさい。

先生は優しく、またある時は厳しく、私たちを（　　　）してくれた。

1　案内　　　　2　管理　　　　3　指導　　　　4　注意

ポイント
- 「意味の似ている語」「形の似ている語」は、意味の違いや使い方の違いを整理しておく。
- 慣用句は、よく使われるものを覚えておく。特に、「手」「目」「口」など体に関するもの。

問題5　意味がほぼ同じで、置き換えられる語を選ぶ

＿＿＿の言葉に意味が最も近いものを、1・2・3・4から一つ選びなさい。

これらの野菜には、ビタミンが豊富に含まれている。

1　少し　　　　2　たくさん　　　3　適当に　　　4　わずかに

ポイント
- 下線部の言葉が漢字を含む場合は、漢字の意味も考える。
- 日頃から意味の似ている語に注意する。特に副詞。

問題6　正しく使われているものを選ぶ

次の言葉の使い方として最もよいものを、1・2・3・4から一つ選びなさい。

事情
1　インターネットで商品についての事情を調べた。
2　彼には断らなければならない事情があったようだ。
3　先生の事情がよければ、来週伺うつもりです。
4　彼はけがを事情に、ずっと練習を休んでいる。

ポイント
- 多くの場合、不正解選択肢について、それぞれ該当する語がある。それをヒントに絞っていく。（ここでは、1→情報、3→都合、4→理由）

＜答え＞問題4－3、問題5－2、問題6－2

問題7　文に合う文型や表現を選ぶ

次の文の(　)に入れるのに最もよいものを、1・2・3・4から一つ選びなさい。

会える(　)、今すぐにでも彼女に会いたい。

1　といえば　　　2　といっても　　　3　ものなら　　　4　ものの

ポイント
- 文型の前後と自然につながるか。前に来る言葉の形にも注意する。
- 文全体の意味を考えながら、文型の形（特に最後の部分）に注意する。

問題8　語を並べ替えて文を完成させる

次の文の　★　に入る最もよいものを、1・2・3・4から一つ選びなさい。

あそこで ＿＿＿ ＿＿＿ ★ ＿＿＿ は田中先生です。

1　本　　　2　読んでいる　　　3　を　　　4　人

ポイント
- 解答の際、「★」の番号を間違えないよう注意する。「★」は＿＿＿の「3番目」。
- 選択肢の下に並びの順番を書き、3番目に来るものを丸で囲む→あとで再確認するときにわかるように。

問題9　文章の内容に合う語を選ぶ

次の文章を読んで　1　から　3　の中に入る最もよいものを、1・2・3・4から一つ選びなさい。

「ひとりが嫌だ」という若者が増えている。「ひとり」といっても、一人では何もできない、という意味ではない。みんなの中での一人、それが嫌なのだ。　1　、彼らは大学の食堂で一人で昼食を食べようとしない。仲良しグループやカップルなどが楽しそうに食事をするわきで一人で黙々と食事をする自分——その姿を見られたくないのだ。これが、街中の食堂やハンバーガーショップとなると、話は　2　。そこでは客同士は、お互い何の関係もない全くの他人で、「彼、今日はあまり元気がないね」とか「どうして一人なんだろう？」などと、心配することも、されることもない。その点、"小さな村社会"ともいえる学校や会社では逆で、　3　周囲の目を気にしてしまうのだ。

|1| 1　また　　2　しかし　　3　そのため　　4　ところで
|2| 1　別だ　　2　同じだ　　3　おもしろい　　4　簡単だ
|3| 1　なるべく　　2　なんとか　　3　思った通り　　4　必要以上に

ポイント
- ＿＿の一つ前の文など、前の部分に注目する。
- 接続詞の主なものについて、意味と使い方を理解しておこう。

<答え>問題7-3、問題8-2、問題9-3, 1, 4

読解

問題 10　内容理解（短文）

文章全体を通した筆者の考えや、キーワードについての筆者の考えを問うものが多い。

例　「筆者の考えに合うのはどれか」
　　「筆者は～についてどのように考えているか」

ポイント
● 結論的な部分を言い換えている選択肢に注目。正解の場合が多い。

問題 11　内容理解（中文）

文章中の言葉や表現の意味、筆者の意見や考え方を問う問題が中心。

　　動物が人の住む場所に現れ、騒ぎになるというものだ。お腹を空かせたクマやイノシシ、サルなどが、畑の作物を食べたりゴミ捨て場を荒らしたりするのだ。そして、その結果として、動物か人間、あるいはその両方が①傷つくことが少なくない。けがをした人には気の毒としか言いようがないのだが、動物を責めることはできない。人間と野生動物の間で何か問題が生じた場合、責任はすべて人間の側にある。
　　ところが、問題の解決としてよく行われるのは、銃で動物を殺すというものだ。まるで騒動や被害を引き起こした罪に問われたかのように。しかし、そもそも彼らがあえて境を越えて来るのは、彼らがこれまで受けてきた自然の恵みを奪われたからだ。山や森はどんどん小さくなり、気候ですら正常でなくなっている。もちろん、②そうした環境の変化は、彼らが何か悪いことをしたり、怠けたりしたことによるものではない。
　　何の反論も許されない彼らの声なき声を代弁すると、彼らこそ、常に被害者だ。そのことを人間はよくよく知っておくべきではないだろうか。そうでないと、同じような不幸が繰り返されるだけだ。

質問1：①傷つくとは、どのような意味か。

1　食べ物などの被害を受けること
2　意味のない戦いをすること
3　けがをしたり銃で射たれたりすること
4　犯した罪により責任を問われること

質問2：②そうした環境の変化とは、どういうものか。

1　動物と人間が傷つけ合うこと
2　動物が畑や人の家を荒らすこと
3　人間が動物を銃で殺すこと
4　動物の生活環境が変化していること

質問3：この文章で筆者の言いたいことは何か。

1　動物を殺さず、生きたまま山や森に返す方法を考えるべきだ。
2　動物や自然に与えている影響について、しっかりと責任を感じるべきだ。
3　これ以上自然を壊すようなことはやめ、動物たちに山や森を返すべきだ。
4　自然のありがたさを理解し、感謝の気持ちを忘れないようにするべきだ。

ポイント
- 下線部に関する問いの場合、その前の部分に注目する。
- 指示語（これ・それ・あの・そういう etc.）が何を指しているか
- 客観的な事柄（事実や伝聞情報）か、意見や判断か、に注意する。
  《意見や判断》〜と思う、〜べきだ、〜はずだ、〜なければならない、〜だろう、〜に違いない、〜かもしれない、〜ない、〜か

問題12　統合理解

二つ以上の文章を読み、同じ点・違う点を整理しながら全体として理解できるかを問う。

ポイント
- 《よくある文章のパターン》
  - 映画や小説など作品の評価／計画や企画についての意見／商品やサービスについての問い合わせと、それに対する回答

- 《よくある質問文》
  - ＡとＢのどちらの文章（記事）にも触れられている点は何か。
  - ＡとＢの筆者は、〜についてどのように考えているか。
  - 〜に対するＡ、Ｂの回答（意見）について、正しいのはどれか。
  - 〜の理由は何か。

- 《よくある選択肢》
  - 肯定する⇔否定する／肯定的⇔否定的／賛成⇔反対／積極的⇔消極的／〜を（より）重視する／〜に理解を示す／〜べきだと言っている／明確にする／批判的／立場をとる／見方を示す／注意を呼びかける／強調する／すすめる

- 《その他キーワード》
  - 課題とする／問題点を挙げる／改善を図る／疑問

問題13　内容理解（長文）

社会・人生・文化・歴史・芸術など、幅広いテーマから。筆者の考えを問う問題が中心。

ポイント
- 主張が表れる部分（〜ではないか、〜と思う、〜気がする、など）に注目する。

＜答え＞問題11 − 3、4、2

問題13　情報検索

たくさんの情報から必要なものを抜き出すことができるかを問う問題。

表は、さくらホテルの宿泊プランの案内である。下の問いに対する答えとして最もよいものを、1・2・3・4から一つ選びなさい。

質問1：山本さんは、夫婦で来週末の土日で旅行をしたいと思っている。夕食は、知人の経営しているレストランに行くつもりだ。どの宿泊プランがよいか。

1　朝食付きプラン　　　2　2食付きプラン　　3　連泊プラン　　4　早割プラン

質問2：田中さんは、来年2月に男性3人で旅行をしたいと思っている。ホテルには3泊の予定だ。一番安く泊まるには、どのプランがよいか。

1　朝食付きプラン　　　2　連泊プラン　　3　レディースプラン　　4　早割プラン

さくらホテル　夏のおすすめプラン！

さくらホテルでは、お客様のご希望に合わせて、さまざまなプランをご用意しております。

プラン	内容	料金
朝食付きプラン	スタンダードプランです。ホテルおすすめの朝食をお召し上がりください。	9000円／人
2食付きプラン	朝・夕の2食が付きます。ホテルでゆっくりお過ごしになりたい方に。	11000円／人
連泊プラン	2泊以上連続でお泊まりなら、こちらのプランがお得です。　※朝食別(500円)	8000円／人
レディースプラン	女性お二人以上でお泊まりの方に。デザートとミニワインのサービス付き！　翌朝の朝食をお部屋で召し上がることもできます。　※朝食付き、一部屋6人まで	10000円／人
お子様お楽しみプラン	プール利用券、お子様の好きなキャラクターグッズ付き。	10000円／人
早割プラン	30日前までにご予約の方に。※朝食別(500円)、シングル一日2室のみ	7000円／人

※特に記載がないプランは、シングルもしくはツインのお部屋をご用意しております。
※駐車料金は、1000円／泊です。数に限りがありますので、ご利用前に、まずはお問い合わせください。

ポイント
- 問いに直接関係のない情報に時間を使わないようにする。
- 応募資格、コース選択、料金計算、交通手段の利用、などを問うものが多い。
- 「注」や「※印の情報」などは答えに関係することが多いのでチェックする。

<答え>問題13－1、4

聴解

問題1　課題理解

二人の会話を聞いて、内容が理解できるかどうかを問う

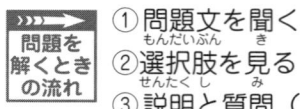

問題を解くときの流れ
① 問題文を聞く
② 選択肢を見る
③ 説明と質問（1回目）を聞く
④ 会話を聞く
⑤ 質問（2回目）を聞く→解答

話…二人の会話
選択肢…問題用紙に印刷。音声なし。

ポイント
● 初めに流れる質問をしっかり聞き取り、質問された点を中心に会話を追う。

会話の特徴	「何をしなければならないか」が問われることが多く、その場合、「すること」が3～4あるので以下の点に注意。 ・「しなければならないこと」「しなくてもいいこと」 ・「先にするべきこと」「後でいいこと」 ・「二人のどっちがすること？」「二人以外の誰かがすること？」
よく出る質問	・〜はこのあと、どうしますか。 ・〜はこのあと、まず、何をしますか。 ・〜はこのあとすぐ、何をしなければなりませんか。 また、行動はひとつで、その対象となる物などを選ぶ問題もある。 例 寝る前に、どの薬を飲まなければなりませんか。
ポイントになる言葉・表現	時間に関する言葉がカギになることが多い。 ・早速／まず／次は／そのあと／〜前に／すぐに／それまでに／それから 依頼や指示、判断を表す表現などもポイントになる。 ・〜ておいて／〜てくれる？／〜てくれない？／〜てもらえるかな／〜しなくていい／それは（しなくて）いい／〜にお願いする／〜に頼む／〜（よ）うと思ってるんだけど／〜しかない／〜にしてみる／〜たほうがいい

問題2　ポイント理解

二人の会話、または一人のスピーチを聞いて、ポイントがつかめるかどうかを問う。

問題を解くときの流れ	① 問題文を聞く ② 選択肢を軽く見る ③ 説明と質問（1回目）を聞く ④ 選択肢を見る（約20秒） ⑤ 会話を聞く ⑥ 質問（2回目）を聞く→解答	話…二人の会話、または一人のスピーチ 選択肢…問題用紙に印刷。音声なし。会話を聞く前の20秒で読んでおく

ポイント	● 1回目の質問で「どうして」「何が」などのポイントを聞き取り、続いて選択肢を見て、落ち着いて準備する。

話の特徴	話の内容や会話場面はさまざまだが、事故やトラブルの原因、行動や判断の理由、課題、心配・不安な点、魅力、最も望むこと、などがテーマになることが多い。
よく出る質問	・何が一番〜だと言っていますか、何が問題だと言っていますか ・どうして〜しますか／ですか、〜た理由は何ですか ・どの〜に決めましたか
ポイントになる言葉・表現	問題のカギになる部分を強調する表現に注意。また、話の中心部分の流れをしっかり追うことが大切。 ・なんといっても／やはり／やっぱり／せっかくだから／それより／何より

問題3　概要理解

一人の話または二人の会話を聞いて、全体としてのテーマが理解できるかを問う。

問題を解くときの流れ	① 説明を聞く ② 話を聞く ③ 質問を聞く 　※ここ1回のみ。話の前にはない。 ④ 選択肢を聞く→解答	話…主に一人のスピーチで、二人の会話が1〜2問。質問文が読まれるのは、会話やスピーチの後の1回のみ。 選択肢…音声のみで、印刷されていない。

ポイント	● 問われるのは話のテーマ。細かい部分に引っ張られず、大きく全体をとらえること。また、選択肢の読み上げを集中して聴くこと（一部分だけでも、書き取るとよい）。

話の特徴	初めに「テレビでアナウンサーが話しています」のように状況が示される⇒聞き逃さないこと。話の内容が少し専門的な場合もあるが、全体のテーマさえつかめればいい。
多い場面	・講演会のスピーチ／インタビュー／ニュース・放送番組／商品やサービスなどの説明・PR／先生の説明／留守番電話のメッセージ
よく出る質問	・話のテーマは何ですか／どのようなテーマで話をしていますか ・何について伝えていますか／何についてのメッセージですか ・〜は〜についてどう思っていますか

問題4　即時応答

質問やお願いなどの短い発話を聞いて、それに合った答え方が理解できるかを問う。

問題を解くときの流れ
① 一人の短い発話を聞く
② 返事（選択肢）を聞く→解答

話…短い発話。質問文は一文。
選択肢…音声のみで、問題用紙には書かれていない。
選択肢は3つ。

ポイント
● 音を聞いているだけだと、どれも正解に思えてしまう⇒内容でしっかり判断する。まず、最初の発話者の求めていることや感情をとらえること。

話の特徴	職場や学校などでの、日常場面の自然な会話。多いのは以下の3つ。 ・感想や気持ちを述べる発話 ・何か作業のお願い ・挨拶などのきまった言い方 また、日本語に多い、はっきりしない言い方もよく出る。
よく出る言葉	（答える側）あ、ああ、えっ、いや、では、じゃあ、おかげ（さま）で、確かに

問題5　統合理解

長めの話を聞いて、複数の情報を整理しながら、内容が理解できるかを問う

問題を解くときの流れ
① 説明を聞く
② 話を聞く
③ 質問を聞く
　※ここ一回のみ。話の前にはない
④ 選択肢を聞く（1・2番）
　／読む（3番）→解答

話…多いのは次のパターン
1番→二人会話
2番→三人の会話（男男女または女女男）
3番→一人の説明の後、二人の会話（例 店員＋友達二人）

選択肢…1・2番は音声のみ。3番は質問1・質問2ともに印刷されている。

問題について	統合理解は、いくつかの情報を整理しながら答えを探し出す問題です。はっきりと答えを言わないので、前後をしっかり聞かないとわかりません。また、3人での会話があったり、話の前に質問を聞くことができないことなどから、難易度が高い問題です。メモをとりながら、しっかり聞きましょう。
話の特徴	1番…二人の会話で、一人が情報を持っていて、もう一人が話を聞きながら選択をする。 2番…一人が情報を持っていて、その話を聞く二人が選択をする。 3番…専門家などが先にまとまった説明をし、それを聞いた二人がそれぞれ選択をする。
よく出る質問	・どの〜を〜ますか／何に決めましたか／気に入った〜はどれですか

N2模擬試験
もぎしけん

言語知識・読解

聴解

別冊 解答・解説

N2
言語知識（文字・語彙・文法）・読解
（105分）

問題には、解答番号の 1 、 2 、 3 … が付いています。
解答は、解答用紙（p.231 ～ 232）にある同じ番号のところにマークしてください。

問題1 ＿＿＿の言葉の読み方として最もよいものを、1・2・3・4から一つ選びなさい。

[1] 子供たちが棒を持って暴れていたので、注意した。

　　1　あぼれて　　　2　あばれて　　　3　ぼうれて　　　4　ほうれて

[2] 事故の映像を見て、恐怖を感じた。

　　1　きょうふ　　　2　きょうふう　　3　きょふ　　　　4　きょっぷ

[3] この道は狭いので、車で通る時は注意が必要だ。

　　1　かたい　　　　2　くらい　　　　3　せまい　　　　4　ほそい

[4] この店は、夏の間、営業時間を延長する。

　　1　えんちょう　　2　えんちょ　　　3　てんちょう　　4　てんちょ

[5] このフリーペーパーには、さまざまなお店のお得な情報がたくさん載っている。

　　1　どっくな　　　2　とっくな　　　3　どくな　　　　4　とくな

問題2 ＿＿＿＿の言葉を漢字で書くとき、最もよいものを１・２・３・４から一つ選びなさい。

6　今の平和な状態がえいえんに続くとは限らない。

　　1　栄遠　　　　2　栄延　　　　3　永遠　　　　4　永延

7　この本は内容がかたくて、ちょっと読みにくい。

　　1　回くて　　　2　図くて　　　3　困くて　　　4　固くて

8　子供たちが近づくと、小鳥たちがにげてしまった。

　　1　送げて　　　2　逃げて　　　3　退げて　　　4　迷げて

9　帰りの電車の時刻をしらべておいたが、忘れてしまった。

　　1　周べて　　　2　彫べて　　　3　週べて　　　4　調べて

10　彼の意見をしじする人は、あまりいない。

　　1　技持　　　　2　技示　　　　3　支持　　　　4　支示

問題3 （　　）に入れるのに最もよいものを、1・2・3・4から一つ選びなさい。

[11] 将来は看護（　　）の仕事に就きたい。

　　1　員　　　　2　人　　　　3　師　　　　4　者

[12] それはまだ（　　）確認の情報とのことだ。

　　1　未　　　　2　無　　　　3　非　　　　4　不

[13] 電話やインターネットの通信（　　）を節約するために、契約プランを変更した。

　　1　額　　　　2　賃　　　　3　費　　　　4　金

[14] 牛乳パックなどの紙の容器は、（　　）利用されて、また別の製品の原料になる。

　　1　現　　　　2　再　　　　3　新　　　　4　全

[15] 彼の説明を聞いたけど、担当者としての責任（　　）がまるで感じられなかった。

　　1　性　　　　2　心　　　　3　力　　　　4　感

問題4　(　　)に入れるのに最もよいものを、1・2・3・4から一つ選びなさい。

16　この説明書には何度も同じことが書いてあり、ちょっと(　　)。

　　1　器用だ　　　2　嫌味だ　　　3　やばい　　　4　くどい

17　病院や電車の中では、携帯電話の使用を(　　)べきだ。

　　1　欠ける　　　2　除く　　　3　劣る　　　4　控える

18　その化粧品を使って肌が荒れたと、化粧品会社にたくさんの(　　)が来た。

　　1　ウイルス　　　2　クレーム　　　3　トラブル　　　4　ダメージ

19　全国のコンビニで、明日から(　　)このサービスが始まります。

　　1　実に　　　2　大いに　　　3　いっせいに　　　4　わりに

20　このケーキは(　　)していて柔らかそうだ。

　　1　ふわふわ　　　2　ごろごろ　　　3　ぐんぐん　　　4　うろうろ

21　子供のころから海外生活に(　　)を持っており、将来は外交官を目指しています。

　　1　頼み　　　2　憧れ　　　3　祝い　　　4　望み

22　仕事中におしゃべりしている同僚に、気が(　　)から小さい声で話すように言った。

　　1　散る　　　2　進まない　　　3　する　　　4　早い

問題5 ＿＿＿＿の言葉に意味が最も近いものを、1・2・3・4から一つ選びなさい。

[23] 彼女はこの仕事の担当者にふさわしい。

1　合っている　　　2　希望している　　　3　無理だ　　　　　4　いやだ

[24] 向こうから太った猫がのろのろと歩いてきた。

1　まっすぐ　　　　2　嬉しそうに　　　　3　力強く　　　　　4　ゆっくり

[25] 来年3月の完成を目指して、新空港建設の工事は着々と進められている。

1　少しずつ　　　　2　順調に　　　　　　3　苦労して　　　　4　ゆっくりと

[26] 講演会の最後に、先生が質問に答える時間が設けてあった。

1　短縮して　　　　2　頼んで　　　　　　3　なくなって　　　4　用意して

[27] 全員で助け合って、人手不足をカバーするしかない。

1　頼む　　　　　　2　補う　　　　　　　3　増やす　　　　　4　任せる

問題6 次の言葉の使い方として最もよいものを、1・2・3・4から一つ選びなさい。

[28] 姿勢

1 彼女は笑うととてもかわいい姿勢になる。
2 このいすを使うと、正しい姿勢で座ることができる。
3 大きな鏡で全身の姿勢を映してみた。
4 今この会社は、IT業界の中で姿勢を伸ばしている。

[29] 余計な

1 欠席者が多かったので、パーティーの料理が余計になってしまった。
2 私一人でできるのだから、余計なことをしないでほしい。
3 さっき会議で配ったお茶、1本余計だからどうぞ。
4 パソコンが壊れたが、会社に余計なパソコンがあったので今はそれを使っている。

[30] 口がうまい

1 アナウンサーだけあって、あの人の話し方は口がうまい。
2 彼はいつも高級料理を食べているので、口がうまい。
3 口がうまいという理由で、彼女に結婚式のスピーチをお願いした。
4 あの男は口がうまく、今までにいろんな人がだまされている。

[31] 非難する

1 大事な試合にまた負けてしまい、監督を非難する声が強まっている。
2 地震が起こったときにすぐに高い場所に逃げたので、非難できた。
3 難しい問題だが、家族みんなで話し合って非難する方法を考えよう。
4 渋滞を非難するために、別の道を通った。

[32] やや

1　5年におよぶ駅前の開発工事は、来月やや終了するらしい。
2　この店のそばはややおいしくて、毎日店の前に行列ができる。
3　朝からずっと天気が良かったが、やや曇ってきた。
4　1年ぶりに友人に会ったら、別人に見えるほどやや太っていた。

問題7 次の文の(　)に入れるのに最もよいものを、1・2・3・4から一つ選びなさい。

33 道に迷ったので、近くにいた人に聞いた(　　)、まっすぐ行けばいいということだった。

　　1　とたん　　　　2　ところ　　　　3　おかげで　　　　4　ばかりに

34 話し方や表情(　　)、先生は怒っているようだった。

　　1　からして　　　2　ことだから　　 3　といえば　　　　4　からには

35 お金がなくて、外食(　　)、弁当を買うことさえできない。

　　1　なんて　　　　2　にしろ　　　　3　はさておき　　　4　どころか

36 この会社は給料はいい(　　)、休日出勤が多くて大変だ。

　　1　ものの　　　　2　とともに　　　3　のみならず　　　4　となると

37 医者からお酒を止められている間は、どんなにビールが飲みたくても(　　)。

　　1　飲むべきだ　　　　　　　　　　2　飲みかけだ
　　3　飲まずじまいだ　　　　　　　　4　飲むまい

38 アパートを借りるなら、駅に近いところに(　　)。

　　1　すぎない　　　　　　　　　　　2　違いない
　　3　こしたことはない　　　　　　　4　は及ばない

[39] 医者になると決めた(　　　)、必死で勉強するつもりだ。

1　からといって　　2　ばかりに　　3　うえは　　4　とおりに

[40] 詳しく知っている人がいないのだから、自分で調べる(　　　)。

1　わけがない　　　　　　2　ほかない
3　ものではない　　　　　4　というものだ

[41] お世話になった人の送別会だから、行かない(　　　)。

1　わけにはいかない　　　2　わけだ
3　ことになっている　　　4　ものだ

[42] 仕事が見つかった(　　　)、大学で勉強した専門とは関係のない仕事だ。

1　といっても　　2　というより　　3　としたら　　4　ということは

[43] 祖母の家に遊びに行く(　　　)、祖母はおいしい料理をたくさん作ってくれる。

1　ついでに　　2　たびに　　3　折に　　4　だけに

[44] 留学生に(　　　)、勉強とアルバイトの両立は大変なことだ。

1　関して　　2　対して　　3　ついて　　4　とって

問題8 次の文の ＿★＿ に入る最もよいものを、1・2・3・4から一つ選びなさい。

(問題例)

　　あそこで ＿＿＿＿ ＿＿＿＿ ＿★＿ ＿＿＿＿ は田中先生です。

　　　　1　本　　　　2　読んでいる　　3　を　　　　4　人

(解答のしかた)

1．正しい文はこうです。

```
あそこで ＿＿＿＿ ＿＿＿＿ ＿★＿ ＿＿＿＿ は田中先生です。
         1　本    3　を    2　読んでいる    4　人
```

2． ＿★＿ に入る番号を解答用紙にマークします。

　　　　　　　　（解答用紙）　| (例) | ① ● ③ ④ |

45 そのかばんを ＿＿＿ ＿＿＿ ★ ＿＿＿ 、結局、買わないことにした。

1　買うまいか　　2　悩んだ　　3　買おうか　　4　あげく

46 ＿＿＿ ＿＿＿ ★ ＿＿＿ がその国際会議に参加している。

1　はじめ　　2　を　　3　世界の国々　　4　アメリカ

47 この製品は田中部長 ＿＿＿ ＿＿＿ ★ ＿＿＿ で開発されました。

1　を
2　プロジェクトチーム
3　リーダー
4　とした

48 林先生の本は難しすぎて、 ＿＿＿ ＿＿＿ ★ ＿＿＿ が大変だ。

1　理解するの　　2　大学院生　　3　さえ　　4　で

49 友達にお金を ＿＿＿ ＿＿＿ ★ ＿＿＿ はない。

1　必要　　2　借りて　　3　まで　　4　車を買う

問題9 次の文章を読んで、50 から 54 の中に入る最もよいものを、1・2・3・4から一つ選びなさい。

　最近、急病で救急車を呼んで運ばれても受け入れてくれる病院が見つからず、長時間救急車の中で待たされて、結局助からなかったり病状が悪くなったりすることがある。その患者を受け入れられる設備や医者がいる 50 、受け入れを断る病院もあるらしい。受け入れたあとで、治療の 51 患者が亡くなってしまった場合、病院が責任を取らなければならず、そのリスクを回避したいという理由のようだ。そのような病院には失望する限りだが、実際に受け入れが困難な病院も少なくない。軽い病気でも大きな病院に行く人は多い。救急指定の大きな病院はいつも患者でいっぱいで、救急患者を受け入れる余裕がない。

　このような状況を改善するためには、「かかりつけ医」を決めるという方法がある。「かかりつけ医」とは、地域の個人病院や診療所で、具合が悪くなったときに、いつでも診てもらえる病院だ。病気になったらまずかかりつけ医に行き、専門的な治療が必要と判断された 52 、大きな病院や専門医に紹介状を書いてもらう。このようにすれば、救急指定の病院の患者は減り、いつでも救急患者が受け入れられるようになる。政府はこれを徹底するために、紹介状がない患者には初診料を高くする制度を検討している。

　かかりつけ医を決めることは、救急患者以外にもメリットがある。かかりつけ医を決めておくと、自分の過去の病気や今の健康状態を知ってもらっているという安心感がある。信頼できる町のお医者さんがいるということは、病気になった 53 、健康な時でも安心して生活することができる。

　大きな病院とかかりつけ医の役割分担をしっかりして、必要 54 必要な医療が受けられるようにすることは、高齢化が進む日本の医療を充実させるために有効な方法であろう。

50

1 にかぎらず　　　　　2 にもかかわらず
3 のみならず　　　　　4 反面

51

1 上で　　　2 かいもなく　　3 ことから　　4 かわりに

52

1 場合に限り　　　　　2 ことをきっかけに
3 人に加えて　　　　　4 医者を通じて

53

1 からこそ　　　　　　2 時はともかく
3 場合に伴って　　　　4 際はもちろん

54

1 になりつつ　　2 なうちに　　3 に応じて　　4 性からして

問題10 次の(1)から(5)の文章を読んで、後の問いに対する答えとして最もよいものを、1・2・3・4から一つ選びなさい。

(1)
　野菜や果物などには「旬」がある。「旬」とは、ある食材において、他の時期よりも新鮮でおいしく食べられる時期のことである。日本では、昔より四季を通してこの「旬」を楽しむ風習があった。しかし、近年では、スーパーに行けば一年中野菜や果物が手に入ることが増えたため、それぞれの「旬」を知らない人も多くなっている。
　「旬」のものは、よく市場に出回るため値段も安い。また、ある調査では、「旬」のものはそれ以外の時期のものより栄養が豊富だという報告もある。つい食べ物の好みや料理の作りやすさで食事の献立を決めてしまいがちだが、時には旬を意識した献立を心がけるようにしてはどうだろうか。

(注) 旬：季節の食べ物が最もよくとれ、最も味のいい時期

[55] なぜ食材の「旬」を知らない人が増えているのか。

1　どの時期の野菜や果物でも栄養は豊富だと知られるようになったから。
2　食べ物の好き嫌いや料理のしやすさを優先させる人が増えているから。
3　野菜や果物を選ぶ際に、おいしさより安さを重視するようになったから。
4　いつでも欲しい野菜や果物を買うことができるようになったから。

(2)

以下は、ある会社が出したメールの内容である。

お客様各位

いつも弊社（注）の商品をご利用いただき、ありがとうございます。

日頃の感謝の気持ちを込めまして、今月1日（月）～3日（水）の3日間、特別セールを実施いたします。セール期間中は、弊社のホームページより商品をご注文いただいた方に限り、パソコンやプリンターなどを10～20％引きでご購入いただけます。詳しくは弊社ホームページをご覧ください。→ http://www.○○○.com

また、期間中にご注文いただいたお客様の中から抽選で100名様に、記念品をお送りします。どうぞこの機会にご利用いただければ幸いです。

（注）弊社：私たちの会社

[56] この会社のサービスについて、正しいものはどれか。

1　この会社のパソコンをホームページから注文すると、10～20％引きで買うことができる。
2　この会社のパソコンをホームページから注文すると、いつでも10～20％引きで買うことができる。
3　この会社のプリンターをホームページから注文した人はだれでも、記念品をもらうことができる。
4　この会社のパソコンとプリンターをホームページから注文した人は、20％引きよりさらに安く買うことができる。

(3)

　この情報化社会で、誰もがいつでもさまざまな情報を受け取ることができるようになった。しかし一方で、「情報に縛られている」と感じることはないだろうか。いつでも携帯やパソコンで情報をチェックしないと落ち着かない人が増えてきている。また、不必要な情報を読むことに時間を取られたり、間違った情報をそのまま信じてしまったりすることもある。道具でしかないはずの物に振り回される人が増えてきているのだ。情報の量に疲れたと感じたら、例えば週末の一日、携帯やパソコン、テレビから離れてみてはどうだろうか。きっと頭がすっきりすることだろう。

[57] 筆者の考えに合うものはどれか。

1　携帯やパソコンの知識が不十分だと、インターネット上の間違った情報を簡単に信じてしまう。
2　携帯やパソコンは道具でしかなく、それをどう使い、得た情報をどう生かすかが問題だ。
3　ただ多くの情報を手に入れ続けるのではなく、情報機器とも、適度な距離を持ったほうがいい。
4　誰もが大量に情報を得ようとする社会は問題も多いので、必要な対策を早くとるべきだ。

(4)

　今年の夏は、例年になく暑い日が続いている。この暑さの中倒れる人も多いので、ぜひ注意してほしいことがある。ときどき水分をとる、日ざしの強い昼に長く外にいない、などは基本だ。それに加え、部屋の中でも気をつける必要がある。特に、高齢者に多い「エアコンがなくても大丈夫」という考えは危険だ。若い人に比べ高齢者は暑さを感じにくくなっており、気がついたら病院というケースも少なくない。平均気温も昔よりだいぶ上がっている。適度にエアコンを使いながら、体調管理をしたほうがいい。

[58]　筆者は、お年寄りの夏の暑さ対策についてどう考えているか。

1　お年寄りは暑さに弱いので、すぐに病院に行ったほうがいい。
2　お年寄りこそ、大丈夫だと思っていてもエアコンを使ってほしい。
3　お年寄りは、晴れた日は外出しないほうがよい。
4　お年寄りは、飲み物を持ち歩き、特に外では多めに飲むべきだ。

(5)

　「仕事のストレス」というのは、よく聞かれる言葉だ。いくつかの調査によると、その原因の第1位は「人間関係」だという。職場の上司や同僚との意見や考え方、仕事への取り組み方の違い、あるいは単純に人の好き嫌いなどが、ストレスにつながっている。ストレスは簡単になくせるものではないが、相談できる相手を見つけることや、少しずついいほうに考えてみる、などが有効だそうだ。ストレスのない人などいない。少しずつ、上手にコントロールする方法を身につけていってほしい。

59 筆者は、ストレスについてどう考えているか。

1　一人で悩まないで、ストレスがなくなるように、上司などに相談するのがよい。
2　人の好き嫌いはせず、相手の良いところを見つけて、誰とでも仲良くしたほうがいい。
3　ストレスは避けられないものとして、扱い方や処理の仕方を少しずつ覚えていくのがよい。
4　組織では人間関係がとても大事なので、人とうまく付き合う方法を得る必要がある。

言語知識(文字・語彙・文法)・読解

問題11 次の(1)から(3)の文章を読んで、後の問いに対する答えとして最もよいものを、1・2・3・4から一つ選びなさい。

(1)
　　ずっと一つの疑問が解けないままだった。
「最もエネルギーにあふれているはずの自分のからだが、なぜこんなにもだるく疲れているのだろうか」
　二十代のある日、野口晴哉の本の一節を読んだとき、ひっかかっていたこの問題が氷解した。私の記憶に残る一節の趣旨は、こういうことだ。
　だるい状態とは、エネルギーがなくて疲れている状態ではなく、むしろ逆にエネルギーが過剰な状態である。私たちは、しばしば、だるさと疲れを混同してしまっているが、両者は正反対の状態なのだ。疲労しているならば休む必要があるが、だるいときは動く必要がある。
　これを読んだときに、なぜ中学以来あれほど「かったるかった」かが理解できた。あれは、疲労感ではなく、エネルギーを注ぐ場所を見いだすことができずに、エネルギーが滞留した不快感だったのだ。いわば、きちんと疲労することができないでいる状態が、あのかったるい身体であった。だるい身体は、心地好く疲れる場所を探していたのだ。
　（中略）
　それにしても、疲労感とだるさが対照的な感覚であるとすると、二つを混同してしまう私たちの身体感覚は、いかにも鈍すぎはしないか。この感覚の鈍さは、つまり、次に自分は休むべきなのか、それとも動くべきなのか、が自分でわからないということでもある。エネルギーの充電と放散のリズムが掴めない身体感覚の鈍りは、近代的身体に固有の現象ではないか。だるさと疲れを感じさせる何かの仕組みがあるのではないか。

（齋藤孝『くんずほぐれつ』文藝春秋による）

(注1) だるく：体が重く感じられて
(注2) 趣旨：文章が言い表そうとしていること
(注3) 滞留した：物事がとどまっている
(注4) 不快感：気持ち悪さ
(注5) 固有の：もともとある

[60] 「だるく」感じるのはどのような状態のときか。

1　体力がなくなっている状態
2　力が必要以上にたくさんある状態
3　疲れているため気持ちが悪い状態
4　エネルギーが切れそうな状態

[61] 筆者は、自分のからだがだるくなる理由をどうとらえているか。

1　疲れて不快だと感じていたから
2　疲れたときちんとからだが感じなくなっていたから
3　エネルギーを消費できないでいる状態だったから
4　心地よく疲れがとれる場所が見つからなかったから

[62] この文章で筆者が言いたいことは何か。

1　若者のエネルギーにあふれている身体はだるいと感じやすいのではないか。
2　十代や二十代の若者にとってだるい身体を休める場所を探すのが難しいのではないか。
3　疲労感とだるさを混同してしまうのは若者固有の現象ではないか。
4　身体の感覚の鈍さは昔からあったものではなく、最近になって現れたものではないか。

(2)
　一般に、ことばはモノゴトなどを表現することができる、というように考えられている。つまり、ことばはモノゴトと不可分(注1)な関係にあり、ことばはモノゴトを忠実(注2)に反映している、と信じられている。どうやらこれが、一種の迷信であると疑われ始めたのは世界的にも、近年のことである。
　①その新しい考えによると、ことばは決して対象をあるがままに表現することはない。ことばはそれを表現しようとするモノゴトのごく小さな一部を不完全にしか伝えることができないのだというのである。
　こういう考えによれば、文章がモノゴトをあるがままに表現できるというこれまでの常識は根底(注3)からくつがえされることになる。
　文章はそれを表そうとしている事柄と、もちろん関係はあるけれども、完全に同じではない。両者は別々に独立したものである。
　ことばでモノゴトを表現するのは、忠実に複写、コピーをつくるということではない。ことばという記号を使って対象をまとめることである。
　「あるがままを書く」というのは、ことばとしても妥当ではない。
　文章を書くというのは、ことばを用いて、なるべく忠実に対象を再構築することにほかならない。はっきり言えば、創作である。いわゆるフィクション、すべての文章は、創造であり、創作であるということになる。
　文章を書くのが、面倒であり、思うようにいかないのは、②こういう事情にもとづくのである。どんなに短いはがき一枚書くのにも、ときとしてたいへんな時間を要し(注4)、しかも、納得がいかなくて破ってしまう、というようなことがあるのも、創作をしているのだと考えればいくらかわけがわかる。

（外山滋比古『「忘れる」力』潮出版社による）

(注1)不可分な：分けたり、切り離したりできない
(注2)忠実に：そのとおりに
(注3)根底：元のところ
(注4)要し：必要とし

[63] ①その新しい考えとは何か。

1 ことばはモノゴトの内容を伝えることができるという考え
2 ことばはモノゴトと密接な関係にあるという考え
3 ことばはモノゴトの内容を完全に反映しているという考え
4 ことばはモノゴトを忠実に表しているというのは迷信だという考え

[64] ②こういう事情とは何か。

1 文章を書くのは容易なことではなく、自分が思う以上に時間がかかる、ということ
2 文章を書くというのは、自分で何かを新たに作り出すことでもある、ということ
3 ことばで何かを表現することには限界があり、完全にはなされない、ということ。
4 ことばで何かを表現するというのは、さまざまな記号を使う作業だ、ということ

[65] この文章で筆者が言いたいことは何か。

1 モノゴトをあるがままに表すために、創作を取り入れるのが効果的だ。
2 文章は、対象をコピーしたようなものではなく、むしろ創作物だ。
3 文章でモノゴトの内容を正確に伝えようとするには、技術が必要だ。
4 文章を書く際は、創作をせず、モノゴトを忠実に表すよう心がけるべきだ。

(3)

　私が言いたいのはこういうことだ。数学の点数が五〇点、八〇点というのは、数学の能力の指標(注1)としては意味がある。しかしその学生の「生きる意味」の世界の中でこそ、その点数が人生の中でどのような意味を持つかが明らかになる。だから、ひとりひとりが固有(注2)の「生きる意味」を持つ存在だということを無視して、誰に対してもいい点数を取りなさい、いい学校に進学しなさいといった言説を、何の疑問も感じずに発し続けることは、他者の人生に対する根本的な(注3)尊厳(注4)を欠いているのではないかということなのだ。（中略）

　もちろん、小学校の「読み書きそろばん(注5)」レベルであれば、やはり漢字の書き取りが二〇点とかいうのでは困るから、何としてもきちんとできるようになって欲しいところだ。しかし小学生にしても、子どもたちは彼らの固有の「生きる意味」の世界を生きている。だからひとりひとりの意味の世界への配慮はぜったい必要になる。そして、中学、高校ともなれば、単に何点を取るということよりも、「人生に何を求めるのか」のレベルこそが重要になってくる。しかし、その「生きる意味」が無視され、「数学が五〇点の生徒」といったように、数字がその生徒の全体を表現する指標ででもあるかのように扱われるとき、私たちは傷つき、しかしそれでも「いい子」になろうとする若者は、数字の支配下に自ら入ることを選び、「生きることの意味」を数字へと明け渡して(注6)いくのである。

（上田紀行『生きる意味』岩波新書より）

(注1)指標：基準となるもの
(注2)固有の：それだけが持っている
(注3)根本的な：基本的な
(注4)尊厳：ほかに代えることのできない価値と重みに対する敬意
(注5)計算をするための器具
(注6)明け渡す：譲る

[66] 数字の支配下に自ら入るとはどういうことか。

1　学力の評価方法として、テストの成績を基準とすることに賛成すること
2　常に自分に対する他人の評価を気にするようになること
3　ほかの何よりもテストの成績がよくなることを目指すようになること
4　目標や人の評価などは何かの数字で表すのがよいと思うようになること

[67] 筆者の考える「生きる意味」とはどういうものか。

1　子どもから大人になる中で、少しずつ見つけていくもの
2　学校の勉強とは別に、人生の中で学んでいくもの
3　点数が人生の中で力を持つために、誰もが必要としているもの
4　人それぞれが生きている固有の世界の中にあるもの

[68] この文章で筆者の言いたいことは何か。

1　成績や他人の評価ばかりを気にしないで、自分が本来やりたいことを大切にすべきだ。
2　何が大切かは人によって異なるものだ、ということをみんなが理解しておくべきだ。
3　点数主義の社会を改め、一人一人の自由な生き方を大切にするようにしたほうがいい。
4　数字に支配される大人にならないよう、子どもの時から生きる意味について考えさせたほうがいい。

問題12 次のAとBは、新しい農業について書かれた文章である。二つの文章を読んで、後の問いに対する答えとして最もよいものを、1・2・3・4から一つ選びなさい。

A

　農業の形が少しずつ変わりつつある。これまでは田畑で野菜や果物などの農作物を生産するのが通常の形態であったが、ここ数年、収穫したものを自ら加工(注)して販売する農家が増えてきている。これにより、農作物の出来不出来によって左右されていた農家の収入を増やすことができるのである。ただし、どの農家もすぐに成功するのは難しいようだ。これまでと違い、加工・販売・経営など、さまざまな知識や経験が求められるようになったからである。今後は、農家だけでなく、市町村や業者などが一緒になって新しい農業の形を作り上げていく必要があるだろう。

B

　最近、収穫した作物をそのまま販売したり、ジュースやアイスクリームなどに加工して販売したりしている農家が注目されている。消費者からすると、新鮮な野菜や果物などが安く手に入ったり、おいしい加工品を購入できるのは大変よいことである。また、農家の立場からすると、基準外で売れないために捨てていた野菜や果物を加工することで立派な製品となるので、前より収入が増える場合もある。外国からの農作物の輸入により国内の農業は危機的な状況にあると言われているが、この新しい農業の形が広まっていけば、国内の農業は守られていくのではないだろうか。

(注)加工して：手を加えて前とは違うものにして

[69] AとBのどちらの文章にも触れられている点は何か。

1　消費者の新しい農業に対する関心の高さ
2　農作物を販売するさまざまな方法
3　新しい農業の形によって得られるメリット
4　新しい農業を広めるうえでの問題点

[70] AとBの筆者は、新しい農業の今後についてどのように考えているか。

1　Aは、今後、農家はいろいろな知識や経験が必要になると考え、Bは、外国からの輸入を止めることが国内の農業を守る方法だと考えている。
2　AもBも、新しい農業の形がどんどん広まることによって、どの農家も収入が上がっていくだろうと考えている。
3　AもBも、加工して販売するという農業の形が、今後さらに注目されていくだろうと考えている。
4　Aは、農家を中心に人々が協力していく必要があると考え、Bは、新しい取り組みにより国内の農業は守られていくだろうと考えている。

問題13　次の文章を読んで、後の問いに対する答えとして最もよいものを、1・2・3・4から一つ選びなさい。

　ゆっくりしたい、ラクしたい、と訴える若者たちは、いくら物理的には自由な生活を送っているように見えても、心理的にはいつも追い立てられ、自信を失い、少しも寛いでいないのだろう。「たれぱんだ」「リラックマ」など周期的にヒットする脱力系のキャラクター(注1)(注2)も、必ず「そのままでいいんだよ」というメッセージとともに描かれている。若者は、おだやかでちょっぴりだらしない、これらのキャラクターに自分を重ね合わせながら、「なんとなくパリッとできないキミと僕だけど、これでいいじゃないか」と肯定してもらった(注3)ような気になるのだろう。つまり、「ゆっくりしたい」という若者が望んでいるのは、「それでいいんだ」と誰かから全面的に自分の存在を承認し、肯定してもらうことなのであろう。

　しかし本来、自己肯定感とは他人に与えてもらうものではなくて、自分自身で手に入れるべきものだ。場合によっては、他人が「ダメだ」ということであっても、自分が信じているなら実行するということさえあるだろう。ところが、<u>今の若者たちはそこまでして自分の思いを貫きたいとは思わない</u>。たとえ、「こうしたいな」「あそこに行ってみたいな」という希望があったとしても、必ず「いいじゃない、やってみなよ」「キミなら絶対できるよ」といったあふれんばかりの他者からの保証や承認がなければ、一歩を踏み出せない。それがないなら、夢や希望も自分で取り下げてしまったほうがマシ、と考える若者も多い。

　他者から自分を認められた気になれず、自分でも自己を肯定できないまま、「さあ、何がしたいんだ？」と選択を迫られる若者は、気の毒といえば気の毒だ。彼らがそういった状況や心境を適切に言語化することもできないまま、「とりあえずゆっくりしたい」などと言ってしまうのも、無理はないかもしれない。(注4)

（中略）

　「ゆっくりしたい」と訴える若者に、「もう十分にゆっくりしているじゃないか！」と怒鳴りつけても、何の解決にもならない。"ゆっくり"ということばに彼らが込めている思いを汲み取り、取りあえずは彼らを受け入れ、"ゆっくり"させてやらなければならない。(注5)ただ、若者たちも「ちょっとゆっくりできたな」と思ったら、そこから踏ん張って立ち上がり、ゆっくりはできない社会にも飛び込む決意や意欲を持つ必要があるだろう。いつまでもまわりからおだてられ、けしかけられないと何ごともできないようでは、たとえそれ(注6)(注7)がうまくいってもいつか必ず、「これは自分が選んだ道ではない。まわりに強制されたのだ」という不満がわいてくる。

（香山リカ『いまどきの「常識」』岩波新書による）

(注1)周期的に：同じくらいの時間をおいてくり返して
(注2)脱力系：力が抜ける感じ
(注3)パリッとできない：態度や服装などがちゃんとしていない
(注4)心境(しんきょう)：心の状態
(注5)汲(く)み取(と)り：理解して、考慮して
(注6)おだてられ：盛んにほめられて
(注7)けしかけられないと：うまく言われてその気にさせられないと

[71] 若者はキャラクターを通して何を求めているか。

1　キャラクターに詳しくなることで自信を持つこと
2　キャラクターを見ておだやかな気持ちになること
3　そのままの自分でいいと認めてもらうこと
4　キャラクターと時間をゆっくり過ごすこと

[72] 今の若者たちはそこまでして自分の思いを貫きたいとは思わないのはなぜか

1　自分自身に自信を持っていないから。
2　他人に認められるような夢や希望がないから。
3　何がしたいか、自分でもよくわからないから。
4　他人が認めることでないと、その気になれないから。

[73] この文章で筆者が述べているものは何か。

1　周囲も、「ゆっくりしたい」と訴える若者の心境を適切に言語化する手伝いをすべきだ。
2　周囲も、「ゆっくりしたい」という若者の思いをよく理解し、彼らを認めることが必要だ。
3　若者たちも、主張するだけでなく、ゆっくりできない社会を受け入れる必要がある。
4　若者たちも、まわりから認められないことでも自分を信じて実行する決意が必要だ。

問題14　右のページは、朝日市の1Dayパスの利用案内である。下の問いに対する答えとして最もよいものを、1・2・3・4から一つ選びなさい。

[74]　このパスはどのように手に入れることができるか。

1　朝日市観光インフォメーションセンターでもらえる
2　朝日市内を走るバスで買える
3　朝日市内の駅、ホテルなどで買える
4　1Dayパスの割引対象の店でもらえる

[75]　このパスについて、正しいものはどれか。

1　市内でも、遠い施設に行く場合は追加の料金がかかる。
2　市内のレストランはどこでも、食事の料金が割引される。
3　買った日の24時まで使用することができる。
4　指定の店での買い物については、5％の割引になる。

「朝日 1 Day パス」ご利用案内

お得なクーポン「朝日 1 Day パス」を使って、夏休みの一日、朝日市の観光をたっぷり楽しみましょう！

3つのお得！

お得① 市内の地下鉄・電車が乗り放題！
　　　　市内なら、どこでも乗り降り可能です。距離は関係ありません。

お得② 市内約50カ所の観光施設で利用できるクーポン付き！
　　　　入場料が無料になる場所、割引になる場所などがあります。

お得③ 1 Day パスと一緒に地図を差し上げます。地図に載っているレストラン・おみやげ屋では、料金から5％割引！

発売期間	7月20日（金）〜9月30日（日）
有効期間	お好きな一日。ご購入の際にご指定ください。 ※①〜③すべて、同じ日でのご利用になります。
価　格	大人…1000円、子ども（12歳以下）…500円
ご購入	朝日市内の各駅（地下鉄・JR）、主な観光施設、一部ホテルでご購入できます。 お子様は、年齢がわかるものをご提示ください。

※このクーポンは、地下鉄とJRのみに有効で、バスをご利用の場合は料金が必要です。

==================================

●詳しくは、以下にお問い合わせください。
朝日市観光インフォメーションセンター
　　　電話：0120-123-456　9:00〜17:00

N2
聴解
(50分)

このマークはCDのトラックNoを表しています。
この問題冊子にメモをとってもかまいません。

CD 02〜09

問題1

問題1では、まず質問を聞いてください。それから話を聞いて、問題用紙の1から4の中から、もっともよいものを一つ選んでください。

例

1　しりょうをコピーする
2　しりょうをメールで送る
3　しりょうの内容をチェックする
4　しりょうのグラフをしゅうせいする

1番

1 家にカードを取りに帰る
2 名前が呼ばれるのを待つ
3 もんしんひょうに記入する
4 カードを作ってもらう

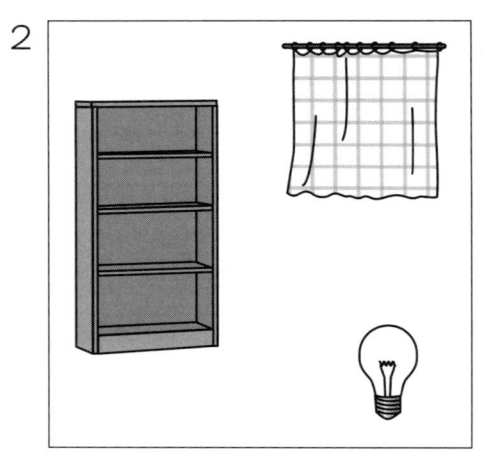

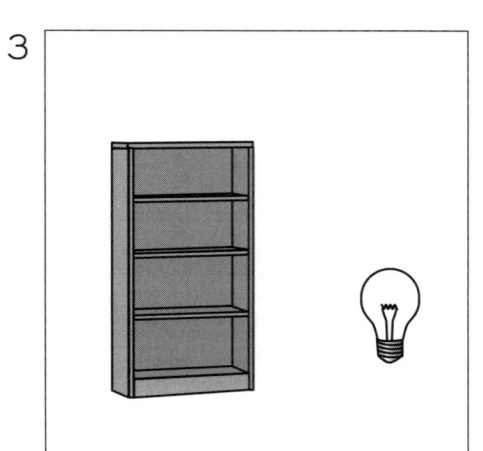

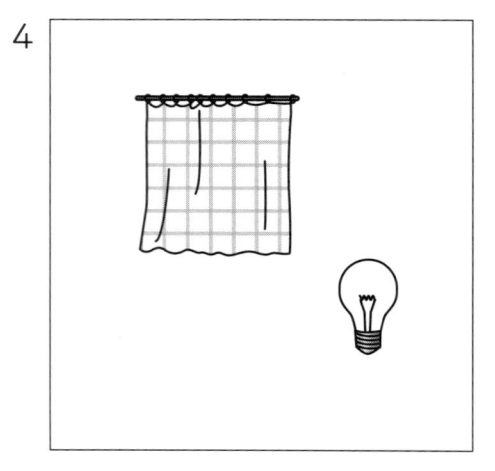

2番

3番

1　くつ
2　入会金
3　アンケートの用紙
4　もうしこみしょ

4番

1　ピザ屋の列にならぶ
2　ピザ屋の中に入る
3　カレー屋に行く
4　ホールの入口前に行く

5番

1 社長のところに行く
2 しりょうを探す
3 メールを送る
4 しりょうを整理する

問題2

問題2では、まず質問を聞いてください。そのあと、問題用紙の選択肢を読んでください。読む時間があります。それから話を聞いて、問題用紙の1から4の中から、もっともよいものを一つ選んでください。

例

1　ねだんが安いから
2　和食の店だから
3　部長が強くすすめるから
4　田中さんが好きな店だから

1番

1 借りる部屋
2 始める時間
3 いすの数
4 参加者の数

2番

1 文学全集を読みはじめたときから
2 先生にすすめられたときから
3 やきゅう選手になるのをあきらめたときから
4 コンクールで賞をとったときから

3番

1　授業がいいかげんだったから
2　出席がきびしかったから
3　授業が理解できなかったから
4　レポートがきびしかったから

4番

1　あつい紙で400まい
2　あつい紙で500まい
3　うすい紙で400まい
4　うすい紙で500まい

5番

1 天気がひじょうに悪いから
2 雪が降り積もっているから
3 電車の本数を減らしたから
4 信号のこしょうがあったから

6番

1 大学院のことをもっと調べたほうがいい
2 大学院に行きたい理由をしっかり書いたほうがいい
3 将来やりたいことを具体的に書いたほうがいい
4 自分の経験についてくわしく書いたほうがいい

問題3

問題3では、問題用紙に何も印刷されていません。この問題は、全体としてどんな内容かを聞く問題です。話の前に質問はありません。まず話を聞いてください。それから、質問とせんたくしを聞いて、1から4の中から、最もよいものを一つ選んでください。

― メモ ―

問題4

問題4では、問題用紙に何もいんさつされていません。まず文を聞いてください。それから、それに対する返事を聞いて、1から3の中から、最もよいものを一つ選んでください。

― メモ ―

問題 5

問題5では、長めの話を聞きます。この問題には、練習はありません。メモをとってもかまいません。

1番、2番

問題用紙に何もいんさつされていません。まず話を聞いてください。それから、質問と選択肢を聞いて、1から4の中から、最もよいものを一つ選んでください。

— メモ —

3番

まず話を聞いてください。それから、二つの質問を聞いて、それぞれ問題用紙の1から4の中から、最もよいものを一つ選んでください。

質問1

1　せんぷうき
2　日がさ
3　ぼうし
4　タオル

質問2

1　せんぷうき
2　日がさ
3　ぼうし
4　タオル

● 著者

森本 智子（もりもと ともこ）　　（ルネッサンス ジャパニーズ ランゲージスクール専任講師）
高橋 尚子（たかはし なおこ）　　（熊本外語専門学校専任講師）
有田 聡子（ありた さとこ）　　　（広島アカデミー専任講師）
黒江 理恵（くろえ りえ）　　　　（川崎医療福祉大学助教）
青木 幸子（あおき さちこ）　　　（元筑波大学非常勤講師）

レイアウト・DTP　　オッコの木スタジオ
カバーデザイン　　　花本浩一
翻訳　　Sim Yee Chiang ／ Chinatsu Kadota ／
　　　　王雪／崔明淑

日本語能力試験 総合テキスト N2

平成 25 年（2013 年）10 月 10 日　　初版第 1 刷発行
令和 5 年（2023 年）7 月 10 日　　　第 4 刷発行

著　者　森本智子・高橋尚子・有田聡子・黒江理恵・青木幸子
発行人　福田富与
発行所　有限会社Ｊリサーチ出版
　　　　〒166-0002　東京都杉並区高円寺北 2-29-14-705
電　話　03(6808)8801（代）　FAX　03(5364)5310
編集部　03(6808)8806
　　　　https://www.jresearch.co.jp
印刷所　株式会社シナノ パブリッシング プレス

ISBN 978-4-86392-156-6
禁無断転載。なお、乱丁、落丁はお取り替えいたします。

©2013 Tomoko Morimoto, Naoko Takahashi, Satoko Arita, Rie Kuroe, Sachiko Aoki　All rights reserved.
Printed in Japan

日本語能力試験 模擬試験 解答用紙

N2 言語知識（文字・語彙・文法）・読解

名前 Name

〈ちゅうい Notes〉

1. くろいえんぴつ(HB、No.2)でかいてください。
   (ペンやボールペンではかかないでください)
   Use a black medium soft (HB or No.2) pencil.
   (Do not use any kind of pen.)
2. かきなおすときは、けしゴムできれいにけして ください。
   Erase any unintended marks completely.
3. きたなくしたり、おったりしないでください。
   Do not soil or bend this sheet.
4. マークれい Marking examples

よいれい Correct Example	わるいれい Incorrect Examples
●	○ ◯ ⊘ ◐ ① ◍

問題 1
	①	②	③	④
1	①	②	③	④
2	①	②	③	④
3	①	②	③	④
4	①	②	③	④
5	①	②	③	④

問題 2
	①	②	③	④
6	①	②	③	④
7	①	②	③	④
8	①	②	③	④
9	①	②	③	④
10	①	②	③	④

問題 3
	①	②	③	④
11	①	②	③	④
12	①	②	③	④
13	①	②	③	④
14	①	②	③	④
15	①	②	③	④

問題 4
	①	②	③	④
16	①	②	③	④
17	①	②	③	④
18	①	②	③	④
19	①	②	③	④
20	①	②	③	④
21	①	②	③	④
22	①	②	③	④

問題 5
	①	②	③	④
23	①	②	③	④
24	①	②	③	④
25	①	②	③	④
26	①	②	③	④
27	①	②	③	④

問題 6
	①	②	③	④
28	①	②	③	④
29	①	②	③	④
30	①	②	③	④
31	①	②	③	④
32	①	②	③	④

問題 7
	①	②	③	④
33	①	②	③	④
34	①	②	③	④
35	①	②	③	④
36	①	②	③	④
37	①	②	③	④
38	①	②	③	④
39	①	②	③	④
40	①	②	③	④
41	①	②	③	④
42	①	②	③	④
43	①	②	③	④
44	①	②	③	④

問題 8
	①	②	③	④
45	①	②	③	④
46	①	②	③	④
47	①	②	③	④
48	①	②	③	④
49	①	②	③	④

問題 9
	①	②	③	④
50	①	②	③	④
51	①	②	③	④
52	①	②	③	④
53	①	②	③	④
54	①	②	③	④

問題 10
	①	②	③	④
55	①	②	③	④
56	①	②	③	④
57	①	②	③	④
58	①	②	③	④
59	①	②	③	④

問題 11
	①	②	③	④
60	①	②	③	④
61	①	②	③	④
62	①	②	③	④
63	①	②	③	④
64	①	②	③	④
65	①	②	③	④
66	①	②	③	④
67	①	②	③	④
68	①	②	③	④

問題 12
	①	②	③	④
69	①	②	③	④
70	①	②	③	④

問題 13
	①	②	③	④
71	①	②	③	④
72	①	②	③	④
73	①	②	③	④

問題 14
	①	②	③	④
74	①	②	③	④
75	①	②	③	④

日本語能力試験対策 教本シリーズ

ゼッタイ合格！
日本語能力試験総合テキスト

Japanese Language Proficiency Test Comprehensive Textbook N2
日语能力考试 综合教材 N2
일본어능력시험 종합텍스트 N2

N2

森本智子／高橋尚子／有田聡子／黒江理恵／青木幸子●共著

模擬試験
解答・解説

Jリサーチ出版

言語知識・読解
正答

言語知識

問題1
- [1] 2
- [2] 1
- [3] 3
- [4] 1
- [5] 4

問題2
- [6] 3
- [7] 4
- [8] 2
- [9] 4
- [10] 3

問題3
- [11] 3　師：専門的な技術がある人
  - 例 教師・医師・美容師
- [12] 1　未：まだ〜ていない
  - 例 未発表・未婚・未解決
- [13] 3　費：何かをするために払うお金
  - 例 学費・旅費・会費
- [14] 2　再：もう一度する
  - 例 再検討・再発見・再確認
- [15] 4　感：感じること
  - 例 満足感・緊張感・危機感

問題4
- [16] 4　くどい：同じことが繰り返され嫌になる
- [17] 4　控える：あまりしないようにする
- [18] 2　クレーム(claim)：苦情
- [19] 3　いっせいに：同時に
- [20] 1　ふわふわ：軽くてやわかい様子
- [21] 2　憧れ：理想とし同じようになりたいと思う
- [22] 1　気が散る：気になることがあって集中できない

問題5
- [23] 1　ふさわしい：合っている
- [24] 4　のろのろ：ゆっくり動いている様子
- [25] 2　着々：ものごとがうまく進めている様子
- [26] 4　設ける：時間や設備などを用意する
- [27] 2　カバー(cover)：補う・覆う

問題6
- [28] 2　姿勢：体をまっすぐすること
- [29] 2　余計な：必要がない
- [30] 4　口がうまい：人をだますように話す
- [31] 1　非難する：相手の失敗などを責める
- [32] 3　やや：少し

問題7
- [33] 2　聞いてみたら（〜がわかった）
- [34] 1　から判断して
- [35] 4　外食はもちろん
- [36] 1　給料はいいけれども
- [37] 4　絶対に飲まない
- [38] 3　駅に近いほうがいい
- [39] 3　決めたからには
- [40] 2　自分で調べるしかない（ほかの方法がない）
- [41] 1　行かなければならない
- [42] 1　見つかったが
- [43] 2　行ったときはいつも
- [44] 4　留学生の立場から見ると

言語知識・読解 正答

問題8

45	2	そのかばんを買おうか買うまいか悩んだあげく、結局、買わないことにした。
46	1	アメリカをはじめ世界の国々がその国際会議に参加している。
47	4	この製品は田中部長をリーダーとしたプロジェクトチームで開発されました。
48	3	林先生の本は難しすぎて、大学院生でさえ理解するのが大変だ。
49	4	友達にお金を借りてまで車を買う必要はない。

問題9

50	2	設備や医者がいるのに
51	2	治療がいい結果につながらず
52	1	場合だけ
53	4	病気になった時は当然、元気な時でも
54	3	必要に合わせて

読解

問題10

55	4	
56	1	
57	3	「週末〜離れてみてはどうだろう」→適度な距離を持つ
58	2	筆者は「エアコンがなくても大丈夫」という考えに反対。
59	3	「ストレスのない人などいない」→避けられない、「上手にコントール…」→扱い方

問題11

60	2	8行目「だるい状態…エネルギーが過剰な状態」に注目。
61	3	14行目「あれは…エネルギーが滞留した不快感だった」に注目。
62	4	
63	4	
64	2	本文19〜20行目「文章を書くというのは、…はっきり言えば、創作である」に注目。
65	2	
66	3	「数字がその生徒の全体を表現する指標…」に注目。
67	4	「小学生にしても、彼ら固有の生きる意味への世界を生きている」に注目。
68	2	何でも点数で表せない、生きる意味は人それぞれ、という主張。

問題12

69	3	Aの文章＝「収入が増える」　Bの文章＝「消費者からすると〜」「農家の立場からすると〜」
70	4	

問題13

71	3	本文7〜9行目「キャラクターに自分を重ね合わせながら、…肯定してもらったような気になる」に注目。
72	4	
73	4	

問題14

74	3	
75	4	「地図に載っている…」→指定の店

聴解
スクリプトと正答

問題1

例　正答 3

会社で女の人と男の人が話しています。男の人はこれから何をしますか。

F：佐藤君、悪いんだけど、明日の会議の準備、ちょっと手伝ってもらえない？　社長にほかのこと頼まれちゃって。
M：うん、いいよ。何すればいい？
F：この資料、20部ずつコピーして、セットしといてほしいんだけど。あ、でも、中身、ちょっと見てもらってからがいいかな。一応、ざっとは見直したんだけど。
M：わかった。…あれ？　これ、価格が違うよ。
F：えっ、うそ！　違ってた？
M：うん、これ。25,000円じゃなくて、28,000円。…ってことは、この売上のグラフも違ってくるね。
F：ごめん、ざっとチェックはしたんだけど…。
M：まあ、とりあえず、もう一回一通り見てみるよ。ファイル、メールで送っといて。後で直しとくから。
F：ごめんね。すぐに送る。

男の人はこれから何をしますか。

> **ことばと表現**
> □ 〜ってことは…：〜ということは。
> □ とりあえず：ほかのことは置いておいて、まず第一に。
> □ 一通り：最初から最後まで、軽く全体を。

1番　正答 3

男の人と病院の受付の人が話しています。男の人はこれから何をしますか。

M：あの、ここ最近、かぜ気味なので、診察を受けたいんですが。
F：病院のカードはお持ちですか。
M：はい…。あれ？　おかしいなあ…。すみません、家に置き忘れたみたいで…。
F：そうですか。では、今日はなくても結構ですよ。次回までに探していただいて、なければもう一度発行いたします。
M：わかりました。
F：では、こちらの問診票に、今日の体調などをお書きください。症状とか、いつから具合が悪いとか…。
M：はい。
F：問診票を書き終わったら、こちらにお出しください。順番が来ましたら、お名前をお呼びしますので。
M：わかりました。

男の人はこれから何をしますか。

> **ことばと表現**
> □ 〜気味：〜のような感じがする。
> □ 問診票：病院で、医者にみてもらう前に自分の体調や症状などを書く紙。

2番　正答 4

夫婦が引っ越し先で話しています。二人は今日中に何を準備しますか。

F：いよいよ明日引っ越しだね。

M：うん。ベッドとか大きい荷物とかは明日届くことになってるから、今日中に準備できることはしておこう。

F：うん。カーテンは今日のうちにつけておきたいから、今から買いに行こうか。

M：そうだね。そういえば、新しい本棚もほしいって言ってたけど、ついでに買う？

F：うーん、でも、明日大きい荷物が届いてからでないと、サイズが決められないんじゃないかなあ。

M：それもそうだね。じゃ、それはまた今度でいいか。

F：うん。ああ、あと、電球とか細かいものも、今日のうちにそろえておこうよ。

M：そうだね。

二人は今日中に何を準備しますか。

> 📖 **ことばと表現**
> □ **ついでに**：Aをするときに、いっしょにBもする。

3番　正答1　CD 06

女の人がスポーツクラブに電話しています。女の人は明日何を持って行かなければなりませんか。

F：すみません、明日、そちらのスポーツクラブを見学したいんですが…。

M：はい。ありがとうございます。何時頃にいらっしゃいますか。

F：そうですね…午後7時ごろに行きたいと思います

M：わかりました。当スポーツクラブでは、靴を履き替えていただくことになっていますので、明日は動きやすい靴を持ってきてください。

F：わかりました。あのう、もし入会することになったら、入会金はいくらかかりますか。

M：入会金は3000円いただいていますが、ただ今キャンペーン中ですので、3月31日までのご入会でしたら、入会金は無料でございます。

F：そうですか。わかりました。

M：それから、見学のあと、簡単なアンケートにご協力いただきたいのですが、よろしいですか。

F：はい、わかりました。

M：それでは、明日、お待ちしております。

女の人は明日何を持って行かなければなりませんか。

> 📖 **ことばと表現**
> □ **入会**：スポーツクラブなど、何かのグループに入ること。
> □ **キャンペーン**：宣伝などの活動。英「campaign」から。
> □ **アンケート**：質問が書かれた紙。

4番　正答4　CD 07

携帯電話で、男の学生と女の学生が話しています。女の学生は、これからどうしますか。

M：ごめん、遅れちゃって、今駅に着いたとこ。田中さんは今どこ？

F：私は今、ピザ屋さんの前にいるんだけど…。

M：ああ、もう着いたんだ、ごめんね。中に入って待っててくれない？

F：それが、すごく並んでるのよ。40分待ちなんだって。

M：そんなに!?　それじゃ、間に合わないかもしれないね。

F：そうなの。だから、ここはあきらめて、別の店にしたほうがいいと思う。ホールのすぐ近くにあるカレー屋にしない？　結構おいしいし、すぐに入れると思う。

M：いいよ。でも、お店の場所がわからないから、とりあえずホールの入口前でいいかなあ。

F：わかった。あ、それか、駅のほうにゆっくり

戻ろうか。
M：いや、万一見つからなくて探したりするともっと遅れるから、先に行ってて。ぼくもすぐ追いつくから。
F：そうね。じゃ、またあとで。

女の学生は、これからどうしますか。

> 📖 **ことばと表現**
> □ **あきらめる**：to give up／断念、死心／포기하다
> □ **ホール**：hall／大厅／홀
> □ **とりあえず**：ほかのことは置いておいて、まず第一に。
> □ **万一**：if by any chance／万一／만일
> □ **追いつく**：catch up／赶上／따라 잡기

M：その場合は一度、ぼくに連絡をくれる？
F：わかりました。

女の人は、このあとまず何をしなければなりませんか。

> 📖 **ことばと表現**
> □ **整理(する)**：to put in order／整理／정리하다
> □ **広告**：advertising／广告／광고
> □ **まとめる**：to put together, consolidate／整理、汇总／합치다
> □ **急ぎの**：急いでしなければならない
> □ **とにかく**：anyhow, anyway／总之／어쨌든

5番　正答3　CD 08

会社で、男の人と女の人が話しています。女の人は、このあとまず何をしなければなりませんか。

M：田中さん、ちょっとお願いしたいことがあるんだけど、いい？ もう出かけなきゃなんないんだ。
F：はい、何でしょうか。
M：探してる資料があるんだけど、この棚、全然整理されてないから、すぐ見つからなくて…。
F：そうですね。ちょっと整理したほうがいいですね。あのう、資料はこの棚にあるんですね。
M：うん、何カ月か前に、この棚にあったんだよ。去年のサマーセールの資料で、広告関係の書類がまとめて入ってるやつ。ファイルじゃなくて、封筒。
F：わかりました。急ぎのメールが一つあるので、それを送ったらすぐやります。
M：うん、ありがとう。整理は後でいいからね。とにかく、資料が見つかったら、それを社長に渡してくれる？
F：社長にですね、わかりました。あのう、ここになかった場合はどうすればいいですか。

問題2

例　正答3　CD 10

会社で、男の人と女の人が話しています。お店を決めた理由は何ですか。

M：田中さん、歓迎会のお店、決まった？
F：あ…はい、駅の反対側の「よこづな」っていう和食のお店になりました。
M：え？ イタリアンのお店じゃないの？ おすすめだって言ってたじゃない。
F：ええ。今回は…。
M：そうか…ちょっと残念だな。田中さんのお気に入りだから、期待してたんだけど。なに？ ちょっと高かった？
F：いえ、高くはないです。むしろ安い方だと。ただ…。
M：ただ…？
F：部長がすごくいいお店だって言うから…。おいしくて、サービスがいいって。
M：ああ、そういうことね。じゃ、しょうがないね。そのイタリアンのお店はこの次、行こうよ。
F：そうですね。

お店を決めた理由は何ですか。

> 📖 **ことばと表現**
> □ ただ…：何かを認めた後、それとは違うことを述べる。控えめだが、話者が不満や意見を表すことが多い。

1番　正答3
CD 11

会社で女の人と男の人が話しています。女の人は何を変更することにしましたか。

F：部長、来週の山下先生の講演会ですが、参加を希望する人数が、予定を大きく超えてしまいまして…。

M：困ったなあ…。やはり、最初から参加できる人数を決めておけばよかったなあ。

F：予約していた会場ですが、人数分の席がないので、部屋を変更しようと思ったんですが、空いている部屋がないそうなんです。30分ほど始める時間を遅らせれば、大きい部屋が借りられるんですが…。

M：いや、それだと都合が悪くなるお客さんもいるだろうし、希望者全員に変更を伝えなければならないよ。それに、先生のご都合ももう一度確認する必要があるしね。

F：そうですね。

M：仕方ない。時間は予定どおりで、いすをできるだけ増やしてみてくれないか。それでも足りなければ、遅く来た人には立ってもらうしかないだろう。

F：わかりました。

女の人は何を変更することにしましたか。

> 📖 **ことばと表現**
> □ **講演会**：多くの人の前で、あるテーマについて話すこと
> □ **希望者**：「～がしたい」と願う人。
> □ **～しかない**：～しか方法がない。

2番　正答2
CD 12

テレビでアナウンサーと小説家が話しています。小説家は、いつから小説家になることを考えるようになったと言っていますか。

F：今日は小説家の田中さんにお越しいただいています。田中さんの小説はさまざまな年代の人に人気がありますが、ご自身はいつごろから本に興味をお持ちになったんですか。

M：まあ、小さいころから親に本を読んでもらうのが好きだったんですが、自分でよく読むようになったのは、小学校4年生ぐらいからです。ちょうどその頃、マンガを読ませないためか、親が少年向けの文学全集とか本をたくさん買ってくれたんですよ。

F：そうですか。もうそのころから小説家を目指してらっしゃったんですか。

M：いえいえ、小学生のころは野球選手になりたかったんですよ。

F：へ～、意外ですね。では、いつ頃から小説家になることを考え始めたんですか。

M：そうですね…。中学生の頃から趣味で短い小説を書いていたんですが、それを先生に見せたら、「おもしろい。おまえなら、きっと小説家になれるよ」と言ってくださったんですよ。それがきっかけで小説家になれたらいいなあと思うようになったんです。

F：へ～。先生の言葉がきっかけになったんですね。

M：ええ。それから、高校生の時にはコンクールにも作品を出すようになりました。いくつか賞をいただいて、自信もつきました。

小説家はいつから小説家になることを考えるようになったと言っていますか。

> 📖 **ことばと表現**
> □ **お越し**：「来る」の尊敬語。
> □ **全集**：同じ種類の作品を多く集めた本。

3番　正答4

大学で男の学生と女の学生が話しています。女の学生は、どうして講義を受けるのをやめた人が多かったと言っていますか。

M：そういえば、テレビにもよく出てる池田先生、この春からうちの大学でも講義をするようになったね。
F：うん。あの有名な池田先生の講義だから、最初の授業には、教室に入りきれないくらい学生が集まったんだって。
M：へ〜。やっぱりね。
F：でもね、最後まで残ったのは半分くらいだったんだって。
M：えっ？　どうして？　出席が厳しかったとか？
F：ううん。出席はそんなに厳しくなかったみたいなんだけど、毎回レポートを書かなきゃならなかったみたいだよ。講義の内容を理解していなければならないのはもちろん、自分の考えをはっきり書いてないものは認めてもらえないんだって。
M：へ〜、大変だね。それじゃあ、いい加減な気持ちでは受けられないね。
F：うん。ただ、最後まで残った人は、口をそろえて、「すばらしい授業だった」って言ってるんだって。
M：そうなんだ。さすが池田先生だね。

女の学生はどうして講義を受けるのをやめた人が多かったと言っていますか。

> 📖 **ことばと表現**
> □ **〜きれない**：「動詞のます形＋きれない」。（最後まで）〜することができない。
> □ **いい加減な**：一生懸命ではない様子。
> □ **口をそろえる**：みんなが同じことを言う。

4番　正答1

会社で、男の人と女の人が話しています。女の人は、ポスターをどのように注文することになりましたか。

M：7月のイベントのポスターだけど、そろそろ印刷だよね？
F：はい。来週明けに注文する予定です。部長、数は去年と同じでいいでしょうか。ポスターが300枚、チラシが1,500枚でしたが…。
M：ああ…前回はちょっと足りなくなったんだよね。ポスターはあと100枚足したほうがよさそうだなあ。そうしてくれる？
F：わかりました。サイズは前回と同じでいいですか。
M：うん、同じでいい。
F：わかりました。あと、印刷会社の人によると、ポスターの紙を薄いものにすると、2万円ほど安くすることができるそうなんですが。
M：そうだねえ…。でも、安っぽくなるのはよくないからね。予算は十分あるし、大丈夫だよ、今まで通りで。
F：わかりました。じゃあ、これで進めておきます。
M：うん。じゃあ、頼むね。

女の人は、ポスターをどのように注文することになりましたか。

> 📖 **ことばと表現**
> □ **安っぽい**：デザインや作りなどに手間をかけていないために、いかにも安く見える様子。
> □ **予算**：budget ／預算／예산
> □ **今まで通り**：今までと同じであること。

5番　正答4

観光案内所で、交通状況について放送しています。どうして電車が遅れましたか。

F：現在、市営バス、ABCバスともに、大雪の影響で、通常より本数を減らしての運転となっております。また、天候不良のため、登山鉄道は、本日は終日運転中止となっております。信号トラブルで一時運転を見合わせていた東西線は、先ほど運転を再開しました。その影響で、各駅・急行とも、20分から30分ほどの遅れが生じております。天候の回復は明日の午後以降になるとの予報ですので、今日、明日の移動の際はくれぐれもご注意ください。

どうして電車が遅れましたか。

ことばと表現
- 通常：いつも。
- 天候：weather／天気情況／일기, 날씨
- 不良：よくない。
- 終日：一日中。
- トラブル：trouble
- 一時：at one time／曾经、当时／한 때
- 見合わせる：天気やトラブルなどの影響で、電車の運転や行事などを止める。
- 生じる：物事や状況が起こる、生まれる。
- 以降：それより後。

6番　正答2

大学で、男の学生と女の先生が話しています。先生は、学生にどのようなアドバイスをしましたか。

M：先生、すみません。今お時間よろしいでしょうか。大学院の受験に提出する書類を見ていただきたいんですが。

F：ああ、ふじ大学の大学院を受けるんでしたね。いいですよ。…うん、大学院のことについてはよく調べていると思いますが、これだと、どうして田中さんがこの大学院に行きたいのかがちょっとよくわからないですね。

M：そうですか…。

F：あなたが、なぜ、この大学院で学びたいのか、その理由を書かないと。

M：わかりました。

F：そうですね…将来やりたいことは書かれているから、そことうまく結びつけるようにしてください。

M：はい。あのう、これまでの自分の経験についても、もう少し詳しく書いたほうがいいでしょうか。

F：ある程度は書けていると思いますよ。でも、具体的に書かなくても、自分自身について、もう一度見つめ直すのはいいと思いますよ。自分が何をやりたいか、そのために何をすべきか、よく整理できると思います。書き直したら、また見せてください。

M：はい。じゃあ、明日にでもまた伺います。

先生は、学生にどのようなアドバイスをしましたか。

ことばと表現
- アドバイス：to give advice／建议／어드바이스
- 結びつける：二つの考えをつなげる。
- ある程度：ある一定のレベルまでは。まあまあ。
- 見つめ直す：自分のことについて、もう一度しっかり考える。
- 書き直す：もう一度書く。

問題3

例　正答2

テレビで女の人が話しています。

F：最近は、市民マラソンがあちこちで開かれるようになりましたね。私の町でも、3年前から開催されています。元々ジョギングを楽しむ人は多かったんですが、マラソン大会が開かれるようになって、走る人が年々増えてい

るように思います。まあ、健康的で、いいことだとは思うんですが、中には遊歩道をスピードを出して走る人もいて、いきなり後ろから追い越されて、びっくりすることがあります。ゆっくり歩いてるお年寄りや、小さい子どもを追い越すのを見るたびに、ひやひやします。

女の人は何について話していますか。
1 前の人の追い越し方
2 走っている人のマナー
3 マラソン大会で驚いたこと
4 市民マラソンのおもしろさ

> 📖 **ことばと表現**
> □ **遊歩道**：公園などに、散歩用に作られた道。
> □ **いきなり**：突然。
> □ **ひやひやする**：危険が近づくのを感じて、恐れる、心配する。

1番　正答2　CD 20

テレビでレポーターが話しています。

M：私は今、さくら町に来ています。右側を流れているのがさくら川です。この町では何年も前から、ここに橋を作ってほしいと住民から要望が出ています。ここから一番近いバス停は、川の向こうにありますが、遠くの橋を渡らなければならないので、30分近くかかってしまいます。もしここに橋があれば10分もかからないそうです。このほか、大きなスーパーや病院なども川の向こう側にあるので、ここに橋をつくれば、人々の生活は今よりずっと便利になります。しかし、市は予算がないという理由で、こうした住民たちの声に応えられないままです。確かに予算の問題もあると思いますが、橋を作ることは、将来的には町の発展にもつながっていくのではないでしょうか。

レポーターは何について話していますか。
1 橋を作る場所
2 橋の必要性
3 町を発展させる方法
4 バスの不便さ

> 📖 **ことばと表現**
> □ **要望**：何かをしてほしいと求めること。
> □ **応える**：要望などを聞いて、その通りにしようとすること。

2番　正答2　CD 21

電話で、男の学生と女の学生が話しています。

M：あ、田中だけど、今ちょっといい？
F：どうしたの？
M：来週、ちょっと大阪の実家に帰ることになってね…。
F：そうなんだ。
M：実は、今回は飛行機にしようかと思って…。これまではバスで帰ってたんだけどさ、安いから。でも、この間、安いチケットが買えるって言ってたじゃない？
F：ああ、うん、私がいつも使ってるとこね。教えてあげるよ。じゃあ、ちょっと会って話す？
M：いい？　悪いね。
F：ううん。私もレポートについて、ちょっと相談したいと思ってたところだから。私は今、食堂にいるんだけど、田中君は？　学校の中にいる？
M：うん、今、図書館にいる。じゃあ、これから食堂に行くよ。
F：そう？　わかった。

男の学生は何のために電話しましたか。
1 大阪の家に帰ることを知らせるため

2　飛行機のチケットについて聞くため
3　友達を昼食に誘うため
4　レポートについて相談するため

ことばと表現
- 実家：親の住んでいる家。自分はそこから離れて住んでいないときに使う。
- 実は：actually／说实话／실은

3番　正答1

講演会で専門家が話しています。

M：みなさんは、急なけがや病気の時に救急車を呼んだことがありますか。救急車は119番に連絡するとすぐにかけつけ、患者を病院まで運んでくれます。しかし近年、救急車の到着が遅れてしまうことが増えています。これについては、利用する側に大きな原因があるといえます。例えば、大したけがでもないのに、まるでタクシーのように救急車を呼んだり、本当はどこも悪くないのに、いたずらで電話する人までいるのです。このような人たちのせいで、本当に救急車を必要とする人のところへ行くのが遅れてしまうのです。

専門家は何について話していますか。
1　救急車が遅れる原因
2　救急車の役割
3　事故や病気の原因
4　いたずら電話の増加

ことばと表現
- 救急車：急に病気になったり、けがをした人を病院に運ぶ車。
- かけつける：急いでその場所まで行く。
- 近年：ここ最近。ここ数年間。
- ～せいで：～が原因で。悪い結果になった時に使う。

4番　正答4

テレビでアナウンサーが話しています。

F：夏は、花火大会やお祭りが多くて楽しい季節ですね。昔ながらのお祭りもあれば、市が企画して、市民みんなで盛り上げているようなものもあります。しかしその一方で、残念なこともあります。どこのお祭りでも、終わった後、道のあちこちにゴミが捨てられていて、それをボランティアの人などが翌日、拾い集めています。会場にゴミ箱が少ないのかもしれませんが、ほとんどの人は普段、道にゴミを捨てたりしないと思います。せっかくのお祭りなのに、どうしてこういうことになるのでしょうか。

アナウンサーは、何について話していますか。
1　祭りの楽しさ
2　ボランティアの募集
3　市民が作る祭り
4　マナーの悪さ

ことばと表現
- 企画(する)：to plan／企划／기획
- 翌日：次の日。
- 普段：normally／平时／보통

5番　正答1

学校で、男の学生と女の学生が話しています。

M：おはよう。
F：おはよう。
M：よかったら、これ、どうぞ。
F：わー、おいしそうなりんごね。どうしたの？
M：青森の実家から送ってきたんだ。親戚がりんごを作っていて。
F：りんご、大好きなの。ありがとう。
M：そのまま食べてもいいし、アップルパイとか

ジュースとか、ジャムとかにしてもいいしね。うちではよくアップルパイにしてたよ。だから、しょっちゅうおやつで食べてた。焼きたてのアップルパイはほんとにおいしいんだよね。
F：へー、レシピを探して、私も作ってみようかな。
M：それなら、また持ってくるよ。まだ家にあるから。
F：ほんと？ うれしい。

男の学生は、女の学生のところに何をしに来ましたか。
1　りんごをあげるため
2　りんごを使ったお菓子をあげるため
3　りんごを一緒に食べるため
4　親戚が作っているりんごを紹介するため

> 📖 ことばと表現
> □ **実家**：親の住んでいる家。自分はそこから離れて住んでいないときに使う。
> □ **親戚**：relative ／亲戚／친척
> □ **アップルパイ**：apple pie
> □ **しょっちゅう**：よく、いつも。
> □ **焼きたて**：焼きあがってすぐ。焼いたすぐ後。
> □ **レシピ**：recipe

問題4

例　正答2　（CD 26）

F：片づけ、私の方でしておきましょうか。
M：1　わかった。そうしておくよ。
　　2　そう？ 助かる。
　　3　いや、そんなことはないと思うよ。

1番　正答1　（CD 27）

M：ごめん、誕生日会、行けそうにないんだ。
F：1　そうなんだ。残念だな。
　　2　リサさんは行ったそうよ。
　　3　これで大丈夫そうだったよ。

> 📖 ことばと表現
> □ 動詞のます形＋そう：〜の可能性が高い。
> □ 動詞の普通形＋そう：人やニュースなどから聞いたことを話す時に使う。

2番　正答2　（CD 28）

F：もっと休みがたくさんあったらよかったのに。
M：1　たくさん休めて、よかったね。
　　2　いやいや、休みがあるだけましだよ。
　　3　今日は早く休んだほうがいいよ。

> 📖 ことばと表現
> □ **まし**：どちらかといえばいいほうだ。

3番　正答2　（CD 29）

M：お目にかかれてうれしいです。
F：1　えっ、もう見たんですか。
　　2　こちらこそ。お元気そうでよかったです。
　　3　はい。会ったことがあります。

> 📖 ことばと表現
> □ **お目にかかる**：「会う」の謙譲語。

4番　正答3　（CD 30）

M：会って事情を聞いてみないことには、なんとも言えません。
F：1　それで、何て言ったんですか？
　　2　そんなに会いたくないんですね。
　　3　ええ、まず会ってみましょう。

ことばと表現
□ ～ないことには～ない：～しなければ、～ない。

5番　正答1　CD 31

M：この資料をコピーさせていただけませんか。
F：1　ええ、いいですよ。どうぞ。
　　2　ええ、3枚いただきます。
　　3　ええ、そうさせてください。

ことばと表現
□ 使役＋ていただけませんか：自分がすることに許可をもらう時の言い方。

6番　正答2　CD 32

M：原さんは、この会社、長いんですか。
F：1　はい、10階建てのビルですよ。
　　2　ええ、もう10年くらいになります。
　　3　あと5分くらいで着きますよ。

ことばと表現
□ 長い：そこに勤めている期間が長い。

7番　正答2　CD 33

F：セミナーの準備、私も手伝えたらよかったんだけど。
M：1　本当にすみません。手がふさがってて。
　　2　いえ、十分な人数がいましたから。
　　3　あとでよければ、私も手伝いますよ。

ことばと表現
□ 手がふさがる：今あることをしていて、他のことができない。

8番　正答1　CD 34

M：昨日遅くまで勉強したんだけど、さっきの試験はさっぱりだったよ。
F：1　私も全然できなかったよ。
　　2　うん、終わってほっとしたね。
　　3　勉強しててよかったね。

ことばと表現
□ さっぱり：全くできなかった。全くわからなかった。
□ ほっとする：to be relieved／放心／한숨(돌리다)

9番　正答3　CD 35

M：やっぱり、明日、田中さんが来ないわけにはいかないんじゃない？
F：1　どうぞ、気にせず休んでいいよ。
　　2　たまにはゆっくりしようよ。
　　3　うーん、じゃあ、行こうかなあ。

ことばと表現
□ ～ないわけにはいかない：～しなければならない。
□ 気にする：worry, mind／担心／신경쓰다

10番　正答2　CD 36

F：先週貸したCD、明日持ってきてくれると助かるんだけど。
M：1　やっと返してくれるんだ。
　　2　明日だね、わかった。
　　3　うん、お願い。

ことばと表現
□ ～てくれると助かる：（あなたが）～してくれるとうれしい・ありがたい。

11番　正答1　CD37

M：お待たせしました、お昼買ってきましたよ。
F：1　ありがとう、助かる。
　　2　私のぶんも買ってきて。
　　3　待たせてごめんね。

> **ことばと表現**
> □ 助かる：ありがたい。

12番　正答1　CD38

M：いい大人が簡単に約束を破るなんて、信じられません。
F：1　そうですね。子どもじゃないんだから。
　　2　約束したなら、きっと大丈夫ですよ。
　　3　大人なんですから、信じましょう。

> **ことばと表現**
> □ いい大人：立派に大人の年齢である人。

問題5

1番　正答2　CD40

家で男の人と女の人が話しています。

M：今日は天気もいいし、海のほうまでジョギングしてみようかな。
F：へー、めずらしいね。いつもは家の周りばかりで、あまり遠くには行かないのに。
M：たまにはね。毎日同じコースじゃ、飽きちゃうからね。天気のいい日は、海のほうは景色がきれいなんだよ。
F：景色がきれいなところなら、さくら川のほうもいいんじゃない？　あそこ、今、桜がいっぱい咲いてるでしょ。
M：いや、昨日知り合いに聞いたら、まだそんなに咲いてないって。来週行ってみるよ。
F：そう…。ねえ、せっかく遠くまで行くんだったら、駅のほうまで行かない？　今日、駅前のスーパーでセールやってるから、野菜とか買ってきてくれると、助かるんだけどなあ。
M：いやだよ。それじゃ、帰りは走れないじゃない。僕は走りたいんだから。
F：そうね。ごめん、ごめん。じゃ、あとで私が行ってくるよ。
M：うん。じゃ、行ってくるね。

男の人は今日はどこをジョギングしますか。
1　家の周り
2　海の近く
3　駅の近く
4　川の近く

> **ことばと表現**
> □ ジョギング：ゆっくり走ること。英「jogging」から。
> □ セール：安く商品を売ること。英「sale」から。

2番　正答3　CD41

大学で、学生たちが友人へのプレゼントについて話しています。

F1：カルロス、来週帰国でしょ。さみしくなるね。
M：うん…。あ、そうだ、プレゼント買わないと。
F2：そうね。何か和風の物がいいよね。桜の絵がかいてあるお茶わんとか。
M：いいね。でも、カルロス、ご飯はそんなに食べないから、茶わんよりお皿のほうがいいんじゃない？
F1：そうね。ただなあ…。なんか、割っちゃいそう、彼。
M：うん。「ごめん、割っちゃいました」って言う顔が目に浮かぶよ。

F2：確かに。じゃあ、おはしは？
F1：あ、いいんじゃない。それなら落としても大丈夫。
M：そうだね。あとは、お弁当箱とか。
F2：うーん、食べるのは大好きだけど、自分で作るタイプじゃないと思うよ。
M：そうだね。じゃあ、おはしで、家族の分もあげるっていうのは？
F1：あ、それは喜ばれると思う。
F2：じゃ、そうしよう。

どんなプレゼントを買うことにしましたか。
1　お皿
2　茶わん
3　お箸
4　弁当箱

> 📖 こと␣ばと表現
> □ **帰国(する)**：自分の国に帰る。
> □ **さみしい**：寂しいと同じ意味。
> □ **和風**：Japanese style／日式／일본풍
> □ **(お)茶わん**：ごはんを入れる食器。
> □ **目に浮かぶ**：その様子が自然と想像できる。

3番　質問1：正答4　　質問2：正答1

CD 43

テレビを見ながら男の人と女の人が話しています。

F1：今年の夏は、特に暑いですね。熱中症など、暑さで体の調子が悪くなる人も多いと思いますが、今日は暑さ対策グッズをご紹介します。まずはこのミニ扇風機です。う～ん、風が涼しくて、気持ちがいいですね。とても小さいので、部屋やオフィスの机の上においても、じゃまになりません。次は、外に出たときの対策ですが、この日傘もお勧めです。普通の日傘よりもずっと、太陽の光をカットしてくれます。それから、このぼうしもお勧めです。これも、日傘と同じ素材を使っていて、男性用、女性用のデザインをご用意しています。そのほか、家でも外でもどこでも使えて便利なのが、このクールタオルです。このタオルは、冷蔵庫などで冷やさなくても、いつでもひんやりと冷たいので、首などに巻いていただければ、熱中症対策にもなります。

M：僕は仕事で外に出ることが多いんだけど、最近暑くて、本当に大変なんだよね。
F2：でもスーツだから、日傘や帽子ってのはちょっとね。
M：そうなんだよ。だからやっぱり、どこでも使えるこれがいちばんいいかな。
F2：そうだね。わたしは、日傘がかわいくて興味あるけど、ほとんど外に出ないで会社の中で仕事してるから、やっぱりこれかな。
M：うん。小さくてじゃまにならないし、いいと思う。

質問1
男の人は何がほしいと言っていますか。

質問2
女の人は何がほしいと言っていますか。

> 📖 ことばと表現
> □ **熱中症**：暑いときに働いたり運動したりして体調が悪くなること。
> □ **グッズ**：商品。品物。英「goods」から。
> □ **ミニ**：小さい。英「mini」から。
> □ **日傘**：暑いときにさす傘。太陽の光を防ぐ。
> □ **お勧め**：いいものなので、買ったほうがいいもの。
> □ **クール**：冷たい。涼しい。英「cool」から。
> □ **ひんやり**：冷たい感じ。

模擬試験の採点表

　配点は、この模擬試験で設定したものです。実際の試験では公表されていませんが、各科目の合計得点が示されているので(60点)、それに基づきました。「基準点＊の目安」と「合格点の目安」も、それぞれ実際のもの(19点、90点)を参考に設定しました。

＊基準点：得点がこれに達しない場合、総合得点に関係なく、それだけで不合格になる。

★この表では合格点の目安を86点としていますが、合格可能性を高めるために、さらに10点以上高い得点(96点以上)を目指しましょう。

★基準点に達しない科目があれば、重点的に復習しましょう。

●言語知識(文字・語彙・文法)

大問	配点	満点	正解数	得点
問題1	1点×5問	5		
問題2	1点×5問	5		
問題3	1点×5問	5		
問題4	1点×7問	7		
問題5	1点×5問	5		
問題6	2点×5問	10		
問題7	1点×12問	12		
問題8	1点×5問	5		
問題9	1点×5問	5		
合計		59		

(基準点の目安)　　(19)

●読解

大問	配点	満点	正解数	得点
問題10	2点×5問	10		
問題11	2点×9問	18		
問題12	4点×2問	8		
問題13	4点×3問	12		
問題14	4点×2問	8		
合計		56		

(基準点の目安)　　(18)

●聴解

大問	配点	満点	正解数	得点
問題1	2点×5問	10		
問題2	2点×6問	12		
問題3	2点×5問	10		
問題4	1点×12問	12		
問題5	3点×4問	12		
合計		56		

(基準点の目安)　　(18)

総合得点	／171

(合格点の目安)(86)